O ADVOGADO

JOHN GRISHAM

O ADVOGADO

Tradução de
AULYDE SOARES RODRIGUES

Rocco

Título original
THE STREET LAWYER

Direitos mundiais para a língua portuguesa
reservados com exclusividade à
EDITORA ROCCO LTDA.
Avenida Presidente Wilson, 231 – 8º andar
20030-021 – Rio de Janeiro, RJ
Tel.: (21) 3525-2000 – Fax: (21) 3525-2001
rocco@rocco.com.br
www.rocco.com.br

Printed in Brazil/Impresso no Brasil

preparação de originais
MAIRA PARULA

CIP-Brasil. Catalogação-na-fonte.
Sindicato Nacional dos Editores de Livros, RJ.

G888a Grisham, John
O advogado / John Grisham; Tradução de Aulyde Soares Rodrigues. – Rio de Janeiro: Rocco, 1998

Tradução de: The street lawyer
ISBN 85-325-8091-X

1. Ficção norte-americana. I. Rodrigues, Aulyde Soares. II. Título.

98-0970 CDD-813
CDU-820(73)-3

Um

O homem com botas de borracha entrou no elevador atrás de mim, mas eu não o vi a princípio. Apenas senti o cheiro – o cheiro ardido de cigarro, vinho barato e de falta de sabão, típico de quem vivia nas ruas. Subimos só os dois no elevador e por fim olhei para o lado e vi as botas, pretas e sujas e grandes demais para os pés. O casaco impermeável puído e esfarrapado ia até os joelhos. Debaixo dele, as camadas de roupa suja e malcheirosa o faziam parecer forte, quase gordo. Mas não era por estar bem alimentado. No inverno, em Washington D. C., os que viviam nas ruas vestiam tudo que tinham, ou pelo menos era o que parecia.

Ele era negro e idoso – a barba e o cabelo grisalhos há anos não eram lavados nem cortados. O homem olhava para a frente, através dos óculos escuros, ignorando completamente minha presença, o que me fez perguntar a mim mesmo por que eu o estava examinando com tanto interesse.

Ele estava deslocado ali naquele lugar. Não era o seu prédio, nem o seu elevador, não era um lugar onde ele podia estar. Os advogados que ocupavam os oito andares do prédio trabalhavam na minha firma e cobravam por hora um preço que, mesmo depois de sete anos, me parecia vergonhoso.

Outro vagabundo da rua procurando fugir do frio. Acontecia sempre no centro da cidade de Washington. Mas tínhamos guardas de segurança para lidar com a ralé.

Paramos no sexto andar e pela primeira vez notei que o homem não havia apertado nenhum botão do elevador, não tinha escolhido nenhum andar. Ele estava me seguindo. Saí rapidamente para o esplêndido saguão de mármore da firma Drake & Sweeney e olhei para trás, o tempo suficiente para ver o homem de pé no elevador, olhando para o nada, ainda me ignorando.

Madame Devier, uma das nossas mais confiáveis recepcionistas, me cumprimentou com seu costumeiro olhar de desdém.

– Vigie o elevador – eu disse.

– Por quê?

– Um vagabundo. Talvez seja melhor chamar a segurança.

– Essa gente – ela disse com seu sotaque francês afetado.

– Arranje um desinfetante também.

Eu segui em frente, tirando o sobretudo e já me esquecendo do homem de botas de borracha. Naquela tarde eu tinha várias reuniões, uma atrás da outra, conferências importantes com gente importante. Dobrei o corredor e ia dizer alguma coisa para Polly, minha secretária, quando ouvi o primeiro tiro.

Madame Devier estava de pé atrás da sua mesa, petrificada, olhando para o cano de um revólver extremamente longo, seguro pelo nosso amigo, o vagabundo da rua. Como eu fui o primeiro a correr para ajudá-la, ele cortesmente apontou a arma para mim e eu também fiquei petrificado.

– Não atire – eu disse, com as mãos erguidas. Tinha visto muitos filmes e sabia o que devia fazer.

– Cala a boca – ele resmungou, com ar de quem dominava a situação.

Ouvi vozes no corredor, atrás de mim. Alguém gritou "Ele está armado!" Depois as vozes desapareceram no fundo, ficando quase inaudíveis quando meus colegas fecharam as portas internas. Eu quase podia vê-los pulando pelas janelas.

À minha esquerda ficava uma porta pesada de madeira que dava para uma sala de conferências que, naquele momento, abrigava oito advogados da nossa seção de litígios. Oito advogados litigantes inflexíveis e destemidos que passavam o tempo moendo as pessoas. O mais durão de todos era um trator insignificante chamado Rafter e quando ele abriu a porta violentamente e disse "Que diabo!", o cano da arma desviou-se para ele e o homem de botas de borracha tinha agora exatamente o que queria.

– Largue a arma – Rafter ordenou da porta e uma fração de segundo depois um tiro soou na área de recepção, um tiro que acertou o teto bem acima da cabeça de Rafter e que o reduziu a um mero mortal. Virando a arma outra vez para mim, o homem fez um sinal com a cabeça e eu obedeci, entrando na sala de conferências, atrás de Rafter. A última coisa que eu vi no lado de fora foi Madame Devier tremendo, sentada à sua mesa, morrendo de medo, os fones de ouvido em volta do pescoço, os sapatos de saltos altos cuidadosamente alinhados ao lado do cesto de papel.

O homem de botas de borracha bateu a porta atrás de mim, e lentamente balançou a arma no ar para que os oito litigantes pudessem admirá-la. Parecia estar em ótimo estado, o cheiro do disparo era mais forte que o do seu dono.

A sala era dominada por uma mesa comprida, coberta de documentos e papéis que até poucos segundos atrás pareciam extremamente importantes. Uma fileira de janelas divisava um estacionamento. Duas portas davam para o corredor.

– Encostados na parede – ele disse, usando a arma como um indicador muito eficaz. Em seguida ele quase a encostou na minha cabeça e disse. – Tranque as portas.

E foi exatamente o que fiz.

Os oito litigantes não disseram uma palavra, enquanto recuavam para a parede. Também sem dizer uma palavra eu tranquei as portas rapidamente, depois olhei para ele, esperando sua aprovação.

Por algum motivo, eu só pensava no correio e em todos aqueles tiroteios horríveis – um funcionário descontente volta do almoço armado até os dentes e liquida quinze dos seus colegas de trabalho. Pensei nos massacres nos playgrounds – e nas carnificinas nas lanchonetes.

E todas as vítimas eram crianças inocentes e cidadãos decentes. Nós éramos um bando de advogados!

Com uma série de rosnados e movimentos da arma, ele enfileirou os oito litigantes contra a parede e quando estavam na posição que ele queria, voltou a atenção para mim. O que ele queria? Será que ia fazer perguntas? Em caso afirmativo, ele podia ter o que bem quisesse. Eu não podia ver seus olhos por causa dos óculos escuros, mas ele podia ver os meus. A arma estava apontada para eles.

O homem tirou o impermeável seboso, dobrou-o, como se fosse novo e o deixou no centro da mesa. Senti outra vez o cheiro que me incomodara no elevador, mas agora isto não tinha mais importância. Ele ficou de pé ao lado da extremidade da mesa e lentamente tirou a camada seguinte – uma suéter demasiado larga e de cor cinza.

Demasiado larga por um bom motivo. Debaixo dela, amarrada na cintura, havia uma fileira de bastões vermelhos que, aos meus olhos inexperientes, pareciam ser dinamite. Fios como espaguete colorido saíam da parte superior e inferior dos bastões e uma fita adesiva prateada mantinha tudo no lugar.

Meu primeiro impulso foi o de me atirar no chão, sacudindo os braços e as pernas, e esperar ter sorte, esperar um tiro quando tentasse alcançar a fechadura da porta e outro quando caísse no corredor. Mas meus joelhos estavam tremendo e meu sangue gelava nas veias. Exclamações abafadas e gemidos surdos vieram dos oito enfileirados na parede e isso perturbou nosso capturador.

– Por favor, fiquem quietos – ele disse, como um professor paciente.

Aquela calma me deixou apavorado. Ele ajustou o espaguete em volta da cintura, depois tirou de um bolso da calça muito larga um rolo de corda de náilon amarela e um canivete.

Para maior segurança, ele sacudiu a arma na frente dos rostos apavorados dos litigantes e disse:

– Eu não quero machucar ninguém.

Bom de se ouvir, mas difícil de levar a sério. Eu contei doze bastões vermelhos – o bastante, eu tinha certeza, para fazer com que tudo fosse instantâneo e indolor.

Então a arma voltou-se na minha direção.

– Você – ele disse –, amarre todos.

Foi demais para Rafter. Ele deu um passo bem pequeno para a frente e disse:

– Escute, amigão, o que você quer, exatamente?

O terceiro tiro voou por cima da cabeça dele até o teto, onde se alojou sem ferir ninguém. Parecia um canhão e Madame Devier ou alguma outra mulher berrou no saguão. Rafter se abaixou e quando tentou levantar o corpo, o cotovelo gorducho de Umstead o acertou bem no meio do peito e o fez voltar à posição anterior, encostado na parede.

– Cala a boca – Umstead disse, com os músculos do rosto tensos.

– Não me chame de amigão – o homem disse, e Amigão foi imediatamente descartado como referência.

– Como quer que o chame? – eu perguntei, sentindo que estava prestes a me tornar o líder dos reféns. Falei muito delicadamente e ele apreciou meu respeito.

– Senhor – ele disse. Senhor era perfeitamente aceitável para todos na sala.

O telefone tocou e por uma fração de segundo eu pensei que ele fosse atirar no aparelho. Mas o homem fez um gesto com a arma e eu o levei para a frente dele, na mesa. Ele levantou o fone com a mão esquerda, a direita ainda segurando a arma e a arma ainda apontada para Rafter.

Se nós todos pudéssemos votar, Rafter seria o primeiro cordeiro a ser imolado. Oito a um.

– Alô – disse Senhor. Ouviu por um breve momento e desligou. Recuou cautelosamente e sentou na cadeira na ponta da mesa.

– Pegue a corda – ele disse para mim.

Ele queria os oito amarrados juntos pelos pulsos. Cortei a corda e comecei a amarrar os nós, fazendo o melhor possível para não olhar para meus colegas enquanto apressava suas mortes. Eu sentia a arma nas minhas costas. Ele queria todos amarrados com firmeza e eu dei um espetáculo ao apertar a corda até praticamente tirar sangue, deixando os nós da forma mais frouxa possível.

Rafter resmungou alguma coisa em voz baixa e eu tive vontade de esbofeteá-lo. Umstead conseguiu flexionar os pulsos, de modo que a corda estava quase caindo quando acabei de amarrá-lo. Malamud suava e respirava muito depressa. Ele era o mais velho, o único sócio presente e há dois anos sofrera um ataque cardíaco.

Não pude deixar de olhar para Barry Nuzzo, meu único amigo no grupo. Tínhamos a mesma idade, trinta e dois anos, e entramos para a firma no mesmo ano. Ele estudou em Princeton, eu em Yale. Nossas mulheres eram ambas de Providence. Seu casamento estava indo bem – três filhos em quatro anos. O meu estava no estágio final de um lento desgaste.

Nossos olhos se encontraram e nós dois estávamos pensando nos filhos dele. Eu me senti feliz por não ter filhos.

Ouvimos a primeira de muitas sirenes e Senhor me mandou que eu fechasse as persianas das cinco janelas grandes. Fiz o trabalho metodicamente, examinando com atenção o estacionamento lá embaixo como se o fato de ser visto pudesse de algum modo me salvar. Uma solitária viatura da polícia aguardava no estacionamento, vazia e com as luzes apagadas. Os policiais já estavam no prédio.

E lá estávamos nós, nove sujeitos brancos e Senhor.

Na última contagem, a Drake & Sweeney tinha oitocentos advogados em todo o mundo. Metade deles estava em Washington D. C., no prédio em que Senhor praticava naquele momento seu ato de terrorismo. Ele mandou que eu chamasse "o chefe" e lhe informasse de que ele estava armado e com doze bananas de dinamite em volta da cintura. Telefonei para Rudolph, o sócio administrativo da divisão antitruste, e transmiti o recado.

– Vocês estão bem, Mike? – ele perguntou. Estávamos no novo viva-voz de Senhor, a todo volume.

– Maravilhosamente bem – eu disse. – Por favor, faça tudo que ele mandar.

– O que ele quer?

– Não sei ainda.

Senhor balançou a arma e a conversa acabou.

Seguindo a deixa da pistola, tomei posição de pé ao lado da mesa de conferências, a poucos passos de Senhor, que havia adquirido o hábito alarmante de brincar distraidamente com os fios no seu peito.

Ele olhou para baixo e deu um puxão num fio vermelho.

– Este vermelho aqui, eu dou um puxão e tudo acaba. – Os óculos escuros olhavam para mim quando ele terminou o breve aviso. Senti que devia dizer alguma coisa.

– Por que ia fazer uma coisa dessas? – perguntei, desesperado para iniciar um diálogo.

– Eu não quero, mas por que não?

Fiquei impressionado com a dicção dele – um ritmo lento e metódico, sem pressa e cada sílaba recebendo tratamento igual. Ele era um vagabundo da rua naquele momento, mas tivera dias melhores.

– Por que vai querer nos matar? – perguntei.

– Não vou discutir com você – ele anunciou. Sem mais perguntas, meritíssimo.

Como sou advogado e vivo pelo relógio, consultei meu relógio para que, qualquer coisa que acontecesse fosse devidamente registrada, se conseguíssemos sobreviver. Era uma hora e vinte. Senhor queria tudo silencioso, por isso suportamos um enervante período de silêncio que durou quatorze minutos.

Eu não podia acreditar que íamos morrer. Parecia não haver nenhum motivo, nenhuma razão para nos matar. Eu tinha certeza de que nenhum de nós o tinha visto antes. Lembrei da subida no elevador e do fato de Senhor não parecer ter destino certo. Era apenas um louco procurando reféns, o que, infelizmente, faria com que as mortes parecessem quase normais, pelos padrões atuais.

Era exatamente o tipo de carnificina sem sentido que seria notícia durante vinte e quatro horas e que faria as pessoas balançarem a cabeça. Depois começariam as piadas sobre os advogados mortos.

Eu podia ver as manchetes e ouvir os repórteres, mas me recusava a acreditar que fosse acontecer.

Ouvi vozes no saguão, sirenes lá fora. Um rádio da polícia chiava em alguma parte no corredor.

– O que você comeu no almoço? – Senhor me perguntou, quebrando o silêncio.

Surpreso demais para pensar em mentir, hesitei por um segundo e disse.

– Um frango grelhado.

– Sozinho?

– Não, com um amigo. – Um amigo da escola de direito na Filadélfia.

– Quanto custou o almoço, para os dois?

– Trinta dólares.

Ele não gostou.

– Trinta paus – ele repetiu. – Para duas pessoas. – Balançou a cabeça, depois olhou para os oito litigantes. Se ele fizesse uma pesquisa entre eles, eu tinha certeza de que iam mentir. Havia alguns estômagos muito sofisticados no grupo e trinta dólares não dariam nem para os aperitivos.

– Sabe o que eu comi? – ele perguntou.

– Não.

– Tomei sopa. Sopa e bolachas, num albergue. Sopa de graça, e fiquei satisfeito por poder tomar. Você poderia alimentar uma centena dos meus amigos com trinta dólares, sabia?

Balancei a cabeça afirmativa e solenemente, para mostrar que compreendia a gravidade do meu pecado.

– Apanhe todas as carteiras, dinheiro, relógios, jóias – ele disse, balançando a arma.

– Posso perguntar por quê? – eu quis saber.

– Não.

Deixei minha carteira, o relógio e o dinheiro na mesa e comecei a revistar os bolsos dos meus companheiros reféns.

– É para o parente mais próximo – Senhor disse e nós todos soltamos o ar que estava preso nos pulmões.

Ele me mandou pôr tudo numa pasta de couro, trancar e telefonar para "o chefe" outra vez. Rudolph atendeu no primeiro toque. Eu podia imaginar o líder da SWAT acampado no escritório dele.

– Rudolph, sou eu, Mike, outra vez. Estou no viva-voz.

– Sim, Mike. Você está bem?

– Ótimo. Escute, este cavalheiro quer que abra a porta mais próxima da área de recepção para pôr uma pasta no corredor. Depois, devo fechar e trancar a porta. Compreendeu?

– Sim.

Com a arma encostada na minha nuca, abri a porta bem devagar e joguei a pasta de couro no corredor. Não vi ninguém em parte alguma.

Poucas coisas são capazes de privar o advogado de uma grande firma do prazer de seu trabalho pago por hora. O sono é uma delas, embora a maioria de nós durma pouco. Comer na verdade encoraja o trabalho, especialmente o almoço, quando é o cliente que está pagando. À medida que os minutos se arrastavam, eu me surpreendi tentando imaginar como os outros quatrocentos advogados do prédio iam administrar suas horas enquanto esperavam o fim da crise dos reféns. Eu podia vê-los lá fora, no estacionamento, quase todos sentados nos respectivos carros para se aquecer, conversando nos celulares, debitando a hora na conta de alguém. A firma, eu concluí, não perderia um segundo.

Alguns desses miseráveis lá fora pouco se importavam em *como* tudo ia acabar. Apenas andem depressa e acabem logo com isso.

Senhor aparentemente cochilou por um segundo. Seu queixo encostou no peito e sua respiração ficou mais pesada. Rafter rosnou para chamar minha atenção, depois virou a cabeça para o lado como sugerindo que eu devia fazer alguma coisa. O problema era que Senhor estava com a arma na mão direita e se estivesse realmente cochilando, cochilava segurando com firmeza o maldito fio vermelho com a mão esquerda.

E Rafter queria que eu fosse um herói. Embora Rafter fosse o mais cruel e mais eficiente litigante da firma, não era ainda sócio. Não trabalhava na minha divisão e não estávamos no exército. Eu não recebia ordens.

– Quanto você ganhou no ano passado? – Senhor, que estava bem acordado, perguntou com sua voz clara.

Outra vez me sobressaltei.

– Eu, humm, puxa, deixe-me ver...

– Não minta.

– Cento e vinte mil.

Ele não gostou disso também.

– Quanto você deu?

– Quanto eu dei?

– É, para a caridade.

– Oh, bem, na verdade, não lembro. Minha mulher toma conta de coisas como essa.

Os oito litigantes pareceram se mover ao mesmo tempo.

Senhor não gostou da minha resposta e não ia ficar sem saber o que queria.

– Quem faz sua declaração?

– Quer dizer do imposto de renda?

– Sim, isso mesmo.

– A nossa divisão se encarrega disso, no segundo andar.

– Aqui, neste prédio?

– Sim.

– Então, mande trazer para mim. Todas as declarações de todos aqui.

Olhei para os oito e uns dois deles queriam dizer, "Vá em frente e me dê um tiro". Eu devo ter hesitado demais, porque Senhor berrou.

– Faça isso agora! – E ele usou a arma para reforçar o grito.

Telefonei para Rudolph que também hesitou e eu gritei com ele.

– Mande tudo por fax para cá – ordenei. – Só do ano passado.

Olhamos para o aparelho de fax no canto da sala por quinze minutos, com medo de que Senhor resolvesse começar as execuções se nossas declarações de renda não chegassem logo.

Dois

Na minha posição de recém-eleito o escriba do grupo, sentei onde Senhor ordenou com um gesto da arma e peguei os fax. Meus companheiros, de pé há quase duas horas, encostados na parede, ainda amarrados uns aos outros, mal podendo se mover, começavam a relaxar os músculos e pareciam exaustos.

Mas seu nível de desconforto estava prestes a subir muito mais.

– Você primeiro – ele disse para mim. – Como se chama?

– Michael Brock – respondi educadamente. – É um prazer conhecê-lo.

– Quanto você ganhou no ano passado?

– Eu já disse, cento e vinte mil, brutos.

– Quanto você deu?

Eu tinha certeza de que podia mentir. Não era especialista em impostos, mas achei que podia responder evasivamente. Encontrei a minha declaração e comecei a folhear as páginas sem pressa. Claire tinha ganhado trinta e um mil dólares como segundanista residente de cirurgia, e nossa renda familiar parecia uma beleza. Mas pagamos cinqüenta e três mil de impostos – para a receita federal e uma espantosa variedade de outros – as despesas com os estudos de Claire, dois mil e quatrocentos por mês por um belo apartamento em Georgetown, dois carros novos com os custos obrigatórios do financiamento e uma porção de outras despesas relacionadas a um confortável estilo de vida, tínhamos investido apenas vinte e dois mil em fundos mútuos.

Senhor esperava pacientemente. Na verdade, sua paciência começava a me deixar nervoso. Eu imaginava o pessoal da SWAT se arrastando pelos condutores de ar, subindo nas árvores próximas, examinando plantas dos nossos escritórios, fazendo todas as coisas que a gente vê na TV, com o objetivo de atravessar a cabeça dele com uma bala e ele parecia nem estar pensando nisso. Aceitou seu destino e estava pronto para morrer. O que não acontecia conosco, seus reféns.

Ele continuava a brincar com o fio vermelho e isso mantinha meu coração numa velocidade de mais de cem batidas por minuto.

– Dei mil dólares para Yale – eu disse. – E dois mil para o United Way local.

– Quanto deu para os pobres?

Eu duvidava que o dinheiro dado à Yale ia servir para alimentar estudantes pobres.

– Bem, o United Way distribui o dinheiro por toda a cidade e tenho certeza de que uma parte vai para ajudar os pobres.

– Quanto você deu para os que têm fome?

– Paguei cinqüenta e três mil dólares de impostos e uma boa parte vai para o serviço social, Medicaid, ajuda a crianças carentes, coisas assim.

– E você fez isso voluntariamente, com espírito de generosidade?

– Eu não me queixei – eu disse, mentindo como a maioria dos meus concidadãos.

– Alguma vez já passou fome?

Ele gostava de respostas simples e meu senso de humor e sarcasmo seriam contraproducentes.

– Não – eu disse. – Nunca passei fome.

– Alguma vez dormiu na neve?

– Não.

– Você ganha um bocado de dinheiro, porém é ambicioso demais para me dar alguns trocados na rua. – Sacudiu a arma para os outros. – Todos vocês. Passam direto por mim quando estou sentado pedindo esmola. Vocês gastam mais em café especial do que eu gasto para comer. Por que não podem ajudar os pobres, os doentes, os sem-teto? Vocês têm tanto.

Eu me surpreendi olhando para aqueles avaros filhos da mãe, vendo-os com os olhos de Senhor e não gostei do que vi. Quase todos estavam olhando para os próprios pés. Só Rafter olhava furioso para a mesa, pensando o que todos nós pensávamos quando tropeçávamos nos Senhores de Washington: Se eu der uns trocados, você (1) vai correndo comprar bebida, (2) mendigar mais, (3) jamais sair da rua.

Silêncio outra vez. Um helicóptero voava por perto e eu só podia imaginar o que eles estavam planejando no estacionamento. Obedecendo às instruções de Senhor, as linhas de telefone estavam na posição de espera, portanto não havia nenhuma comunicação. Ele não queria negociar com pessoa alguma. Tinha seu público na sala de conferências.

– Qual desses caras ganha mais? – ele me perguntou.

Malamud era o único sócio, e eu folheei os papéis até encontrar a declaração dele.

– Essa deve ser a minha – Malamud informou voluntariamente.

– Como é seu nome?

– Nate Malamud.

Examinei rapidamente a declaração de Nate. Foi um momento especial ver os detalhes íntimos do sucesso de um sócio, mas não me deu nenhum prazer.

– Quanto? – Senhor me perguntou.

Oh, as alegrias do código do imposto de renda. O que vai querer, senhor? Renda bruta? Líquida? Sujeita a imposto? Devolução? Renda salarial? Ou renda de negócios e investimentos?

O salário de Malamud na firma era de cinqüenta mil dólares por mês e sua bonificação anual, aquela com que todos nós sonhávamos, era de no mínimo quinhentos mil dólares. Fora um bom ano e nós sabíamos disso. Ele era um dos vários sócios que haviam ganho mais de um milhão de dólares.

Resolvi fazer um jogo não arriscado. Havia vários outros rendimentos praticamente ocultos no verso da declaração –

propriedades alugadas, dividendos, um pequeno negócio – mas imaginei que, se Senhor examinasse as declarações, ia se atrapalhar com os números.

– Um milhão – eu disse, deixando outras centenas de milhares na mesa.

Ele meditou por um momento.

– Você ganhou um milhão de dólares – Senhor disse para Màlamud, que não estava nem um pouco envergonhado disso.

– Sim, eu ganhei.

– Quanto você deu para os que têm fome e os sem-teto?

Eu já estava examinando as deduções da declaração à procura da verdade.

– Não me lembro exatamente. Minha mulher e eu doamos para diversas instituições de caridade. Sei de um donativo de cinco mil, se não me engano, para o Greater D. C. Fund, que, tenho certeza de que deve saber, distribui dinheiro para os necessitados. Nós fazemos muitas doações. E ficamos felizes com isso.

– Tenho certeza de que ficam muito felizes – Senhor disse, com a primeira sugestão de sarcasmo.

Ele não tinha intenção de permitir que ninguém mostrasse o quanto era generoso. Simplesmente queria os fatos. Recebi ordem para fazer uma lista dos nove nomes e anotar ao lado de cada um a respectiva renda, depois as doações do último ano para a caridade.

Era um trabalho demorado e eu não sabia se era melhor me apressar ou fazer com calma. Será que ele nos mataria se não gostasse da matemática? Talvez fosse melhor ir devagar. Logo ficou evidente que nós, os ricos, tínhamos ganhado muito dinheiro e doado muito pouco. Ao mesmo tempo, eu sabia que quanto mais aquela situação se prolongasse, mais insanos ficariam os cenários de resgate.

Ele não tinha falado em executar um refém a cada hora. Ele não queria libertar seus companheiros da prisão. Na verdade, ele parecia não querer coisa alguma.

Trabalhei com calma. Malamud era o primeiro da lista. O último era Colburn, contratado há três anos, tinha uma renda bruta de meros oitenta e seis mil. Fiquei desapontado quando vi que meu amigo Barry Nuzzo ganhava onze mil mais do que eu. Discutiríamos esse assunto mais tarde.

– Em números redondos, chega a três milhões de dólares – comuniquei a Senhor, que parecia estar cochilando outra vez, com os dedos ainda no fio vermelho.

Ele balançou a cabeça lentamente.

– E quanto para os pobres?

– Total da contribuição, cento e oitenta mil.

– Não quero o total das contribuições. Não me coloque e nem a minha gente na mesma laia dos que freqüentam concertos e sinagogas, e com todos seus belos clubes de gente branca onde fazem leilão de vinhos e autógrafos e dão alguns trocados para os escoteiros. Estou falando de comida. Comida para os que têm fome, para os que moram aqui, na mesma cidade que vocês. Comida para os bebês. Bem aqui. Nesta mesma cidade, com vocês ganhando milhões, temos bebês que choram de fome à noite. Quanto para comida?

Ele estava olhando para mim. Eu estava olhando para os papéis na minha frente. Não podia mentir.

Ele continuou.

– Temos dispensários por toda a cidade, lugares onde os pobres e os sem-teto podem comer alguma coisa. Quanto dinheiro vocês deram para esses dispensários? Deram alguma coisa?

– Não diretamente – eu disse. – Mas algumas dessas instituições de caridade...

– Cala a boca!

Sacudiu outra vez a maldita arma.

– E os albergues para os sem-teto? Lugares onde dormimos quando a temperatura está doze graus negativos lá fora. Quantos albergues estão relacionados nesses papéis?

Minha criatividade falhou.

– Nenhum – eu disse, em voz baixa.

Ele levantou de um salto, sobressaltando a todos, os bastões vermelhos claramente visíveis sob o adesivo prateado. Chutou a cadeira para trás.

– E as clínicas? Temos essas pequenas clínicas onde os médicos – gente boa e decente que antes ganhava rios de dinheiro – trabalham de graça para ajudar os doentes. Eles não cobram nada. O governo antes pagava o aluguel, ajudava a comprar remédios e suprimentos. Agora o governo está nas mãos de uma salamandra e o dinheiro desapareceu. Quanto vocês dão para as clínicas?

Rafter olhou para mim com se achasse que eu devia fazer alguma coisa. Talvez encontrar de repente alguma coisa nos papéis e dizer: "Minha nossa! Vejam só! Demos meio milhão para as clínicas e para os dispensários."

Exatamente o que Rafter faria. Mas não eu. Eu não queria levar um tiro. Senhor era muito mais esperto do que parecia.

Continuei consultando os papéis enquanto Senhor ia até a janela e espiava entre as lâminas da persiana.

– Tiras por toda a parte – ele disse, com voz suficientemente alta para que todos ouvissem. – E uma porção de ambulâncias.

Então, esqueceu da cena lá embaixo, foi até a ponta da mesa e parou perto dos reféns. Eles vigiavam cada movimento dele, com atenção especial para os explosivos. Senhor ergueu a arma devagar e apontou diretamente para o nariz de Colburn, a menos de três passos dele.

– Quanto você deu para as clínicas?

– Nada. – Colburn disse fechando os olhos com força, quase chorando. Meu coração ficou gelado e prendi a respiração.

– Quanto para os dispensários?

– Nada.

– Quanto para os albergues dos sem-teto?

– Nada.

Em vez de atirar em Colburn, ele apontou para Nuzzo e repetiu as três perguntas. As respostas foram idênticas e Senhor foi andando na frente da fila, apontando, fazendo as mesmas perguntas, recebendo as mesmas respostas. Para nosso desapontamento, ele não atirou em Rafter.

– Três milhões de dólares – ele disse, com desprezo – e nem um centavo para os doentes e os famintos. Vocês são uns miseráveis.

Nós nos sentíamos miseráveis. E eu compreendi que ele não ia nos matar.

Como um vagabundo comum das ruas podia conseguir dinamite? E quem ia ensiná-lo a ligar os fios?

Ao cair da noite ele disse que estava com fome e me mandou telefonar para o chefe e mandar pedir sopa da Missão Metodista, na esquina da rua L com 17, a noroeste. Eles põem mais legumes no caldo, Senhor disse. E o pão não era tão velho quanto na maioria das outras.

– A missão tem serviço para viagem? – Rudolph perguntou, incrédulo. A pergunta ecoou na sala, através do viva-voz.

– Apenas peça, Rudolph! – eu ordenei. – E peça o bastante para dez pessoas.

Senhor me mandou desligar e outra vez pôs o telefone na posição de espera.

Eu podia ver nossos amigos e um esquadrão de policiais voando através da cidade na hora do rush e aterrissando na quieta e pequena missão onde o povo das ruas, inclinado sobre suas tigelas de sopa, tentava descobrir o que estava acontecendo. Dez porções de sopa e pão extra para viagem.

Senhor fez outra viagem até a janela quando ouviu outra vez o helicóptero. Espiou para fora, recuou alguns passos, passou a mão na barba e considerou a situação. Que tipo de invasão eles podiam estar planejando que incluía um helicóptero? Talvez fosse para retirar os feridos.

Umstead estava inquieto há uma hora, para grande desconforto de Malamud e Rafter, presos a ele pelos pulsos. Finalmente, Umstead não agüentou mais.

– Ah, com licença, senhor, mas eu realmente preciso ir... bem... à sala dos homens...

Senhor continuou cofiando a barba.

– Sala dos homens. O que é a sala dos homens?

– Eu preciso urinar, senhor – Umstead disse, exatamente como um garoto de escola. – Não posso segurar mais.

Senhor olhou em volta e viu um inocente vaso de porcelana numa mesa de centro. Com outra sacudida da arma ele me mandou soltar Umstead.

– A sala dos homens fica bem ali – Senhor disse.

Umstead tirou as flores frescas do vaso e de costas para nós, urinou por um longo tempo, enquanto todos olhavam para o chão. Quando afinal ele terminou, Senhor nos mandou levar a mesa de conferências para perto da janela. A mesa tinha seis metros de comprimento, era de nogueira sólida como a maior parte dos móveis da Drake & Sweeney e, comigo numa ponta e Umstead gemendo na outra, conseguimos arrastá-la por uns dois metros até Senhor mandar parar. Ele me fez amarrar Malamud em Rafter, deixando Umstead livre. Eu jamais compreendi por que ele fez isso.

Então, obrigou os sete reféns amarrados a sentar em cima da mesa, de costas para a parede. Ninguém ousou perguntar por quê, mas eu achei que ele queria um escudo contra os atiradores lá de fora. Mais tarde fiquei sabendo que a polícia tinha atiradores num prédio vizinho. Talvez Senhor os tenha visto então.

Depois de cinco horas de pé, foi um alívio para Rafter e companhia poder sentar afinal. Umstead e eu recebemos ordens para sentar em cadeiras e Senhor sentou à cabeceira da mesa. Esperamos.

A vida nas ruas deve ensinar paciência. Ele parecia satisfeito em ficar em silêncio por longos períodos de tempo, os olhos escondidos atrás dos óculos escuros, a cabeça completamente imóvel.

– Quem são os que nos jogaram na rua? – ele resmungou, para ninguém em particular, e esperou alguns minutos antes de repetir a pergunta.

Nós nos entreolhamos, confusos, sem a menor idéia do que ele estava falando. Senhor parecia estar olhando para um ponto na mesa, não distante do pé direito de Colburn.

– Vocês não apenas ignoram os sem-teto como também ajudam a mandá-los para a rua.

Nós, é claro, concordamos inclinando nossas cabeças, todos dançando a mesma música. Se ele queria nos encher com sua verborragia, estávamos perfeitamente dispostos a aceitar.

Nosso jantar chegou alguns minutos antes das sete. Uma batida forte na porta. Senhor me mandou telefonar e avisar a polícia que ele mataria um de nós se visse ou ouvisse qualquer pessoa no lado de fora da porta. Expliquei isso cuidadosamente para Rudolph, enfatizando que não deviam tentar nenhum tipo de resgate. Nós estávamos negociando.

Rudolph disse que compreendia.

Umstead foi até a porta, girou a chave e olhou para Senhor, à espera de instruções. Senhor estava atrás dele, com a arma a menos de trinta centímetros da cabeça de Umstead.

– Abra bem devagar – Senhor disse.

Eu estava de pé um pouco atrás de Senhor quando a porta foi aberta. A comida estava num carrinho que um dos nossos paralegais usava para transportar a enorme quantidade de papéis que nós usávamos. Vi quatro vasilhas grandes de plástico com sopa e um saco de papel pardo com pão. Não sei se havia alguma coisa para beber. Nunca chegamos a saber.

Umstead deu um passo para o corredor, agarrou o carrinho e ia puxá-lo para dentro da sala quando o tiro explodiu no ar. Um atirador da polícia estava escondido atrás de um aparador ao lado da mesa de Madame Devier, a doze metros da porta, com toda a visibilidade de que precisava. Quando Umstead se inclinou para segurar o carrinho, a cabeça de Senhor ficou exposta por uma fração de segundo e o atirador a fez em pedaços.

Senhor caiu para trás sem nenhum som e meu rosto ficou imediatamente coberto de sangue e fluidos. Eu pensei que estava ferido também e lembro-me de ter gritado de dor. Umstead estava gritando no corredor. Os outros sete levantaram da mesa como gatos escaldados, todos berrando e correndo agachados para a porta, a metade puxando a outra metade. Eu fiquei de joelhos, com as mãos nos olhos, esperando a explosão, depois corri para a outra porta, para longe da carnificina. Abri a chave, depois a porta e a última vez que vi Senhor ele estava tremendo espasmodicamente num dos nossos caros tapetes orientais. As mãos estavam abertas, nos lados do corpo, longe do fio vermelho.

O corredor de repente se encheu de homens da SWAT, todos com capacetes que os faziam parecer monstros ferozes e coletes grossos, dezenas deles avançando agachados. Eram apenas uma imagem embaçada. Eles nos carregaram para a área de recepção e para os elevadores.

– Está ferido? – eles perguntaram.

Eu não sabia. Meu rosto e minha camisa estavam cheios de sangue e de um líquido pegajoso que mais tarde o médico descreveu como líquido cerebrospinal.

Três

No primeiro andar, o mais distante possível de Senhor, amigos e famílias esperavam. Dezenas de nossos advogados amontoavam-se nos escritórios e no corredor, esperando o resgate dos reféns. Quando chegamos, fomos recebidos com um brado de alegria.

Como eu estava coberto de sangue, eles me levaram para uma pequena sala de ginástica no porão. Pertencia à firma e era praticamente ignorada pelos advogados. Éramos ocupados demais para fazer exercício e quem fosse apanhado naquela sala certamente receberia um volume maior de trabalho.

Fui imediatamente cercado por médicos, nenhum deles a minha mulher. Quando os convenci de que o sangue não era meu, acalmaram-se e fizeram um exame de rotina. A pressão estava alta, o pulso completamente doido. Eles me deram um comprimido.

O que eu queria realmente era um chuveiro. Eles me fizeram ficar deitado por dez minutos numa mesa, enquanto esperavam baixar minha pressão.

– Estou em estado de choque? – perguntei.

– Provavelmente não.

Mas sem dúvida eu me sentia como se estivesse. Onde estava Claire? Eu acabava de passar seis horas sob a mira de uma arma, com a vida por um fio, e ela nem se deu ao trabalho de esperar por mim com as outras famílias.

O banho de chuveiro foi longo e quente. Lavei a cabeça três vezes com xampu, depois fiquei parado, sob a água, por uma eternidade. O tempo estava congelado. Nada importava. Eu estava vivo, respirando e com o vapor quente saindo do corpo todo.

Vesti roupas limpas de ginástica, não sei de quem pois eram largas demais para mim, e voltei para a mesa para verificar outra vez a pressão. Minha secretária Polly entrou na sala e me deu um grande abraço. Eu precisava disso desesperadamente. Os olhos dela estavam cheios de lágrimas.

– Onde está Claire? – eu perguntei.

– Foi atender a um chamado. Tentei ligar para o hospital.

Polly sabia que não restava muita coisa do meu casamento.

– Você está bem? – ela perguntou.

– Acho que sim.

Agradeci aos médicos e saí da sala de ginástica. Rudolph me esperava no corredor e me deu um abraço meio desajeitado. Usou a palavra "congratulações" como se eu tivesse feito alguma coisa importante.

– Ninguém espera que você venha trabalhar amanhã – ele disse.

Será que ele pensava que um dia de folga ia curar todos os meus problemas?

– Ainda não pensei em amanhã – eu disse.

– Você precisa descansar – Rudolph acrescentou, como se os médicos não tivessem pensado nisso.

Eu queria falar com Barry Nuzzo, mas os reféns meus companheiros já tinham ido embora. Ninguém estava ferido, apenas alguns pulsos ralados por causa das cordas.

Com a margem de carnificina reduzida ao mínimo, e os "mocinhos" de pé e sorrindo, a excitação logo desapareceu na Drake & Sweeney. A maioria dos advogados e o resto do pessoal tinham esperado nervosamente no primeiro andar, bem longe de Senhor e dos seus explosivos. Polly me deu o sobretudo que vesti sobre a roupa de ginástica grande demais para mim. Meus mocassins pareciam velhos, mas não me importei com isso.

– Há alguns repórteres lá fora – Polly disse.

Ah, sim, a mídia. Que reportagem! Não apenas o tipo comum de tiroteio, mas um bando de advogados mantidos como reféns por um louco das ruas.

Mas eles não conseguiram a reportagem, certo? Os advogados escaparam, o bandido levou um tiro, os explosivos apenas chiaram quando ele caiu no chão. Ah, o que podia ter sido! Um tiro, depois uma bomba, uma centelha de luz branca, os vidros das janelas estilhaçados, braços e pernas espalhados pela rua, tudo devidamente registrado ao vivo pelo Canal Nove, para o noticiário da noite.

– Eu o levo em casa – Polly disse. – Venha comigo.

Eu estava muito grato por alguém estar dizendo o que eu devia fazer. Meus pensamentos estavam lentos e confusos, um quadro após o outro, sem nenhuma concepção de enredo ou cenário.

Saímos do primeiro andar pela porta de serviço. O ar da noite estava frio e cortante e eu aspirei sua doçura até ficar com os pulmões doloridos. Enquanto Polly corria para apanhar seu carro, fiquei escondido num canto do prédio, vendo o circo que passava na minha frente. Carros de polícia, ambulâncias, furgões de televisão, até um carro de bombeiro. Estavam arrumando as coisas para ir embora. Uma das ambulâncias continuou estacionada de costas para o prédio, sem dúvida esperando para levar Senhor para o necrotério.

Eu estou vivo! Eu estou vivo! Repeti isso várias vezes, sorrindo pela primeira vez. Estou vivo!

Fechei os olhos com força e ofereci uma oração de agradecimento, breve porém sincera.

Os sons começaram a voltar. Enquanto ali sentados em silêncio, Polly dirigindo devagar e esperando que eu dissesse alguma coisa, ouvi o estalo agudo do rifle do atirador. Depois o baque surdo quando a bala acertou o alvo e os passos dos outros reféns levantando da mesa e correndo para fora da sala.

O que eu tinha visto? Eu havia olhado rapidamente para a mesa onde os sete estavam sentados, olhos pregados na porta, depois olhei para Senhor, no momento em que ele ergueu a arma e apontou para a cabeça de Umstead. Eu estava logo atrás dele quando o tiro o atingiu. O que impediria que a bala, passando por ele, tivesse me atingido também? Balas atravessam paredes, portas e pessoas.

– Ele não ia nos matar – eu disse, em voz quase inaudível.

Foi um alívio para Polly ouvir a minha voz.

– Então, o que ele estava fazendo?

– Eu não sei.

– O que ele queria?

– Ele não disse. É realmente estranho o pouco que foi dito. Ficamos ali parados por horas, só olhando um para o outro.

– Por que ele não quis falar com a polícia?

– Quem sabe? Esse foi seu maior erro. Se ele tivesse mantido a linha aberta, eu poderia convencer os policiais de que ele não ia nos matar.

– Você não está culpando a polícia, está?

– Não. Lembre-me de escrever algumas cartas para eles.

– Vai trabalhar amanhã?

– O que mais eu podia fazer amanhã?

– Pensei que podia precisar de um dia de folga.

– Eu preciso de um ano de folga. Um dia não vai adiantar.

Nosso apartamento ficava no terceiro andar de uma fila de casas iguais na rua P, em Georgetown. Polly parou o carro na frente. Eu agradeci, desci do carro. As janelas escuras indicavam que Claire não estava em casa.

Eu conheci Claire uma semana depois de me mudar para Washington D. C. Acabava de me formar em Yale, com um grande emprego numa firma próspera e um futuro brilhante, como outros cinqüenta novos advogados da minha turma. Ela estava terminando sua graduação em ciências políticas pela American University. Seu avô fora governador de Rhode Island e há séculos a família dispunha de boa influência.

Na Drake & Sweeney, como na maioria das grandes firmas, o primeiro ano é como um campo de treinamento militar. Eu trabalhava quinze horas por dia, seis dias por semana e meu encontro semanal com Claire era somente aos domingos. Pelo menos podíamos partilhar uma cama, mas quase tudo que fazíamos era dormir.

O casamento foi uma grande festa, a lua-de-mel breve e quando o brilho arrefeceu eu estava de volta ao escritório para as minhas noventa horas semanais. No terceiro mês da nossa união, passamos dezoito dias sem fazer sexo. Claire contou.

Nos primeiros meses ela enfrentou a situação com espírito esportivo, mas depois começou a se cansar de ser negligenciada. Eu não a culpava por isso, mas jovens contratados não se queixam nos sacrossantos escritórios da Drake & Sweeney. Menos de dez por cento de cada turma chegarão a ser sócios, portanto a concorrência é feroz. As recompensas são grandes, no mínimo um milhão de dólares por ano. Faturar muitas horas é mais importante do que uma esposa feliz. O divórcio é comum. Eu nem sonhava em pedir a Rudolph para diminuir meu volume de trabalho.

Porém, no final do nosso primeiro ano juntos, Claire estava muito infeliz e começamos a brigar.

Ela resolveu estudar medicina. Cansada de ficar em casa assistindo à televisão, pensou que podia se absorver no trabalho, como eu. Achei a idéia maravilhosa. Aliviava grande parte do meu sentimento de culpa.

Depois de quatro anos na firma, eles começaram a fazer insinuações a respeito de nossas probabilidades de chegarmos a sócios. As insinuações eram anotadas e comparadas entre a maior parte dos contratados. A opinião geral era de que eu estava muito perto de me tornar sócio. Mas para isso tinha de trabalhar mais ainda.

Claire fazia questão de passar mais tempo do que eu fora do apartamento e assim nós dois passamos para o extremo do excesso de trabalho. Paramos de brigar e simplesmente começamos a nos distanciar. Claire tinha seus amigos e seus interesses, eu tinha os meus. Felizmente, não cometemos o erro de ter filhos.

Eu gostaria de ter feito tudo de outro modo. Houve um tempo em que nos amávamos e deixamos isso escapar das nossas mãos.

Quando entrei no apartamento escuro, pela primeira vez em muitos anos, senti que precisava de Claire. Você passa horas face a face com a morte e precisa falar sobre isso com alguém. Quer que alguém precise de você, que o acaricie, que diga que se importa.

Sentei no sofá da sala com uma vodca com gelo, sentindo-me abandonado e magoado. Então comecei a pensar nas seis horas que tinha passado com Senhor.

Duas vodcas mais tarde, ouvi Claire chegando. Ela abriu a porta e chamou.

– Michael.

Fiquei calado porque estava ainda zangado e magoado. Ela entrou na sala e parou quando me viu.

– Você está bem? – perguntou com genuína preocupação.

– Estou ótimo – eu disse, suavemente.

Ela deixou o casaco e a bolsa numa cadeira e foi até o sofá onde eu estava.

– Onde você andou? – perguntei.

– Estava no hospital.

– É claro. – Tomei um longo gole de vodca. – Escute, eu tive um dia péssimo.

– Eu sei, Michael.

– Você sabe?

– É claro que sei.

– Então, onde você estava?

– No hospital.

– Nove de nós mantidos como reféns de um homem louco durante seis horas. Oito famílias apareceram, porque estavam realmente preocupadas. Tivemos sorte de escapar e eu tive de pedir carona à minha secretária para voltar para casa.

– Eu não podia ir até lá.

– É claro que não. Eu devia saber disso.

Ela sentou na cadeira, ao lado do sofá. Olhamos um para o outro zangados.

– Eles nos fizeram ficar no hospital – ela começou, friamente. – Sabíamos da situação dos reféns e da possibilidade de alguém sair ferido. É o procedimento padrão nesses casos, eles notificam os hospitais e todos ficam de plantão.

Outro longo gole de vodca, enquanto eu tentava encontrar alguma coisa contundente para dizer.

– Eu não podia ajudá-lo no seu escritório – ela continuou. – Estava esperando no hospital.

– Você telefonou?

– Tentei. Todas as linhas estavam ocupadas. Finalmente consegui um policial e ele desligou na minha cara.

– Tudo terminou há mais de duas horas. Onde você esteve esse tempo todo?

– Na sala de cirurgia. Estávamos operando um garotinho que foi atropelado por um automóvel.

– Sinto muito – eu disse. Jamais compreendi como os médicos podem enfrentar tanta morte e tanta dor. Senhor fora o segundo cadáver que eu tinha visto em toda a minha vida.

– Eu também sinto – ela disse e depois foi até a cozinha e voltou com um copo de vinho. Ficamos sentados na sala quase escura por algum tempo. Como não praticávamos muito, a comunicação era difícil.

– Quer falar a respeito? – ela perguntou.

– Não. Agora não. – E realmente eu não queria. O álcool havia se misturado com os comprimidos e minha respiração estava pesada. Pensei em Senhor, como parecia calmo e em paz com o mundo, mesmo sacudindo uma arma e com dinamite na cintura. Longos períodos de silêncio não o afetavam de modo algum.

Silêncio era o que eu queria. No dia seguinte estaria pronto para falar.

Quatro

O efeito dos comprimidos e do álcool durou até as quatro horas da manhã seguinte, quando acordei com o cheiro forte do líquido pegajoso do cérebro de Senhor no meu nariz. Por um momento, entrei em pânico, no escuro. Esfreguei os olhos e me agitei no sofá até ouvir um movimento ao meu lado. Claire estava dormindo na cadeira.

– Tudo bem – ela disse suavemente, tocando no meu ombro. – Foi só um pesadelo.

– Quer me trazer um copo com água? – eu pedi e ela foi para a cozinha.

Conversamos por uma hora. Contei tudo que consegui lembrar. Claire sentou perto de mim, acariciando meu joelho, segurando o copo com água, ouvindo atentamente. Tínhamos conversado tão pouco nos últimos anos.

Claire tinha de fazer seu turno às sete, por isso preparamos juntos o café da manhã, waffles e bacon. Comemos no balcão da cozinha com uma pequena televisão ligada. O noticiário das seis começou com o drama dos reféns. Mostraram imagens do prédio durante a crise, o povo no lado de fora, alguns dos meus colegas cativos saindo apressadamente quando tudo acabou. Pelo menos um dos helicópteros que ouvimos pertencia à estação de televisão e a câmara desceu até focalizar de perto a janela. Por alguns segundos vimos Senhor espiando entre as lâminas da persiana.

O nome dele era DeVon Hardy, cinqüenta e cinco anos, veterano do Vietnã, uma curta ficha policial. A foto da polícia, de uma das vezes em que foi preso por roubo, apareceu na tela atrás do locutor do noticiário da manhã. Não parecia nem um pouco com Senhor – sem barba, sem óculos, muito mais jovem. Foi descrito como sem-teto com um histórico de uso de drogas. Ninguém sabia dos motivos. Nenhum parente tinha aparecido.

Vieram em seguida os nossos "Sem comentários" e a reportagem acabou.

Depois a previsão do tempo. Nevaria muito no fim da tarde. Era o dia 12 de fevereiro e a neve já havia estabelecido um recorde.

Claire me deu carona até o escritório, onde às seis e quarenta não foi surpresa para mim ver meu Lexus estacionado entre vários outros carros importados. O estacionamento nunca estava vazio. Muita gente dormia no escritório.

Prometi a Claire telefonar mais tarde, para saber se poderíamos almoçar no hospital. Ela queria que eu tentasse descansar pelo menos por um ou dois dias.

O que eu devia fazer? Deitar no sofá e tomar comprimidos? Ao que parecia, o consenso era de que eu precisava de um dia de folga, depois do que, certamente, voltaria ao trabalho a todo vapor.

Cumprimentei os dois guardas de segurança, muito alertas no saguão. Três dos quatro elevadores estavam abertos, esperando, e eu podia escolher. Entrei no que Senhor tinha tomado comigo e as coisas começaram a rodar em câmara lenta.

Uma centena de perguntas ao mesmo tempo. Por que tinha escolhido o nosso prédio? A nossa firma? Onde tinha ficado antes de entrar no saguão? Onde estavam os guardas de segurança sempre alertas perto da frente do prédio? Por que eu? Centenas de advogados entravam e saíam o dia inteiro. Por que o sexto andar?

E o que ele queria? Eu não acreditava que DeVon Hardy teve todo aquele trabalho de amarrar explosivo no corpo e arriscar a própria vida, por mais humilde que fosse, para passar um sermão num bando de advogados ricos sobre sua falta de generosidade. Ele podia ter escolhido pessoas mais ricas. E talvez mais gananciosas.

Sua pergunta, "Quem são os que nos jogaram na rua?", não chegou a ser respondida. Mas não ia demorar muito.

O elevador parou, eu saí, dessa vez sem ninguém atrás de mim. Madame Devier àquela hora estava ainda dormindo, em algum lugar, e o sexto andar estava silencioso. Parei na frente da mesa dela e olhei para as duas portas da sala de conferências. Lentamente abri a mais próxima, onde Umstead estava quando a bala passou raspando por sua cabeça e entrou na de Senhor. Respirei fundo e acendi a luz.

Nada tinha acontecido. A mesa e as cadeiras estavam em perfeita ordem. O tapete oriental sobre o qual Senhor morreu fora substituído por outro, mais bonito ainda. Uma camada de tinta fresca cobria as paredes. Até o orifício da bala no teto, acima de onde Rafter estava, tinha desaparecido.

Os poderes vigentes na Drake & Sweeney tinham gastado alguma grana na noite anterior para garantir que o incidente jamais havia acontecido. A sala podia atrair alguns curiosos durante o dia, os quais certamente não teriam nada para ver. Isso podia fazer com que eles negligenciassem seu trabalho por um ou dois minutos. Simplesmente não podia haver o menor sinal da ralé das ruas nos nossos escritórios imaculados.

Era uma camuflagem feita a sangue-frio e tristemente eu compreendia os motivos. Eu era um dos ricos homens brancos. O que eu esperava, um memorial? Uma pilha de flores trazidas pelos companheiros de rua de Senhor?

Eu não sabia o que esperava encontrar. Mas o cheiro da tinta fresca me deixou nauseado.

Todas as manhãs, exatamente no mesmo lugar, eu encontrava o *Wall Street Journal* e o *Washington Post*. Eu costumava saber o nome da pessoa que os deixava ali, mas já tinha esquecido. No pé da primeira página da seção policial do *Post* estava a foto de DeVon Hardy que tinha aparecido na televisão e uma grande reportagem sobre a pequena crise da véspera.

Eu li rapidamente porque achei que sabia mais detalhes do que qualquer repórter. No entanto, fiquei sabendo de mais duas coisas. Os bastões vermelhos não eram dinamite. Senhor havia serrado alguns cabos de vassoura em pedaços pequenos, enrolou neles o adesivo prateado e quase nos matou de medo. A arma era uma automática, calibre 44, roubada.

Por ser o *Post,* a reportagem falava mais de DeVon Hardy do que de suas vítimas, embora, para ser justo, e para minha satisfação, nenhuma palavra tenha sido dita por nenhum membro da Drake & Sweeney.

Segundo um tal Mordecai Green, diretor da Clínica de Advocacia, da rua 14, DeVon Hardy tinha trabalhado durante muitos anos como zelador do Jardim Botânico. Perdera o emprego por causa de contenção de despesas. Cumpriu pena de alguns meses por roubo e foi parar nas ruas. Lutava para se livrar do álcool e das drogas e era constantemente detido por furto em lojas. A Clínica de Advocacia de Green o havia representado várias vezes. Se tinha família, seus advogados nada sabiam sobre ela.

Quanto ao motivo, Green tinha pouco a dizer. Disse que DeVon Hardy fora despejado recentemente de um velho armazém onde ele se abrigava.

Uma ação de despejo é um procedimento legal, conduzido por advogados. Eu tinha uma boa idéia de qual, entre os milhares de firmas de advocacia de Washington D. C. havia atirado Senhor na rua.

A Clínica de Advocacia da rua 14 era uma instituição de caridade e só trabalhava com os sem-teto, segundo Green. "Antigamente, quando tínhamos subvenção do governo, eram muitos os nossos advogados. Agora só temos dois", ele disse.

Como era de se esperar, o *Journal* não mencionava a história. Se algum dos nove advogados corporativos, da quinta maior firma aristocrática do país tivesse sido morto ou até mesmo levemente ferido, estaria na primeira página.

Graças a Deus a reportagem não era mais do que isso. Eu estava sentado à minha mesa, lendo os jornais, ileso, com muito trabalho para fazer. Podia estar no necrotério ao lado de Senhor.

Polly chegou alguns minutos antes das oito com um grande sorriso e um prato de biscoitos feitos em casa. Não ficou surpresa quando me viu trabalhando.

Na verdade, todos os nove reféns compareceram, muitos deles antes da hora de a firma abrir. Seria um sinal evidente de fraqueza ficar em casa com a mulher para ser consolado.

– Arthur está no telefone – Polly disse.

Nossa firma tinha pelo menos dez advogados chamados Arthur, mas apenas um andava pelos corredores sem precisar que fosse mencionado seu sobrenome. Arthur Jacobs era o sócio mais antigo, o diretor-executivo, a força impulsionadora, um homem que nós admirávamos e respeitávamos. Se a firma tinha um coração e uma alma, era Arthur. Em sete anos, eu só havia falado com ele três vezes.

Eu disse a ele que estava bem. Ele elogiou minha coragem e minha atitude diante de tanta pressão e eu quase me senti um herói. Gostaria de saber como ele ficou sabendo. Provavelmente falou primeiro com Malamud e estava começando a descer os degraus da hierarquia. E assim, iam começar as histórias e depois as piadas. Umstead e o vaso de porcelana sem dúvida seriam motivo de hilaridade.

Arthur queria uma reunião com os ex-reféns às dez horas, na sala de conferências, para gravar em vídeo nossos depoimentos.

– Por quê? – eu perguntei.

– Os rapazes da seção de litígios acham que é uma boa idéia – ele disse, sua voz clara e decidida, apesar de seus oitenta anos. – A família dele provavelmente vai processar a polícia.

– É claro – eu disse.

– E provavelmente nos indiciarão. O povo processa por qualquer coisa, você sabe.

Ainda bem, eu quase disse. Onde estaríamos sem processos legais?

Agradeci o interesse dele e Arthur desligou, pronto para telefonar para outro refém.

O desfile no meu escritório começou antes das nove, um fluxo contínuo de curiosos e os que me desejavam boa sorte, profundamente preocupados comigo mas também desesperados por saber detalhes. Eu estava sobrecarregado de trabalho, mas não consegui nem começar. Nos momentos de sossego entre um visitante e outro, ficava sentado olhando para a fileira de pastas que exigiam minha atenção e não fazia nada. Minhas mãos não se estendiam para elas.

Não era mais a mesma coisa. O trabalho não era importante. Minha mesa não era uma questão de vida ou morte. Eu tinha visto a morte, quase a senti e ingenuamente pensei que podia simplesmente ignorá-la e voltar, como se nada tivesse acontecido.

Pensei em DeVon Hardy e nos seus bastões vermelhos com os fios coloridos se estendendo para todos os lados. Tinha passado horas fazendo seus brinquedos e planejando o ataque. Roubou uma arma, encontrou nossa firma, cometeu o erro crucial que lhe custou a vida e ninguém, nenhuma das pessoas com quem eu trabalhava, dava a mínima para ele.

Por fim saí do escritório. O tráfego estava ficando pior e eu estava sendo obrigado a falar com pessoas que não suportava. Dois repórteres telefonaram. Eu disse a Polly que tinha algumas coisas para fazer na rua e ela lembrou a reunião com Arthur. Fui até meu carro, liguei o motor e o aquecimento e fiquei sentado por um longo tempo pensando se devia participar da reconstituição do incidente. Se eu não fosse, Arthur ficaria aborrecido. Ninguém deixa de ir a uma reunião com Arthur.

Saí do estacionamento. Era uma rara oportunidade para fazer alguma coisa idiota. Eu estava traumatizado. Tinha de sair dali. Arthur e o resto da firma tinham de me dar um tempo.

Segui na direção geral de Georgetown, mas para nenhum lugar em particular. As nuvens estavam escuras, as pessoas andavam apressadas e as equipes para retirar a neve estavam se preparando. Passei por um pedinte na rua M e imaginei se ele conhecia DeVon Hardy. Para onde iam os que moravam na rua durante uma tempestade de neve?

Telefonei para o hospital e me informaram que Claire ia ficar algumas horas na cirurgia de emergência. Lá se ia nosso almoço romântico na lanchonete do hospital.

Virei para nordeste, passei por Logan Circle, entrei na parte mais pobre da cidade até encontrar a Clínica de Advocacia da rua 14, esquina da Q. Estacionei no meio-fio, certo de que nunca mais ia ver meu Lexus.

A clínica ocupava a metade de uma mansão vitoriana de tijolos vermelhos, de três andares, que já vira dias melhores. As janelas do último andar estavam fechadas com tábuas de compensado muito velhas. Ao lado ficava uma Laundromat. As casas de crack não deviam ficar muito longe.

A entrada era coberta por um toldo amarelo-vivo e eu não sabia se devia bater ou simplesmente ir entrando. A porta não estava trancada. Girei lentamente a maçaneta e entrei num outro mundo.

Era uma espécie de escritório de advocacia, mas muito diferente dos escritórios de mármore e mogno da Drake & Sweeney. Na sala grande havia quatro mesas de metal, cada uma coberta com uma sufocante pilha de pastas de uns trinta centímetros de altura. Mais pastas estavam espalhadas no tapete velho em volta das mesas. Os cestos de papel estavam cheios e um bolo de documentos legais havia caído no chão. Uma parede era coberta com armários com pastas de várias cores. Os processadores de textos e telefones eram de dez anos atrás. As estantes de madeira estavam curvadas com o peso dos livros. Uma foto grande e desbotada de Martin Luther King pendia torta na parede do fundo. Vários escritórios menores davam para a sala da frente.

Era um lugar de muito trabalho e muita poeira, o que me fascinou.

Uma mulher hispânica ameaçadora parou de digitar o teclado, depois de me observar por um momento.

– Procura alguém? – ela perguntou. Era mais um desafio do que uma pergunta. Uma recepcionista na Drake & Sweeney seria despedida na hora se atendesse alguém daquele modo.

Seu nome era Sofia Mendoza, segundo dizia a placa pregada no lado da mesa, e logo eu ia saber que era mais do que recepcionista. Um rugido sonoro, vindo de uma das salas, me assustou, mas Sofia nem pareceu ouvir.

– Estou procurando Mordecai Green – eu disse delicadamente e nesse momento, acompanhando o rugido, ele saiu do escritório ao lado e entrou na sala principal. O assoalho tremia a cada passo. Ele atravessou a sala gritando por alguém chamado Abraham.

Sofia inclinou a cabeça afirmativamente para ele e depois me ignorou, voltando ao seu trabalho. Green era um negro enorme, com no mínimo um metro e noventa de altura e uma vasta envergadura que suportava um bocado de peso. Tinha cinqüenta e poucos anos, barba grisalha e óculos redondos com aros vermelhos. Olhou para mim sem dizer nada e gritou outra vez por Abraham.

Outro olhar para mim.

– Posso ajudá-lo?

Adiantei-me e me apresentei.

– É um prazer conhecê-lo – ele disse, mas só porque era o que todo mundo diz. – O que deseja?

– É sobre DeVon Hardy.

Ele olhou para mim por alguns segundos, depois para Sofia, que estava absorta no trabalho. Indicou o escritório com um movimento da cabeça e eu entrei atrás dele na sala de três e meio por três e meio, sem janelas e cada centímetro de espaço coberto com pastas pardas e livros de direito muito usados.

Entreguei a ele meu cartão com letras douradas em relevo, da Drake & Sweeney, que ele examinou com uma ruga profunda entre as sobrancelhas. Depois devolveu o cartão e disse:

– Uma visita aos pobres, certo?

– Não – eu disse, guardando o cartão.

– O que você quer?

– Eu vim em paz. A bala que matou o Sr. Hardy quase me acertou.

– Estava na sala com ele?

– Estava.

Ele respirou fundo e desfranziu a testa. Apontou para a única cadeira ao meu lado.

– Sente-se. Mas pode sujar a roupa.

Nós dois sentamos, meus joelhos quase tocando a mesa, minhas mãos enfiadas nos bolsos do sobretudo. Um aquecedor estalava atrás dele. Olhamos um para o outro, depois desviamos a vista. Eu era o visitante. Precisava fazer alguma coisa. Mas ele falou primeiro.

– Aposto que teve um péssimo dia, não é? – ele disse, a voz áspera, baixa, quase compassiva.

– Não tanto quanto Hardy. Vi seu nome no jornal, por isso estou aqui.

– Não sei ao certo o que acha que eu devo fazer.

– Acha que a família vai processar? Se vai, então é melhor eu ir embora.

– Não existe nenhuma família, nem muita coisa para um processo legal. Eu podia fazer algum barulho. Suponho que o policial que o matou é branco, portanto eu podia conseguir alguma grana da prefeitura, talvez um acordo de reparação. Mas essa não é a minha idéia de divertimento. – Sacudiu a mão sobre a mesa. – Deus sabe que tenho muito trabalho.

– Eu não vi o policial – eu disse, pensando nisso pela primeira vez.

– Esqueça o processo. É por isso que está aqui?

– Eu não sei por que estou aqui. Voltei para trabalhar esta manhã como se nada tivesse acontecido, mas não consegui pensar direito. Resolvi dar uma volta de carro. E aqui estou.

Ele balançou a cabeça vagarosamente, com se estivesse tentando entender.

– Quer café?

– Não, obrigado. Conhecia o Sr. Hardy muito bem, não conhecia?

– Sim, DeVon era um cliente habitual.

– Onde ele está agora?

– Provavelmente no necrotério municipal.

– Se não tem família, o que acontece com ele agora?

– A prefeitura o enterra como não reclamado. Oficialmente isso se chama ser enterrado como indigente. Há um cemitério perto do estádio RFK onde eles os guardam em gavetas. Ficaria surpreso com o número de pessoas que são enterradas sem ninguém reclamar o corpo.

– Tenho certeza de que ficaria.

– Na verdade, ficaria atônito com todos os aspectos da vida dos sem-teto.

Foi um murro suave e eu não estava com vontade de revidar.

– Sabe se ele estava com AIDS?

Ele inclinou a cabeça para trás, olhou para o teto e pensou por alguns segundos.

– Por quê?

– Eu estava atrás dele. A cabeça dele explodiu e meu rosto ficou cheio de sangue. Só isso.

Com isso cruzei a fronteira que separa um homem mau de um cara branco comum.

– Não creio que ele estivesse com AIDS.

– Verificam quando eles morrem?

– Os sem-teto?

– Sim.

– Quase sempre verificam. Mas DeVon morreu de outro modo.

– Pode descobrir?

Ele deu de ombros e abrandou mais um pouco.

– Claro – disse, com relutância, tirando a caneta do bolso. – É por isso que está aqui? Preocupado com AIDS?

– Acho que é um dos motivos. Você não estaria preocupado?

– Claro.

Abraham entrou, um homenzinho cheio de energia, de mais ou menos quarenta anos, como um anúncio vivo de advogado dos interesses do povo. Judeu, barba negra, óculos com aros de tartaruga, blazer amarrotado, calça cáqui também amarrotada, tênis sujos e a aura definida de um homem resolvido a salvar o mundo.

Nem tomou conhecimento da minha presença e Green não era dado às boas maneiras.

– A previsão é de uma tonelada de neve – Green disse para ele. – Precisamos providenciar para que todos os albergues estejam abertos.

– Estou tratando disso – Abraham disse secamente e saiu do escritório.

– Eu sei que estão ocupados – eu disse.

– Isso era tudo que queria? Um exame de sangue?

– Sim. Acho que sim. Alguma idéia de por que ele fez aquilo?

Ele tirou os óculos, limpou as lentes com um lenço de papel, depois passou a mão nos olhos.

– Ele era um doente mental, como grande parte dessas pessoas. Você passa anos na rua, encharcado de bebida, drogado com crack, dormindo no frio, sendo chutado pela polícia e pelos bandidos, acaba louco. Além disso ele tinha contas para acertar.

– O despejo.

– Isso mesmo. Há alguns meses, ele se mudou para um armazém abandonado na esquina da Nova York com Flórida. Alguém arranjou umas tábuas de compensado, dividiu o espaço e fez pequenos apartamentos. Não era de todo mau, para quem não tem onde morar – um teto, alguns banheiros, água. Cem dólares por mês, para um ex-cafetão que arrumou o armazém e se dizia dono dele.

– E era mesmo?

– Acho que sim. – Apanhou uma pasta da pilha na mesa e por milagre era a que ele queria. Estudou o conteúdo por um momento. – Aqui é onde a coisa fica complicada. A propriedade foi comprada no mês passado por uma empresa chamada RiverOaks, uma grande imobiliária.

– E a RiverOaks despejou todo mundo?

– Isso mesmo.

– Nesse caso, as probabilidades são de que a RiverOaks seja representada por minha firma.

– Bastante provável, sim.

– Por que a complicação?

– Eu fiquei sabendo que eles não receberam aviso prévio antes do despejo. Afirmam que estavam pagando aluguel ao cafetão, portanto não eram exatamente invasores. Eram inquilinos, logo com direito a abrir um processo.

– Os invasores não recebem aviso?

– Nenhum. E acontece a todo momento. Quem não tem onde morar se instala num prédio abandonado e por muito tempo não acontece nada. Então eles acham que são os donos do prédio. Se o proprietário resolver aparecer, tem direito de expulsá-los sem nenhum aviso. Eles não têm direito algum.

– Como DeVon Hardy descobriu a nossa firma?

– Quem sabe? Mas ele não era burro. Louco, mas não burro.

– Você conhece o cafetão?

– Conheço. Completamente irresponsável.

– Onde disse que fica o armazém?

– Não existe mais. Eles demoliram na semana passada.

Eu já tinha tomado muito seu tempo. Ele olhou para o relógio, eu olhei para o meu. Trocamos nossos números de telefone e prometemos manter contato.

Mordecai Green era um homem cheio de calor e interesse humano, que trabalhava nas ruas protegendo um número enorme de clientes anônimos. Sua visão da lei requeria mais alma do que eu jamais poderia ter.

Quando saí, ignorei Sofia porque ela certamente me ignorou. Meu Lexus estava ainda estacionado no mesmo lugar, já coberto com uns dois centímetros de neve.

Cinco

Fiquei rodando pela cidade enquanto a neve caía. Não me lembrava da última vez em que andara de carro pelas ruas de Washington sem estar atrasado para uma reunião. Eu estava aquecido e seco no meu carro pesado e luxuoso e simplesmente me deixava levar pelo tráfego. Não estava indo a lugar algum.

O escritório seria terreno proibido por algum tempo, com Arthur zangado comigo e a centena de visitas ocasionais, todas começando com o pouco sincero, "Como vão as coisas?"

O telefone do meu carro tocou. Era Polly, em pânico.

– Onde você está? – ela perguntou.

– Quem quer saber?

– Uma porção de gente. Arthur, para começar. Outro repórter telefonou. Alguns clientes precisam de conselhos. E Claire telefonou do hospital.

– O que ela quer?

– Está preocupada, como todo mundo.

– Eu estou bem, Polly. Diga a todos que estou no consultório do médico.

– Está mesmo?

– Não, mas podia estar. O que Arthur disse?

– Ele não telefonou. Foi Rudolph. Estavam à sua espera.

– Deixe que esperem.

Uma pausa, depois, muito lentamente:

– Tudo bem. Quando você vai aparecer?

– Não sei. Acho que quando o médico me der alta. Por

que você não vai para casa? Estamos no meio de uma tempestade. Telefono amanhã. – Desliguei.

Raramente eu via o apartamento à luz do dia e não me agradava a idéia de sentar na frente da lareira e ficar olhando a neve cair. Se eu fosse a um bar, provavelmente nunca mais sairia.

Então, continuei a passear. Deixei-me levar pelo tráfego quando começou a se intensificar o movimento dos que trabalhavam na cidade e voltavam para suas casas nos subúrbios de Maryland e Virgínia e passei por ruas quase vazias na volta para a cidade. Encontrei o cemitério perto da RFK onde eram enterrados os corpos não reclamados e passei pela Missão Metodista na rua 17, de onde tinha saído o jantar não consumido da noite anterior. Passei por partes da cidade onde nunca havia estado e que provavelmente nunca mais ia ver.

Às quatro horas da tarde, a cidade estava vazia. O céu ficava cada vez mais escuro, a neve caía intensamente. Vários centímetros já cobriam o solo e a previsão era de muito mais.

É claro que nem mesmo uma tempestade de neve conseguia fechar a Drake & Sweeney. Eu conhecia advogados que adoravam trabalhar tarde da noite e aos domingos porque os telefones não tocavam. Uma pesada tempestade de neve era um delicioso descanso das incessantes e cansativas reuniões e conferências.

Fui informado por um segurança no saguão de que a maioria das secretárias e pessoal de escritório tinha ido para casa às três horas. Tomei o elevador de Senhor outra vez.

Nenhuma das mensagens em papel cor-de-rosa enfileiradas ordenadamente na minha mesa me interessava. Liguei o computador e comecei a procurar o nosso índice de clientes.

A RiverOaks era uma empresa de Delaware, fundada em 1977, com sede em Hagerstown, Maryland. Era uma empresa de capital privado, portanto tínhamos poucas informações de caráter financeiro. O advogado responsável era N. Braden Chance, um nome desconhecido para mim.

Procurei no nosso banco de dados. Chance era sócio da firma, encarregado da divisão de bens imóveis, em algum lugar do quarto andar. Quarenta e quatro anos, casado, formado em direito pela Duke, aluno da Gettysburg, um currículo notável mas perfeitamente previsível.

Com oitocentos advogados ameaçando e abrindo processos diariamente, nossa firma tinha mais de trinta e seis mil processos registrados em arquivos. Para garantir que nossos escritórios em Nova York não viessem a processar um dos nossos clientes de Chicago, cada novo processo entrava imediatamente no nosso sistema de dados. Cada advogado, secretária e paralegal na Drake & Sweeney tinha um PC, portanto acesso imediato a informações gerais sobre todos os autos dos processos. Se um dos nossos advogados de inventários e sucessões em Palm Beach fosse responsável pelos bens imóveis de um cliente rico, eu poderia, se quisesse, usar o teclado e ter acesso aos fatos básicos da nossa representação.

Havia quarenta e dois processos diretamente relacionados com a RiverOaks, quase todos relativos a transações imobiliárias, nas quais a empresa havia adquirido propriedades. Chance era o advogado responsável por todos eles. Quatro eram ações de despejo, três das quais aparentemente ocorridas no ano anterior. A primeira fase da pesquisa foi fácil.

Em 31 de janeiro, a RiverOaks adquiriu propriedades na Avenida Flórida. O vendedor foi a TAG, Inc. Em 4 de fevereiro, nosso cliente despejou alguns invasores de um armazém abandonado – um deles, eu sabia agora, era o Sr. DeVon Hardy, que encarou o despejo como ofensa pessoal e de algum modo localizou os advogados.

Copiei o nome e o número do arquivo e fui para o quarto andar.

Ninguém entrava para uma grande firma com o objetivo de se tornar advogado especialista em processos imobiliários. Havia áreas muito mais charmosas onde podia-se criar uma boa reputação. Os processos litigiosos eram os preferidos pela grande maioria e os litigantes ainda os mais reverenciados de todos os advogados de Deus, pelo menos dentro da firma. No cenário corporativo, poucas causas atraíam os grandes talentos – fusões e aquisições ainda eram uma arena quente, obrigações e valores, uma antiga favorita. Meu campo, a legislação antitruste, era muito bem considerado. A legislação tributária era terrivelmente complexa, mas os que a praticavam eram muito admirados. O campo das relações governamentais (*lobbying*) era repulsivo, mas pagava tão bem que todas as firmas de advocacia de Washington D. C. tinham alas inteiras de advogados cuidando das negociatas.

Mas ninguém entrava para tratar de assuntos imobiliários. Eu não sabia como isso acontecia. Eles formavam um grupo fechado, sem dúvida lendo as letras miúdas nos documentos de hipotecas e empréstimos, e eram tratados como advogados um pouco inferiores pelo resto da firma.

Na Drake & Sweeney, cada advogado guardava no próprio escritório os arquivos dos processos atuais, geralmente a sete chaves. Somente os processos que não mais estavam em andamento eram acessíveis ao resto da firma. Nenhum advogado podia ser obrigado a mostrar um dos processos no qual estava trabalhando a outro advogado, a não ser quando solicitado por um sócio ou um membro do comitê executivo da firma.

O processo de despejo, que eu queria, estava ainda na lista dos processos em andamento e depois do episódio de Senhor, eu tinha certeza de que estaria muito bem protegido.

Vi um paralegal na fotocopiadora ao lado da sala das secretárias e perguntei onde ficava o escritório de Braden Chance.

Com um movimento da cabeça ele indicou uma porta aberta no outro lado do corredor.

Para minha surpresa, Chance estava sentado à sua mesa, a imagem perfeita de um advogado muito ocupado. Minha intrusão o perturbou e com toda razão. O protocolo exigia que eu telefonasse antes para marcar um encontro. Mas eu não estava preocupado com o protocolo.

Ele não me convidou a sentar. Sentei assim mesmo e isso não contribuiu para melhorar seu estado de espírito.

– Você era um dos reféns – ele disse, irritado, quando por fim resolveu falar.

– Sim, eu era.

– Deve ter sido horrível.

– Já acabou. O cara com a arma, o falecido Sr. Hardy, foi despejado de um armazém no dia 4 de fevereiro. Você se encarregou do despejo?

– Sim – ele disse secamente. Pela atitude agressiva, imaginei que o processo devia ter sido estudado durante aquele dia. Provavelmente Chance, Arthur e os maiorais tinham feito uma revisão cuidadosa do caso. – O que tem isso?

– Ele era um invasor?

– Pode apostar que sim. Todos eles são invasores. Nosso cliente está tentando limpar toda aquela sujeira.

– Tem certeza de que ele era um invasor?

Ele abriu a boca e seus olhos ficaram vermelhos. Respirou profundamente e perguntou.

– O que você está querendo?

– Posso ver o arquivo do processo?

– Não. Não é da sua conta.

– Talvez seja.

– Quem é seu sócio supervisor? – Pegou a caneta, num gesto brusco, como para tomar nota do nome da pessoa que ia me repreender.

– Rudolph Mayes.

Ele escreveu com gestos largos.

– Estou muito ocupado – ele disse. – Quer sair agora, por favor?

– Por que não posso ver o arquivo?

– Porque é meu e eu disse não. O que acha disso?

– Talvez não seja o bastante.

– É mais do que o bastante para você. Por que não vai embora? – Levantou-se e com a mão trêmula apontou para a porta.

Eu sorri para ele e saí.

O paralegal ouviu tudo e trocamos um olhar intrigado quando passei por sua mesa.

– Que grande cretino – ele disse, em voz baixa, quase só movendo os lábios.

Sorri outra vez e inclinei a cabeça concordando. Um cretino e um tolo. Se Chance tivesse explicado amavelmente que Arthur ou outro maioral da firma dera ordem para tornar o arquivo confidencial, eu não teria suspeitado de nada. Mas era evidente que alguma coisa estava errada.

Conseguir o arquivo seria um grande desafio.

Com todos os celulares que Claire e eu tínhamos – no bolso, na bolsa e no carro, para não mencionar os dois pagers – a comunicação devia ser uma coisa simples. Mas nada era simples no nosso casamento. Conseguimos nos comunicar mais ou menos às nove horas. Ela estava exausta depois de um dia cansativo no hospital, inevitavelmente mais fatigante do que qualquer coisa que eu podia fazer. Era um jogo que fazíamos despudoradamente – meu trabalho é mais importante porque eu sou médica/advogado.

Eu já estava farto desses jogos. Comecei a achar que o fato do meu encontro com a possibilidade da morte ter produzido em mim ondas de choque retardado e me levado a deixar o escritório e perambular pelas ruas a agradava. Sem dúvida seu dia fora muito mais produtivo do que o meu.

Seu objetivo era se tornar a maior neurocirurgiã do país, uma especialista em cirurgia do cérebro a quem até os mais competentes neurocirurgiões recorreriam quando não houvesse mais esperança. Era uma estudante brilhante, ferozmente determinada, abençoada com uma resistência incrível. Ela deixaria os homens para trás, como estava lentamente me deixando, um maduro concorrente da maratona nos corredores da Drake & Sweeney. A corrida começava a ficar obsoleta.

Claire tinha um carro esporte Miata sem tração nas quatro rodas, e eu estava preocupado por causa do mau tempo. Ela devia sair do hospital dentro de uma hora e eu levaria esse tempo para ir de Georgetown ao hospital. Pretendia apanhá-la e tentaríamos encontrar um restaurante. Se não fosse possível, levaríamos comida chinesa para casa, como fazíamos sempre.

Comecei a arrumar os papéis e objetos na minha mesa, evitando cuidadosamente a pilha das pastas com meus processos mais recentes. Eu mantinha apenas dez na minha mesa, um método que aprendi com Rudolph, e passava algum tempo com cada um deles cada dia. Faturar era importante. Dez dos meus principais processos invariavelmente incluíam os clientes mais ricos, independente da urgência dos seus problemas legais. Outro truque de Rudolph.

Eu devia faturar duas mil e quinhentas horas por ano. Ou seja, cinqüenta horas por semana, cinqüenta semanas por ano. Meu faturamento médio era de trezentos dólares por hora, proporcionando para a minha firma adorada uma renda bruta de setecentos e cinqüenta mil dólares. Eles me pagavam cento e vinte mil dessa renda, mais trinta de benefícios, e reservavam duzentos mil para despesas administrativas. Os sócios ficavam com o resto, dividido anualmente por meio de uma fórmula tremendamente complexa que geralmente provocava brigas.

Era raro um dos sócios ganhar menos de um milhão por ano e alguns ganhavam mais de dois milhões. Quando eu me tornasse sócio, seria sócio para a vida toda. Assim, se chegasse a sócio aos trinta e cinco anos, o que ia acontecer se continuasse a progredir rapidamente como estava progredindo, podia esperar trinta anos de uma renda gloriosa e riqueza imensa.

Era esse o sonho que nos mantinha sentados às nossas mesas a todas as horas do dia e da noite.

Eu estava anotando esses números, uma coisa que fazia o tempo todo e que, eu suspeitava, todos os advogados da firma faziam, quando o telefone tocou. Era Mordecai Green.

– Sr. Brock – ele disse, cortesmente, a voz muito clara mas competindo com o barulho de fundo.

– Sim. Pode me chamar de Michael.

– Tudo bem. Eu dei alguns telefonemas e não precisa se preocupar. O teste deu negativo.

– Muito obrigado.

– Não tem de quê. Só pensei que ia querer saber o mais depressa possível.

– Obrigado – repeti, e o barulho aumentou atrás dele. – Onde você está?

– Num albergue para os sem-teto. Uma tempestade de neve os traz mais depressa do que o tempo que temos para nos organizar, por isso todos têm de trabalhar para dar conta. Tenho de ir.

A mesa era de mogno antigo, o tapete persa, as poltronas de belo couro carmesim, a tecnologia de ponta, e enquanto observava meu escritório perfeito, pela primeira vez em muitos anos me perguntei quanto devia custar tudo aquilo. Não estaríamos apenas correndo atrás de dinheiro? Por que trabalhávamos tanto? Para comprar um tapete mais fino, uma mesa mais antiga?

Ali, no calor e aconchego da minha bela sala, pensei em Mordecai Green, que naquele momento oferecia voluntariamente seu tempo num albergue, servindo comida para os que tinham frio e fome, sem dúvida com um sorriso caloroso e uma palavra amável.

Nós dois tínhamos diplomas de advogado, nós dois passamos no mesmo exame para obter a licença e exercer a profissão, nós dois éramos fluentes na terminologia jurídica. Nós dois, de certo modo, tínhamos uma afinidade. Eu ajudava meus clientes a engolir os concorrentes, para poder acrescentar mais zeros ao total das suas fortunas e com isso eu ia ficar rico. Ele ajudava os clientes a comer e a encontrar uma cama quente.

Olhei para os rabiscos no meu bloco de anotações – os faturamentos e os anos e o caminho para a riqueza – e isso me entristeceu. Tanta ganância, evidente e despudorada.

O telefone me sobressaltou.

– Por que está no escritório? – Claire perguntou, cada palavra pronunciada lentamente, porque cada uma estava coberta de gelo.

Olhei incrédulo para o relógio.

– Eu, bem, um cliente telefonou da Costa Oeste. Lá não está nevando.

Acho que eu já havia usado essa mentira antes, mas não tinha importância.

– Estou esperando, Michael. Devo ir para casa a pé?

– Não. Chego aí o mais depressa possível.

Não era a primeira vez que eu a fazia esperar. Fazia parte do jogo – éramos ocupados demais para sermos pontuais.

Saí correndo do prédio, para a tempestade, na verdade não me importando com o fato de ter arruinado mais uma noite.

Seis

A neve finalmente parou de cair. Claire e eu tomávamos café ao lado da janela da cozinha. Eu estava lendo o jornal à luz brilhante do sol da manhã. Tinham conseguido manter aberto o Aeroporto Nacional.

– Vamos para a Flórida – eu disse. – Agora.

Com um olhar de desdém, ela perguntou:

– Flórida?

– Tudo bem, Bahamas. Podemos estar lá no começo da tarde.

– É impossível.

– Engano seu. Não vou trabalhar por alguns dias e...

– Por que não vai?

– Porque estou à beira de um colapso e na firma, se você entra em colapso, ganha alguns dias de folga.

– Você está entrando em colapso.

– Eu sei. Na verdade, é meio divertido. As pessoas nos dão espaço, nos tratam com luvas de pelica, puxam nosso saco. O melhor é aproveitar ao máximo.

Com o rosto tenso outra vez, ela disse:

– Eu não posso.

E ponto final. Era um capricho, e eu sabia que Claire tinha muitas obrigações. Era uma crueldade, concluí, voltando ao jornal, mas não me senti mal por isso. Ela não teria ido comigo de nenhum modo.

De repente Claire ficou com muita pressa – compromissos, aulas, plantões, a vida de uma ambiciosa residente de cirurgia. Saiu do chuveiro, vestiu-se e estava pronta para sair. Eu a levei ao hospital.

Não conversamos enquanto seguíamos vagarosamente pelas ruas cobertas de neve.

– Vou passar alguns disse em Memphis – eu disse, casualmente, quando chegamos ao hospital na rua Reservoir.

– Ah, vai? – ela disse, sem nenhuma reação aparente.

– Preciso ver meus pais. Já faz quase um ano. Acho que esta é uma boa oportunidade. Não me dou muito bem com a neve e não estou com disposição para trabalhar. À beira de um colapso, você sabe.

– Tudo bem, telefone – ela disse. Abriu a porta, saiu e fechou. Sem um beijo, sem um adeus, sem a menor preocupação. Eu a vi correr na calçada e desaparecer no prédio.

Estava acabado. E eu detestava ter de dizer isso à minha mãe.

Meus pais tinham sessenta e poucos anos, ambos saudáveis e tentando bravamente aproveitar a aposentadoria forçada. Meu pai foi piloto comercial durante trinta anos. Minha mãe fora gerente de banco. Eles trabalharam arduamente, economizaram bem e nos deram um lar confortável de classe média alta. Meus dois irmãos e eu estudamos nas melhores escolas particulares.

Eram pessoas sólidas, conservadoras, patriotas, sem maus hábitos, extremamente devotados um ao outro. Iam à igreja aos domingos, à parada no Quatro de Julho, ao Rotary Club uma vez por semana e viajavam sempre que tinham vontade.

Estavam ainda inconformados com o divórcio do meu irmão Warner três anos atrás. Ele era advogado em Atlanta e casou com a namorada do colégio, uma moça de Memphis, de uma família que nós conhecíamos. Tiveram dois filhos e depois o casamento desmoronou. Ela conseguiu a custódia e foi para Portland. Meus pais viam os netos uma vez por ano, quando tudo ia bem. Eu nunca tocava nesse assunto.

Aluguei um carro no aeroporto de Memphis e segui para leste, na direção dos bairros afastados onde os brancos moravam. Os negros tinham o centro da cidade, os brancos, os subúrbios. Às vezes os negros se mudavam para um desses bairros, e os brancos mudavam para outro, mais distante. Memphis se estendia para leste, as raças fugindo uma da outra.

Meus pais moravam num campo de golfe, numa casa nova de vidro, com todas as janelas dando para o campo. Eu detestava a casa porque o campo estava sempre cheio de gente. Mas nunca disse isso a eles.

Eu tinha telefonado do aeroporto e minha mãe estava esperando ansiosamente quando cheguei. Meu pai estava no buraco nove, em algum lugar do campo.

– Você parece cansado – ela disse, depois do abraço e do beijo. Sempre dizia isso quando me via.

– Obrigado, mamãe, você está ótima. – E estava. Magra e bronzeada do jogo diário de tênis e do programa de bronzeamento do country club.

Ela preparou chá gelado que tomamos no pátio, vendo os outros aposentados passando pelo campo nos carrinhos de golfe.

– Qual é o problema? – ela perguntou depois de um minuto, antes que eu tivesse tempo de tomar o primeiro gole.

– Nenhum. Estou muito bem.

– Onde está Claire? Vocês nunca telefonam. Há dois meses não ouço a voz dela.

– Claire está bem, mamãe. Estamos ambos vivos e saudáveis e trabalhando muito.

– Vocês passam bastante tempo juntos?

– Não.

– Passam algum tempo juntos?

– Não muito.

Ela franziu a testa e revirou os olhos para o lado, com típica preocupação materna.

– Estão com problemas? – perguntou, atacando diretamente.

– Estamos.

– Eu sabia. Eu sabia. Percebi por sua voz no telefone que alguma coisa estava errada. Espero que não estejam pensando em divórcio também. Já tentaram aconselhamento?

– Não. Vá com calma.

– Por que não? Ela é uma pessoa maravilhosa, Michael. Dê ao seu casamento toda a atenção.

– Estamos tentando, mamãe. Mas é difícil.

– Amantes? Drogas? Álcool? Jogo? Alguma dessas coisas?

– Não. Apenas duas pessoas seguindo caminhos diferentes. Eu trabalho oito horas por dia. Ela trabalha mais oito.

– Pois então, procurem ir mais devagar. O dinheiro não é tudo. – Sua voz tremeu levemente e as lágrimas brilharam nos olhos.

– Eu sinto muito, mamãe. Pelo menos não temos filhos.

Ela mordeu o lábio e tentou ser forte, mas estava morrendo por dentro. E eu sabia exatamente o que ela estava pensando. Duas derrotas. Falta só uma. Para ela meu divórcio ia ser um fracasso pessoal, exatamente como aconteceu com meu irmão. Ia descobrir um meio de se culpar pelos dois.

Eu não queria piedade. Passei para um assunto mais interessante. Contei a história de Senhor, minimizando o perigo da situação. Se a história apareceu nos jornais de Memphis, meus pais não tinham visto.

– Você está bem? – ela perguntou, horrorizada.

– É claro. A bala não me acertou. Estou aqui.

– Graças a Deus. Quero dizer, bem, emocionalmente, você está bem?

– Sim, mamãe, estou inteiro. Nenhuma peça quebrada. A firma quis que eu tirasse uns dias de folga, por isso estou aqui.

– Pobrezinho. Claire, e agora isso.

– Eu estou bem. Nevou muito ontem à noite e achei que era uma boa hora para sair de lá.

– Claire está em segurança?

– Tanto quanto qualquer pessoa em Washington. Ela praticamente vive no hospital, provavelmente o lugar mais sensato para estar naquela cidade.

– Eu me preocupo tanto com você. Leio as estatísticas criminais, você sabe. É uma cidade muito perigosa.

– Quase tão perigosa quanto Memphis.

Vimos uma bola que foi parar perto do pátio e esperamos que o dono aparecesse. Uma senhora gorducha saiu de um carrinho de golfe, pairou ao lado da bola por um segundo, depois a jogou com uma péssima tacada.

Minha mãe entrou na casa para fazer mais chá e para enxugar os olhos.

Eu não sei qual dos dois ficou mais desapontado com a minha visita. Minha mãe queria famílias sólidas com uma porção de netos. Meu pai queria que os filhos ascendessem rapidamente os degraus do sucesso para desfrutar as recompensas do trabalho árduo.

No fim da tarde, meu pai e eu fomos para o campo de golfe. Ele jogou, eu tomei cerveja e dirigi o carro. Eu ainda não estava dominado pela magia do golfe. Duas cervejas geladas e eu estava pronto para falar. Repeti a história de Senhor durante o almoço, por isso ele concluiu que eu estava apenas descansando por alguns dias, antes de voltar rugindo para a arena.

– Estou começando a ficar farto da firma, pai – eu disse, quando chegamos ao terceiro *tee* e tivemos de esperar que quatro jogadores liberassem o seguinte. Eu estava nervoso, o que me irritava extremamente. Era a minha vida, não a dele.

– O que quer dizer com isso?

– Quero dizer que estou farto do que estou fazendo.

– Bem-vindo ao mundo real. Você acha que o cara que trabalha numa prensa na fábrica não fica farto do que está fazendo? Pelo menos você está ficando rico.

Assim ele ganhou o primeiro round, quase por nocaute. Dois buracos depois, quando procurávamos a bola dele no meio do mato, ele disse:

– Vai mudar de emprego?

– Estou pensando nisso.

– Vai para onde?

– Não sei. É cedo ainda. Não comecei a procurar outro.

– Então como sabe que a grama é mais verde do outro lado se não procurou ainda? – Apanhou a bola e seguiu em frente.

Dirigi o carrinho sozinho na passagem estreita asfaltada enquanto ele andava na grama atrás da bola e me perguntei por que eu tinha tanto medo daquele homem grisalho. Ele tinha incentivado todos os filhos a determinar metas, trabalhar com afinco, lutar para ser um Grande Homem, sempre tendo como alvo ganhar muito dinheiro e viver o sonho americano. Sem dúvida tinha pagado por tudo que nós precisávamos.

Como meu irmãos, eu não nasci com uma consciência social. Fazíamos doações à igreja porque era o que a Bíblia sugeria enfaticamente. Pagávamos impostos ao governo porque a lei o exigia. Certamente, em algum lugar, alguma coisa boa devia ser feita com todas essa doações e nós éramos parte dela. A política era dos que estavam dispostos a fazer o jogo e, além disso, políticos honestos não tinham chance de ganhar muito dinheiro. Aprendemos a ser produtivos e quanto maior o nosso sucesso, mais a sociedade se beneficiaria de um modo ou de outro. Estabelecer metas, trabalhar arduamente, jogar limpo, formar uma personalidade.

Ele errou o quinto buraco e voltou para o carro pondo a culpa no taco.

– Talvez eu não esteja procurando pastos mais verdes – eu disse.

– Por que não vai em frente e diz logo o que quer dizer? – ele propôs. Como sempre, me senti um fraco por não enfrentar corajosamente o assunto.

– Estou pensando em direito público.

– Como assim?

– Trabalhar para o bem da sociedade sem ganhar muito dinheiro.

– O que é isso agora, virou democrata? Acho que já está há muito tempo em Washington.

– Há muitos republicanos em Washington. Na verdade, eles são a maioria.

Seguimos para o próximo *tee* em silêncio. Ele jogava bem, mas suas tacadas estavam piorando. Eu tinha atrapalhado sua concentração.

Procurando outra vez a bola, ele disse:

– Então, um bêbado qualquer tem a cabeça estourada e você resolve mudar a sociedade. É isso?

– Ele não era um bêbado qualquer. Lutou no Vietnã.

Meu pai pilotou aviões B-52 nos primeiros anos da guerra do Vietnã e aquilo o atingiu em cheio. Mas só por um segundo. Ele não ia ceder nem um milímetro.

– Um daqueles, então?

Não respondi. A bola estava irremediavelmente perdida e ele não estava procurando. Jogou outra no chão, bateu mal e seguimos em frente.

– Detesto ver você jogar fora uma boa carreira, filho – ele disse. – Você trabalhou muito. Seria sócio em poucos anos.

– Talvez.

– O que você precisa é de alguns dias de descanso. Nada mais.

Parecia ser o remédio recomendado por todos.

Eu os levei para jantar num bom restaurante. Fizemos um grande esforço para evitar falar sobre Claire, minha carreira e sobre os netos que eles quase nunca viam. Falamos sobre velhos amigos e antigos vizinhos. Eu fiquei sabendo das últimas fofocas, nenhuma das quais me interessava.

Eu os deixei ao meio-dia de sexta-feira, quatro horas antes do meu vôo e voltei para Washington e para minha vida confusa.

Sete

É claro que o apartamento estava vazio quando cheguei na sexta-feira à noite, mas com uma novidade. Havia um bilhete no balcão da cozinha. Seguindo a minha deixa, Claire fora passar uns dois dias em Providence. Nenhuma razão foi dada. Ela me pedia para telefonar quando chegasse em casa.

Telefonei para os pais dela e interrompi seu jantar. Numa conversa difícil de cinco minutos, ficou determinado que nós dois estávamos sem dúvida muito bem, Memphis estava ótima, bem como Providence, as famílias estavam bem e ela devia voltar no sábado à tarde.

Desliguei, fiz café e tomei uma xícara na janela do quarto, vendo o tráfego lento na rua P, ainda coberta de neve. Se uma parte da neve já havia derretido, não dava para notar.

Eu suspeitava que Claire devia estar contando aos pais a mesma história melancólica com que eu havia sobrecarregado os meus. Era triste e estranho, mas de certo modo não surpreendente o fato de estarmos sendo sinceros com nossas famílias, antes de enfrentarmos a verdade. Eu estava cansado de tudo e resolvi que um dia, muito em breve, talvez mesmo no domingo, íamos nos sentar em algum lugar, provavelmente à mesa da cozinha e enfrentar a realidade. Desnudaríamos nossos sentimentos e nossos temores e, eu tinha certeza, começaríamos a planejar nosso futuro separados. Eu estava certo de que Claire queria acabar com o casamento, só não sabia o quanto ela desejava isso.

Ensaiei em voz alta o que ia dizer até as palavras parecerem convincentes e depois saí para uma longa caminhada. A temperatura estava a menos doze graus, com um vento cortante e o frio atravessava minha jaqueta de couro. Passei por belas casas e conjuntos de casas aconchegantes, onde famílias de verdade comiam e riam, bem aquecidas, e cheguei à rua M onde uma multidão dos que sofriam com o confinamento imposto pelo inverno enchia as calçadas. Nem mesmo uma noite gelada de sexta-feira era sem movimento. Os bares estavam lotados, os restaurantes tinham filas de espera, os cafés repletos.

Parei na janela de um bar com música ao vivo e fiquei ouvindo os blues envolverem meus tornozelos junto com a neve, vendo os casais jovens beber e dançar. Pela primeira vez em minha vida, eu me senti como algo diferente de um homem jovem. Eu estava com trinta e dois anos, mas nos últimos sete havia trabalhado mais do que a maioria das pessoas trabalha em vinte. Estava cansado, não velho, mas muito perto da meia-idade e admiti que não era mais um jovem recém-saído da universidade. Aquelas belas mulheres jovens lá dentro jamais olhariam duas vezes para mim.

Eu estava congelado e nevava outra vez. Comprei um sanduíche, guardei no bolso e voltei para o apartamento, quase atolado na neve. Preparei uma bebida forte, acendi a lareira e comi na semi-obscuridade, sentindo-me muito só.

Antigamente, a ausência de Claire no fim de semana servia para me livrar da culpa de praticamente viver no escritório. Sentado na frente do fogo, a idéia me pareceu repulsiva. A Drake & Sweeney estaria de pé orgulhosamente muito tempo depois de eu ter desaparecido, e os clientes e seus problemas, que pareciam tão cruciais, seriam atendidos e resolvidos por outra equipe de jovens advogados. Minha saída seria um pequeno solavanco na estrada da firma, quase imperceptível. Meu escritório seria ocupado por outro, minutos depois da minha saída.

Um pouco depois das nove horas, o telefone tocou, tirando-me de um longo e sombrio devaneio. Era Mordecai Green, falando muito alto no celular.

– Está ocupado? – ele perguntou.

– Não, não exatamente. O que há?

– Está um frio danado, nevando outra vez e estamos com falta de pessoal. Tem algumas horas livres?

– Para fazer o quê?

– Para trabalhar. Precisamos muito de pessoas capazes. Os albergues e os dispensários estão cheios e não temos voluntários suficientes.

– Acho que não sou qualificado.

– Sabe passar creme de amendoim no pão?

– Acho que sim.

– Então é qualificado.

– Tudo bem, onde devo ir?

– Estamos a umas dez quadras do escritório. No cruzamento da 13 com Euclid você vai ver uma igreja amarela à direita. Ebenezer Christian Fellowship. Estamos no porão.

Anotei o endereço, cada palavra com a mão mais trêmula porque Mordecai estava me chamando para a zona de combate. Eu queria perguntar se precisava levar uma arma. Imaginei se ele tinha uma. Mas ele era negro e eu não. E o meu carro, meu precioso Lexus?

– Tomou nota? – ele rosnou, depois de uma pausa.

– Tomei. Estou aí em vinte minutos – eu disse bravamente, com o coração ainda disparado.

Vesti jeans, camiseta e botas de caminhada. Apanhei os cartões de crédito e quase todo o dinheiro que tinha na carteira. Na parte de cima de um closet encontrei um paletó velho de algodão, forrado com lã, com manchas de café e de tinta, uma relíquia dos tempos da universidade, e o vesti na frente do espelho, esperando que não me fizesse parecer um homem rico. Não parecia. Se fosse usado por um jovem ator na capa da *Vanity Fair*, a moda seria lançada imediatamente.

O que eu queria era um colete à prova de balas. Estava com medo, mas quando tranquei a porta e saí para a neve, senti também uma expectativa agradável.

Os tiroteios e as guerras de gangues que eu esperava não se concretizaram. A temperatura mantinha as ruas vazias e seguras, pelo menos naquele momento. Encontrei a igreja e parei no estacionamento, no outro lado da rua. Parecia uma pequena catedral, que devia ter pelo menos cem anos e sem dúvida abandonada pela congregação original.

Na esquina vi um grupo de homens esperando na frente de uma porta. Passei por eles rapidamente como se soubesse exatamente aonde estava indo e entrei no mundo dos sem-teto.

Por mais que eu quisesse seguir em frente, fingindo que já havia visto aquilo antes e tinha muito que fazer, fiquei petrificado. Olhei atônito para a quantidade incrível de gente pobre amontoada no porão. Alguns estavam deitados no chão, tentando dormir. Outros, em grupos, conversavam em voz baixa. Alguns comendo, sentados em cadeiras de armar ao lado da mesa longa. Outros ainda, encostados, ocupavam cada centímetro quadrado da parede. Crianças pequenas choravam e brincavam, enquanto as mães tentavam fazer com que ficassem perto delas. Bêbados deitados, rígidos, roncavam, indiferentes a tudo. Voluntários entregavam cobertores e andavam no meio da multidão, distribuindo maçãs.

Na cozinha, numa extremidade do espaço, o movimento era intenso. Refeições eram preparadas e servidas. Vi Mordecai no fundo, servindo suco de fruta em copos de papel, falando o tempo todo. Uma fila esperava pacientemente ao lado das mesas.

A sala estava quente e os cheiros e aromas, mais o calor do aquecedor a gás, combinavam para encher o ar com um cheiro espesso, não desagradável. Um sem-teto, vestido como Senhor, me empurrou e percebi que estava na hora de me mexer.

Caminhei diretamente para Mordecai, que ficou feliz por me ver. Trocamos um aperto de mãos como velhos amigos e ele me apresentou a dois voluntários, cujos nomes não ouvi.

– É uma loucura – ele disse. – Uma nevada, uma onda de frio e nós trabalhamos a noite toda. Apanhe o pão ali. – Apontou para uma bandeja cheia de fatias de pão branco. Peguei a bandeja e o acompanhei a uma das mesas.

– É bastante complicado. Você põe queijo bolonha aqui, mostarda e maionese ali. A metade dos sanduíches leva mostarda e a outra metade leva maionese, uma fatia de bolonha, duas fatias de pão. Faça uma dúzia com creme de amendoim. Entendeu?

– Entendi.

– Você aprende depressa. – Bateu no meu ombro e desapareceu.

Fiz dez sanduíches apressadamente e concluí que era capaz. Então, diminuí o ritmo e comecei a observar as pessoas que esperavam na fila, os olhos baixos, mas com olhares rápidos para a comida. Recebiam um prato de papel, uma tigela de plástico, colher e um guardanapo. À medida que a fila andava, a sopa era servida na tigela, e no prato a metade de um sanduíche, uma maçã e um biscoito. Um copo com suco de maçã esperava no fim da fila.

A maior parte dizia "obrigado" em voz baixa para o voluntário que servia o suco e seguia em frente, equilibrando o prato e a tigela. Até as crianças tinham cuidado com a comida.

Quase todos comiam devagar, saboreando o calor e a sensação da comida na boca, o aroma no rosto. Outros comiam o mais depressa possível.

Ao meu lado estava um fogão a gás com quatro bocas, cada uma com um grande caldeirão de sopa fervendo. No outro lado do fogão havia uma mesa cheia de aipo, cenoura, cebola, tomates e galinhas inteiras. Um voluntário, com uma faca enorme, cortava tudo vigorosamente. Outros dois voluntários cuidavam do fogão. Vários levavam a comida para as mesas. No momento eu era o único homem preparando sanduíches.

– Precisamos de mais sanduíches de creme de amendoim – Mordecai anunciou, voltando para a cozinha. Tirou de baixo da mesa um pote com creme de amendoim. – Pode fazer?

– Sou especialista – eu disse.

Ele observou meu trabalho por algum tempo. A fila ficou menor por um momento e ele queria conversar.

– Pensei que você fosse advogado – eu disse, passando creme de amendoim no pão.

– Sou um ser humano primeiro e só depois advogado. É possível ser as duas coisas... não passe tanto creme no pão. Temos de ser eficientes.

– De onde vem a comida?

– Banco de alimentos. Tudo doado. Esta noite estamos com sorte porque temos galinha. É um petisco raro. Geralmente são só os legumes.

– Este pão não está muito fresco.

– Não, mas é de graça. Vem de uma grande padaria, o que sobra de um dia para o outro. Pode comer um sanduíche, se quiser.

– Obrigado. Comi antes de vir para cá. Você come aqui?

– Raramente. – Pelo seu tamanho, Mordecai não se limitava a uma dieta de sopa de legumes e maçã. Ele se sentou na ponta da mesa e olhou para a multidão. – É a primeira vez que entra num albergue?

– É.

– Qual foi a primeira palavra que veio à sua mente?

– Desesperança.

– É previsível. Mas você acaba superando isso.

– Quantas pessoas vivem aqui?

– Nenhuma. Este é só um abrigo para emergência. A cozinha abre todos os dias para almoço e jantar, mas tecnicamente não é um albergue. A igreja faz a bondade de abrir as portas quando o tempo está ruim.

Tentei compreender.

– Então, onde essa gente mora?

– Alguns são invasores. Moram em prédios abandonados e são os que têm sorte. Outros moram na rua, outros nos parques, alguns nas estações, outros ainda debaixo das pontes. Podem sobreviver nesses lugares quando a temperatura é tolerável. Esta noite ficariam congelados.

– Então, onde ficam os albergues?

– Espalhados pela cidade. Temos cerca de vinte – a metade fundada por particulares, a outra metade dirigida em parte pela prefeitura que, graças ao novo orçamento, logo vai fechar dois deles.

– Quantos leitos?

– Cinco mil, mais ou menos.

– Quantos sem-teto?

– Essa é sempre uma boa pergunta porque não é fácil contar. Dez mil é uma boa estimativa.

– Dez mil?

– Isso mesmo, e isso só para falar dos que vivem na rua. Provavelmente mais uns vinte mil moram com famílias e amigos, a um mês ou dois de se tornarem sem-teto.

– Então, há pelo menos cinco mil pessoas vivendo nas ruas? – eu disse, sem esconder minha incredulidade.

– Pelo menos.

Um voluntário pediu sanduíches. Mordecai me ajudou e fizemos outra dúzia. Depois paramos e observamos as filas outra vez. A porta abriu e uma jovem mãe entrou devagar com um bebê no colo e mais três crianças pequenas, uma delas de short, meias trocadas, sem sapatos, com uma toalha em volta dos ombros. As outras duas pelo menos tinham sapatos, mas pouca roupa. O bebê aparentemente dormia.

A mãe parecia atordoada e sem saber para que lado devia ir. Não havia nenhum lugar à mesa. Ela levou os filhos para onde estava a comida e dois voluntários sorridentes adiantaram-se para ajudar. Um a levou para um canto perto da cozinha e começou a servir a comida, enquanto o outro os agasalhava com cobertores.

Mordecai e eu observamos a cena. Eu tentei não olhar acintosamente, mas quem se importava com isso?

– O que acontece com ela quando a tempestade passar? – perguntei.

– Quem sabe? Por que não pergunta a ela?

Era um desafio. Eu não estava preparado para sujar as mãos.

– Você é membro atuante da Ordem dos Advogados de Washington? – ele perguntou.

– Mais ou menos. Por quê?

– Só por curiosidade. A Ordem trabalha muito com os sem-teto, de graça.

Ele estava pescando e eu prestes a ser apanhado no anzol.

– Eu trabalho em casos de pena de morte – eu disse, com orgulho e com certa veracidade. Há quatro anos eu havia ajudado um dos sócios a redigir uma súmula para um prisioneiro do Texas. Minha firma pregava o bem público para todos os seus contratados, mas desde que não interferisse com o faturamento.

Continuamos a observar a mãe e os quatro filhos. Os dois menores comeram os biscoitos primeiro, enquanto a sopa esfriava. A mãe estava drogada ou em estado de choque.

– Existe algum lugar onde ela pode morar agora? – perguntei.

– Provavelmente não – Mordecai respondeu casualmente, os pés enormes balançando da ponta da mesa. – Até ontem, a lista de espera para albergue de emergência tinha quinhentos nomes.

– Para abrigo de emergência?

– Isso mesmo. Existe um albergue para hipotermia que a prefeitura abre de graça quando a temperatura desce abaixo de zero. Talvez seja sua única chance, mas tenho certeza de que está lotado esta noite. A prefeitura então generosamente fecha o albergue quando a temperatura melhora.

O ajudante de cozinha teve de ir embora e como eu era o voluntário mais próximo que não estava ocupado no momento, me puseram no lugar dele. Enquanto Mordecai fazia sanduíches, eu piquei aipo, cenouras e cebolas durante uma hora, tudo sob a supervisão cuidadosa da Sra. Dolly, uma das fundadoras da igreja, que há onze anos se encarregava de alimentar os sem-teto. A cozinha era dela. Senti-me honrado por estar ali e em determinado momento fui avisado de que estava cortando o aipo em pedaços muito grossos. Logo ficaram menores. Com seu avental branco e imaculado ela se orgulhava muito do seu trabalho.

– Alguma vez chegou a se acostumar a ver essa gente? – eu perguntei, depois de um tempo. Estávamos de pé na frente do fogão, distraídos por uma discussão em algum lugar, no fundo da sala. Mordecai e o ministro intervieram e a paz foi restabelecida.

– Nunca, meu bem – ela disse, enxugando as mãos numa toalha. – Ainda parte meu coração. Mas nos Provérbios está escrito: "Feliz é o homem que alimenta os pobres." Isso me faz continuar.

Ela virou para o fogão e mexeu de leve a sopa.

– A galinha está pronta – ela disse na minha direção.

– O que significa isso?

– Significa que você tira a galinha do forno, põe o caldo naquela panela, deixa a galinha esfriar e depois tira os ossos.

Desossar uma galinha é uma arte, especialmente quando se usa o método da Sra. Dolly. Meus dedos estavam quentes e cheios de bolhas quando terminei.

Oito

Mordecai me levou por uma escada escura até o saguão.

– Ande com cuidado – ele disse, quase num murmúrio, quando entramos no santuário pela porta de vaivém. A iluminação era fraca porque havia gente tentando dormir por toda a parte. Estavam deitados nos bancos, roncando. Estavam debaixo dos bancos, as mães procurando aquietar os filhos. Estavam amontoados nas escadas, deixando para nós uma passagem estreita que ia dar no púlpito. O coro estava cheio de gente também.

– Poucas igrejas fazem isso – ele murmurou, quando paramos perto da mesa do altar e olhamos para as fileiras de bancos.

Eu compreendia a relutância das igrejas.

– O que acontece no domingo? – perguntei em voz baixa.

– Depende do tempo. O reverendo é um dos nossos. Muitas vezes ele cancelou a missa, para não ter de mandar essa gente para fora.

Eu não sabia ao certo o que significava "um dos nossos", mas não me sentia como um membro do clube. O teto estalou. Olhei para cima e vi um balcão em forma de U sobre nossas cabeças. Forcei a vista e vi outra massa de gente nas fileiras de bancos lá em cima. Mordecai olhou também.

– Quantas pessoas... – murmurei, incapaz de terminar a frase.

– Nós não contamos. Apenas alimentamos e damos abrigo.

Uma rajada de vento atingiu um dos lados do prédio e as

janelas sacudiram. Estava muito mais frio no santuário do que no porão. Passamos nas pontas dos pés pelos corpos deitados e saímos por uma porta ao lado do órgão.

Eram quase onze horas. O porão continuava repleto, mas a fila da sopa tinha desaparecido.

– Venha comigo – Mordecai disse.

Ele apanhou uma tigela de plástico e a estendeu para um voluntário encher de sopa.

– Vamos ver se você cozinha bem – ele disse, com um sorriso.

Sentamos no meio daquela multidão, a uma mesa de armar, com os sem-teto à nossa volta. Mordecai comia e falava ao mesmo tempo, como se tudo estivesse ótimo. Mas não estava. Eu tomei um pouco de sopa que, graças à Sra. Dolly, estava realmente muito boa, mas não conseguia ir além do fato de que eu, Michael Brock, um rapaz branco e rico de Memphis, de Yale e da Drake & Sweeney, estava sentado entre os sem-teto no porão de uma igreja, a noroeste de Washington D.C. Eu tinha visto o outro único rosto branco, o de um bêbado de meia-idade que comeu e desapareceu.

Estava certo de que meu Lexus tinha desaparecido, e certo de que eu não sobreviveria cinco minutos fora do prédio. Resolvi ficar perto de Mordecai, até ele ir embora.

– Uma sopa muito boa – ele disse. – Isso varia – explicou. – Depende do que temos à mão. E a receita é diferente de um lugar para outro.

– No outro dia, na Mesa da Martha, tinha macarrão – disse o homem sentado à minha direita, com o cotovelo mais perto da minha tigela do que o meu.

– Macarrão? – Mordecai perguntou, fingindo incredulidade. – Na sua sopa?

– Isso mesmo. Mas uma vez por mês tem macarrão. É claro que todo mundo sabe disso agora e é difícil conseguir um lugar à mesa.

Eu não sabia se ele estava brincando ou não, mas percebi uma centelha de ironia. A idéia de um homem sem-teto lamentando a falta de lugar à mesa na sua cozinha de sopa favorita me pareceu divertida. Difícil conseguir uma mesa. Quantas vezes eu tinha ouvido isso dos meus amigos em Georgetown?

Mordecai sorriu.

– Qual é o seu nome? – perguntou para o homem. Mais tarde aprendi que Mordecai sempre queria um nome para cada rosto. Os sem-teto que ele amava eram mais do que vítimas, eram sua gente.

Para mim era uma curiosidade natural. Eu queria saber como os sem-teto ficavam sem teto. O que estava falhando no nosso sistema de assistência pública para permitir que americanos ficassem tão pobres a ponto de morar debaixo de pontes?

– Drano – ele disse, mastigando um dos meus pedaços grandes de aipo.

– Drano? – Mordecai disse.

– Drano – o homem repetiu.

– Qual é o seu sobrenome?

– Não tenho. Sou pobre demais.

– Quem deu a você o nome de um desentupidor de ralos?

– Minha mãe.

– Que idade você tinha quando ela deu a você o nome de Drano?

– Uns cinco anos.

– Por que Drano?

– Minha mãe tinha um bebê que não parava de chorar e não deixava ninguém dormir. Eu dei um pouco de Drano para ele beber. – Contou a história enquanto mexia na sopa com a colher. Era bem ensaiada, bem contada e eu não acreditei em uma palavra. Mas outros estavam ouvindo e Drano estava se divertindo.

– O que aconteceu com o bebê? – Mordecai perguntou, fingindo que acreditava.

– Morreu.

– Ele era seu irmão, certo? – Mordecai perguntou.

– Não, minha irmã.

– Ah, sim, então você matou sua irmã?

– É, mas depois disso, nós dormíamos bastante.

Mordecai piscou para mim, como se estivesse acostumado a ouvir esse tipo de história.

– Onde você mora, Drano? – eu perguntei.

– Aqui, em Washington.

– Onde você fica? – Mordecai perguntou, corrigindo minha terminologia.

– Eu fico aqui e ali. Tenho uma porção de mulheres ricas que me pagam para fazer companhia.

Dois homens no outro lado de Drano acharam isso engraçado. Um bufou, o outro riu.

– Onde você recebe sua correspondência? – Mordecai perguntou.

– No correio. – Drano tinha uma resposta pronta para cada pergunta, por isso nós o deixamos em paz.

A Sra. Dolly fez café para os voluntários depois de desligar o fogão. Os sem-teto estavam se instalando para a noite.

Mordecai e eu sentamos na ponta da mesa na cozinha escura, tomando café e olhando pela janela grande, por onde era servida a comida para a massa de gente.

– Até que horas você vai ficar? – perguntei.

Ele deu de ombros.

– Depende. Com umas duzentas pessoas em um só espaço, geralmente acontece alguma coisa fora do comum. O reverendo vai se sentir melhor se eu ficar.

– A noite toda?

– Já fiz isso muitas vezes.

Eu não tinha planejado dormir com aquela gente. Nem sair do prédio sem Mordecai para me guardar.

– Pode ir quando quiser – ele disse.

Sair dali era a pior das minhas limitadas opções. No meio da noite de uma sexta-feira nas ruas de Washington. Homem branco, belo carro. Neve ou não, não me agradava a idéia do que podia me acontecer lá fora.

– Você tem família? – perguntei.

– Tenho. Minha mulher é secretária no Departamento do Trabalho. Três filhos homens. Um está na universidade, outro no exército. – Parou de falar antes de chegar ao filho número três. Eu não pretendia perguntar.

– E um perdemos nas ruas há dez anos. Briga de gangues.

– Eu sinto muito.

– E você?

– Casado, sem filhos.

Pensei em Claire pela primeira vez em várias horas. Qual seria sua reação se soubesse onde eu estava? Nenhum de nós jamais teve tempo para alguma coisa que se parecesse remotamente com caridade.

Ela certamente iria resmungar, "Ele está mesmo prestes a entrar em colapso", ou alguma coisa parecida.

Eu não me importava.

– O que a sua mulher faz? – ele perguntou, apenas para conversar.

– É residente de cirurgia em Georgetown.

– Vocês estão feitos na vida, não é? Você logo será sócio de uma grande firma e ela uma cirurgiã. Outro sonho americano.

– Acho que sim.

O reverendo apareceu do nada e levou Mordecai para o fundo da cozinha, para uma conversa particular. Tirei quatro biscoitos de uma tigela e fui até o canto onde a jovem mãe dormia com a cabeça apoiada num travesseiro e o bebê no braço. Os dois menores estavam imóveis debaixo do cobertor. Mas o maior estava acordado.

Agachei-me ao lado dele e ofereci um biscoito. Ele o agarrou e seus olhos brilharam. Comeu avidamente e pediu outro. Era pequeno e magro, aparentando uns quatro anos.

A cabeça da mãe caiu para a frente e ela acordou. Olhou para mim com olhos tristes e cansados, depois viu que eu estava distribuindo biscoitos. Com um sorriso tristonho, ela ajeitou o travesseiro.

– Como é o seu nome? – perguntei em voz baixa para o menino. Depois de dois biscoitos ele era meu amigo para toda a vida.

– Ontario – ele disse, lenta e simplesmente.

– Quantos anos você tem?

Ele ergueu quatro dedos, depois dobrou um, depois levantou outra vez.

– Quatro? – perguntei.

Ele fez que sim com a cabeça e estendeu a mão para outro biscoito, que eu dei com satisfação. Eu teria dado qualquer coisa para ele.

– Onde vocês ficam? – murmurei.

– Num carro – ele murmurou também.

A informação levou um segundo para ser registrada. Eu não tinha idéia de nenhuma outra pergunta. Ele estava muito ocupado comendo para se preocupar com a conversa. Eu havia feito três perguntas, ele deu três respostas sinceras. Eles moravam num carro.

Minha vontade foi perguntar a Mordecai o que eles faziam quando encontravam pessoas que moravam num carro, mas continuei ali, sorrindo para Ontario. Ele retribuiu o sorriso.

– Você tem mais suco de maçã?

– Claro – eu disse. Fui até a cozinha e servi dois copos.

Ele tomou o primeiro de um só gole e eu estendi o segundo.

– Diga obrigado – eu disse.

– Obrigado – ele disse e estendeu a mão para outro biscoito.

Apanhei uma cadeira de armar e sentei ao lado de Ontario, de costas para a parede. O porão às vezes ficava silencioso, mas nunca completamente. Os que vivem sem cama não têm um sono tranqüilo. Uma vez ou outra, Mordecai andava entre os corpos deitados para resolver algum problema. Ele era tão grande e sua figura tão intimidadora que ninguém ousava desafiar sua autoridade.

Com a barriga cheia outra vez, Ontario cochilou, a cabecinha em cima dos pés da mãe. Fui até a cozinha para outra xícara de café e voltei para minha cadeira no canto.

Então de repente o bebê começou a chorar. Sua voz fina

adquiriu um volume surpreendente e a sala toda pareceu ondular com o barulho. A mãe, atordoada, cansada, frustrada por causa do sono interrompido, mandou o bebê ficar quieto, depois o segurou contra o ombro e o acalentou. Ele chorou mais alto e alguns dos acampados começaram a resmungar.

Sem parar para pensar eu peguei o bebê, sorrindo para a mãe, para ganhar a sua confiança. Ela não se importou. Ficou aliviada por se livrar dele.

O bebê não pesava nada e a maldita fralda estava encharcada. Percebi isso quando encostei gentilmente a cabeça dele no meu ombro e comecei a dar palmadinhas no seu traseiro. Fui andando para a cozinha, desesperado, à procura de Mordecai ou outro voluntário para me livrar da enrascada. A Sra. Dolly tinha saído há uma hora.

Para meu alívio e surpresa, o bebê ficou quieto enquanto eu dava a volta no fogão, dando palmadinhas, arrulhando e procurando uma toalha ou qualquer outra coisa. Minha mão estava completamente molhada.

Onde eu estava? Que diabo estava fazendo? O que os meus amigos iriam pensar se me vissem naquela cozinha escura, murmurando para um bebê de rua, rezando para que a fralda estivesse só molhada?

Eu não sentia nenhum cheiro, mas tinha certeza de sentir os piolhos passando da cabeça dele para a minha. Meu melhor amigo Mordecai apareceu e acendeu a luz.

– Que gracinha – ele disse.

– Nós temos fraldas? – sibilei, furioso.

– Serviço completo ou só a metade? – ele perguntou feliz, indo para um dos pequenos armários.

– Eu não sei. Mas trate de se apressar.

Ele apanhou um pacote de fraldas e eu dei a criança para ele. Meu paletó tinha uma grande mancha no ombro esquerdo. Com destreza incrível ele deitou o bebê na tábua de cortar legumes, tirou a fralda molhada, revelando uma menininha, limpou com alguma coisa, pôs a fralda limpa, e a devolveu para mim.

– Aí está – ele disse com orgulho. – Nova em folha.

– As coisas que não ensinam na escola de direito – eu disse, pegando a criança.

Andei com a criança no colo durante uma hora, até ela dormir. Eu a enrolei no meu paletó e a deitei entre a mãe e Ontario.

Eram quase 3 horas da manhã de sábado e eu precisava ir embora. Minha consciência recentemente encontrada tivera mais do que podia absorver por um dia. Mordecai foi comigo até a rua, agradeceu e me deixou sozinho na noite, sem paletó. Meu carro estava onde eu o havia deixado, coberto com neve recente.

Ele estava de pé na frente da igreja, quando parti.

Nove

Desde o meu encontro com Senhor, na terça-feira, eu não tinha faturado nem uma hora para a querida Drake & Sweeney. Há cinco anos eu vinha faturando uma média de duzentas horas por mês, ou seja, oito por dia, seis dias por semana, com uma ou duas a mais. Nenhum dia era desperdiçado e poucas horas não eram faturadas. Quando eu me atrasava, o que era raro acontecer, eu trabalhava doze horas no sábado e talvez mais doze no domingo. E quando não estava atrasado, trabalhava apenas sete ou oito no sábado e algumas mais no domingo. Não admira que Claire tivesse ido para a escola de medicina.

Olhando para o teto do quarto, na manhã de sábado, senti-me quase paralisado de inação. Eu não queria ir ao escritório. A idéia era revoltante. Eu detestava pensar nas fileiras de pequenas mensagens telefônicas cor-de-rosa que Polly deixava na minha mesa, os memorandos dos superiores marcando reuniões para saber do meu bem-estar, as intromissões dos fofoqueiros e o inevitável "Como vão as coisas?" dos amigos, dos que realmente se preocupavam e dos que não davam a mínima. Porém, o que eu mais temia era o trabalho. Processos antitruste são longos e difíceis, cujos volumes de papéis são tão grandes que precisam ser guardados em caixas e de qualquer modo, para quê? Uma corporação de bilhões de dólares lutando contra outra. Centenas de advogados envolvidos, todos enchendo folhas e folhas de papel.

Tive de admitir que jamais gostei do trabalho. Era um meio para um fim. Se eu me empenhasse furiosamente, me tornasse um grande conhecedor do assunto e um especialista perfeito, então algum dia, muito em breve, seria grande a demanda pelo meu trabalho. Seja na área de tributação, leis trabalhistas ou litígio. Quem podia gostar da legislação antitruste?

Por pura força de vontade, me obriguei a levantar da cama e entrar no chuveiro.

O café foi um croissant de uma confeitaria na rua M, com café forte, sem tirar uma das mãos da direção. Imaginei o que Ontario estaria tomando naquela hora, depois resolvi parar de me torturar. Eu tinha o direito de comer sem me sentir culpado, mas a comida começava a perder a importância para mim.

O rádio dizia que a temperatura máxima seria de sete graus negativos, a mínima quase dezoito, sem neve por uma semana.

Consegui chegar em paz ao saguão do prédio mas então fui abordado por um dos membros da irmandade. Bruce alguma coisa de comunicações entrou comigo no elevador e disse gravemente:

– Como vão as coisas, amigo?

– Muito bem. E você? – atirei de volta.

– Tudo bem. Olhe, estamos torcendo por você, sabe? Continue firme.

Balancei a cabeça afirmativamente, como se o apoio dele fosse crucial. Felizmente ele desceu no segundo andar, mas não antes de me agraciar com um tapinha no ombro, do tipo vestiário de clube. Mostre para eles, Bruce.

Eu era mercadoria avariada. Meus passos ficaram mais lentos quando passei pela mesa de Madame Devier e pela porta da sala de conferências. Segui pelo corredor de mármore até chegar ao meu escritório e praticamente me atirei na cadeira giratória, exausto.

Polly tinha vários modos de deixar os papeizinhos das mensagens telefônicas. Quando eu respondia às chamadas diligentemente e ela ficava satisfeita com meus esforços, no dia seguinte ela deixava uma ou duas perto do meu telefone. Porém, se minha performance deixava a desejar, e isso a desagradava, ela fazia questão de enfileirar as mensagens no centro da minha mesa, um mar de papel cor-de-rosa, em perfeita ordem cronológica.

Contei trinta e nove mensagens, algumas urgentes, algumas dos grandes da firma. Rudolph especialmente parecia irritado, a julgar pela pista deixada por Polly. Eu li todas com vagar e as deixei de lado. Estava decidido a terminar o meu café em paz e sem pressão, por isso fiquei sentado à minha mesa segurando a xícara com as duas mãos, olhando para o desconhecido, como se estivesse cambaleando na beira de um precipício e então Rudolph entrou.

Certamente ele foi avisado pelos espiões, um paralegal à espreita ou talvez Bruce, do elevador. Talvez a firma inteira estivesse em alerta. Não. Eles eram ocupados demais para isso.

– Olá, Mike – ele disse, com voz brusca, sentando, cruzando as pernas, instalando-se para uma conversa séria.

– Oi, Rudy – eu disse. Era a primeira vez que eu o chamava de Rudy na frente dele. Era sempre Rudolph. Sua esposa atual e os sócios o chamavam de Rudy, ninguém mais.

– Onde você esteve? – ele perguntou, sem o menor sinal de compaixão.

– Memphis.

– Memphis?

– É, precisava ver meus pais. Além disso, o psiquiatra da família está lá.

– Um psiquiatra?

– Sim, ele me observou por dois dias.

– Observou você?

– Isso mesmo, numa daquelas elegantes e pequenas unidades com tapetes persas e salmão no jantar. Mil dólares por dia.

– Por dois dias? Você esteve internado dois dias?

– Isso mesmo. – A mentira não me incomodava, nem me senti mal porque a mentira não me incomodava. A firma podia ser severa, até demais, quando resolvia e eu não estava disposto a ouvir uma descompostura de Rudolph. Ele recebia as ordens do comitê executivo e faria um relatório assim que terminasse a entrevista. Se eu conseguisse derreter seu gelo, o relatório seria suave, os chefes poderiam relaxar. A vida seria mais fácil, durante um curto espaço de tempo.

– Você devia ter telefonado para alguém – ele disse, ainda gelado, mas com sinais de abrandamento.

– Ora, Rudolph, eu estava isolado. Nada de telefones. – Havia na minha voz a agonia suficiente para amaciá-lo.

Depois de uma longa pausa, ele disse:

– Você está bem?

– Estou ótimo.

– Você está ótimo?

– O psiquiatra disse que eu estou ótimo.

– Cem por cento?

– Cento e dez. Nenhum problema, Rudolph. Eu precisava descansar, só isso. Estou bem. De volta a todo vapor.

Era isso que Rudolph queria. Sorriu, relaxou e disse:

– Temos muito trabalho para fazer.

– Eu sei. Mal posso esperar.

Ele praticamente saiu correndo do meu escritório. Ia diretamente para o telefone a fim de informar que um dos muitos produtores da firma estava de volta à sela.

Tranquei a porta, apaguei as luzes e passei uma hora dolorosa cobrindo minha mesa de papéis e escrevendo. Nada foi realizado, mas pelo menos eu estava cumprindo horário.

Quando não podia mais agüentar, enfiei as mensagens no bolso e saí. Escapei sem ser apanhado.

Parei numa grande loja de artigos baratos em Massachusetts e me entreguei a uma deliciosa orgia de compras. Balas e pequenos brinquedos para as crianças, sabonete e artigos de toalete para todos, meias e calças de jogging, numa variedade de tamanhos para crianças. Um pacote grande de fraldas descartáveis. Eu nunca me diverti tanto gastando cem dólares.

E eu pretendia gastar o que fosse necessário para levá-los para um lugar quente. Se fosse um motel por um mês, tudo bem. Logo eles seriam meus clientes e eu ia ameaçar e processar com todas as minhas forças até conseguir moradia adequada. Eu mal podia esperar para processar alguém.

Estacionei no outro lado da rua, não com tanto medo quanto na noite anterior, mas ainda bastante assustado. Sensatamente, deixei os embrulhos das compras dentro do carro. Se eu andasse na rua como um Papai Noel, ia provocar um motim. Minha intenção era sair dali com a família, levá-los para um motel, pagar a estada, providenciar para que tomassem banho, fossem desinfetados e completamente limpos, depois dar de comer a todos até ficarem mais do que saciados, verificar se precisavam de cuidados médicos, talvez levá-los para comprar sapatos e agasalhos, depois alimentá-los outra vez. Não me importava quanto podia custar, nem o tempo que teria de gastar com tudo isso.

Nem me importava que pensassem que eu era um outro branco rico tentando me penitenciar de alguma pequena culpa.

A Sra. Dolly ficou satisfeita quando me viu. Disse olá e apontou para uma pilha de legumes que precisavam ser descascados. Antes porém, fui procurar Ontario e sua família e não encontrei. Não estavam onde eu os havia deixado e andei pelo porão, passando por cima e em volta de uma dezena de sem-teto. Não estavam no santuário, nem no balcão.

Conversei com a Sra. Dolly e descasquei batatas. Ela lembrava da família, da noite anterior, mas já não estavam quando ela chegou, mais ou menos às nove horas.

– Para onde podem ter ido? – perguntei.

– Querido, essa gente nunca pára no mesmo lugar. Vão de dispensário em dispensário, de albergue em albergue. Ela pode ter ouvido dizer que estão dando queijo em Brightwood, ou cobertores em outro lugar. Pode até ter um emprego no McDonald's e deixa os filhos com a irmã. Nunca se sabe. Mas nunca ficam no mesmo lugar.

Eu duvidava que a mãe de Ontario tivesse um emprego, mas não ia discutir com a Sra. Dolly, na sua cozinha.

Mordecai chegou quando a fila se formava para o almoço. Eu o vi antes que ele me visse e, quando nossos olhos se encontraram, o rosto dele se iluminou.

Um novo voluntário estava encarregado dos sanduíches. Mordecai e eu arrumamos as mesas, mergulhando as conchas na panela e servindo sopa nas tigelas de plástico. Não precisava de nenhuma arte para fazer isso. Sopa demais e o recipiente podia olhar zangado para você. Legumes demais e só sobrava o caldo. Mordecai havia aperfeiçoado a técnica há muitos anos. Eu tive de agüentar uma porção de olhares furiosos, até me dar conta do que devia fazer. Mordecai tinha uma palavra amável para cada pessoa que ele servia – olá, bom dia, como vai, é bom ver você outra vez. Alguns retribuíam com um sorriso, outros nem levantavam os olhos.

Quase ao meio-dia, as portas abriam e fechavam constantemente e as filas ficaram maiores. Mais voluntários apareceram do nada e a cozinha zumbia como uma colmeia com o ruído agradável de pessoas felizes ocupadas com seu trabalho. Continuei a procurar Ontario. Papai Noel estava esperando e o garotinho nem tinha idéia.

Esperamos até a fila desaparecer, então cada um encheu uma tigela. As mesas estavam lotadas, por isso comemos na cozinha, encostados na pia.

– Lembra da fralda que você trocou ontem à noite? – perguntei, entre duas colheradas.

– Como se eu pudesse esquecer.

– Eu não os vi hoje.

Mordecai mastigou e pensou por um segundo.

– Estavam aqui quando fui para casa esta manhã.

– A que horas?

– Seis. Estavam ali naquele canto, dormindo a sono solto.

– Onde podem ter ido?

– Nunca se sabe.

– O garotinho disse que eles ficam num carro.

– Você falou com ele?

– Falei.

– E agora quer encontrá-lo, não é?

– Isso mesmo.

– Não conte com isso.

Depois do almoço, o sol apareceu e o movimento começou. Um a um eles se aproximavam da mesa onde a comida era servida, apanhavam uma maçã ou uma laranja e saíam do porão.

– Os sem-teto são também inquietos – Mordecai explicou enquanto observávamos. – Gostam de estar sempre em movimento. Eles têm rituais e rotinas, lugares favoritos, amigos nas ruas, coisas para fazer. Eles voltam aos seus parques e becos e desenterram as coisas da neve.

– Está fazendo sete graus negativos lá fora. Quase dezoito esta noite – eu disse.

– Eles vão voltar. Espere até anoitecer e este lugar vai estar cheio outra vez. Vamos dar um passeio.

Falamos com a Sra. Dolly que nos dispensou por algum tempo. O Ford Taurus de Mordecai, muito usado, estava perto do meu Lexus.

– Isso não vai durar muito por aqui – ele disse, apontando para meu carro. – Se pretende passar algum tempo nesta parte da cidade, sugiro que troque de carro.

Eu nem sonhava em me desfazer do meu carro fabuloso. Fiquei quase ofendido.

Entramos no Taurus e saímos do estacionamento. Quase imediatamente percebi que Mordecai era um motorista horrível e tentei prender meu cinto de segurança. Estava rompido. Aparentemente ele não percebeu.

Passamos pelas ruas da zona noroeste de Washington, bairros e quarteirões de casas geminadas, conjuntos habitacionais tão perigosos que nem as ambulâncias entravam neles, escolas com arame farpado cortante brilhando no topo da grade de malha de aço, ruas permanentemente assoladas por distúrbios. Ele era um guia turístico perfeito. Cada centímetro era seu território, cada esquina tinha uma característica, cada rua era uma história. Passamos por outros albergues e dispensários. Ele conhecia os cozinheiros e os reverendos. As igrejas eram boas ou más, sem meio-termo. Ou abriam as portas para os sem-teto ou as mantinham fechadas. Ele me mostrou a escola de direito em Howard, um lugar de imenso orgulho para ele. Levara cinco anos para se formar, estudava à noite pois tinha de trabalhar o dia inteiro. Mordecai mostrou uma casa geminada incendiada onde traficantes de crack costumavam fazer seu negócio. Seu terceiro filho, Cassius, morreu na calçada, na frente dela.

Quando estávamos perto do escritório dele, Mordecai perguntou se eu não me importava de parar um minuto. Queria ver a correspondência. É claro que eu não me importava. Estava ali pelo passeio.

O escritório era escuro, frio e vazio. Ele acendeu a luz e começou a falar.

– Somos três. Eu, Sofia Mendoza e Abraham Lebow. Sofia é assistente social, mas conhece mais a lei das ruas do que eu e Abraham juntos. – Eu o segui entre as mesas cheias de papéis e pastas. – Chegamos a ter sete advogados amontoados aqui, dá para acreditar? Isso quando tínhamos subvenção federal para prestação de assistência jurídica. Agora não temos nem um centavo, graças aos republicanos. Há três escritórios naquele lado e mais três no meu lado. – Ele apontava para todas as direções. – Um bocado de espaço vazio.

Talvez vazio por falta de gente mas era difícil andar sem tropeçar num cesto com pastas antigas ou numa pilha de livros de direito empoeirados.

– Quem é o dono do prédio? – perguntei.

– O Cohen Trust. Leonard Cohen foi o fundador de uma grande firma de advocacia de Nova York. Ele morreu em 1986. Devia ter uns cem anos. Ganhou rios de dinheiro e quase no fim da vida resolveu que não queria morrer com tudo aquilo. Então, espalhou a notícia e uma das suas muitas criações foi um truste para ajudar advogados dos pobres a dar assistência aos sem-teto. Foi assim que este lugar nasceu. O truste administra três clínicas – aqui, em Nova York e em Newark. Eu fui contratado em 1983, tornei-me diretor em 1984.

– Toda a sua subvenção vem da mesma fonte?

– Praticamente. No ano passado o truste nos deu cento e dez mil dólares. No ano anterior, foram cento e cinqüenta, por isso perdemos um advogado. O truste não tem sido bem administrado e está agora garfando o principal. Duvido que fiquemos aqui mais cinco anos. Talvez nem três.

– Vocês não podem angariar fundos?

– Claro. No ano passado conseguimos nove mil dólares. Mas leva tempo. Ou fazemos assistência jurídica ou levantamos fundos. Sofia não é boa no trato com as pessoas. Abraham é um cabeça-dura radical de Nova York. Desse modo, tudo que sobra sou eu com minha personalidade magnética.

– Qual é a despesa média? – perguntei, curioso, mas não muito preocupado. Quase todos os grupos sem fins lucrativos publicavam relatórios anuais com todos os números.

– Dois mil por mês. Tirando os gastos e uma pequena reserva, nós três dividimos oitenta e nove mil dólares. Igualmente. Sofia se considera sócia. Francamente, temos medo de discutir com ela. Eu levo para casa quase trinta, o que, pelo que sei, é mais ou menos a média que ganha um advogado dos pobres. Bem-vindo às ruas.

Finalmente voltamos ao escritório dele e sentamos um de frente para o outro.

– Vocês esqueceram de pagar a conta do aquecimento? – perguntei, tremendo de frio.

– Provavelmente. Não trabalhamos muito nos fins de semana. Medida de economia. É impossível aquecer ou refrescar este lugar.

Essa idéia jamais ocorreu a ninguém na Drake & Sweeney. Fechar nos fins de semana poupa dinheiro. E casamentos.

– E se isso aqui ficar confortável demais, nossos clientes acampam e não saem mais. Assim, é frio no inverno, quente no verão, reduz o tráfego das ruas. Quer café?

– Não, obrigado.

– Sabe que estou brincando. Não faríamos nada para evitar que os sem-teto fiquem aqui. O clima não nos incomoda. Nossos clientes estão com frio e com fome, então por que nos preocupar com isso? Você se sentiu culpado quando tomou seu café esta manhã?

– Sim.

Ele olhou para mim com o sorriso de um velho sábio que já viu de tudo.

– Isso é muito comum. Trabalhamos com uma porção de jovens advogados de grandes firmas, noviços *pro bono,* como eu os chamo, e todos diziam que, no começo, perdiam todo interesse na comida. – Bateu com a mão na barriga avantajada. – Mas isso passa.

– O que os noviços *pro bono* faziam? – perguntei. Sabia que estava mordendo a isca e Mordecai sabia que eu sabia.

– Nós os mandávamos para os albergues. Eles se encontravam com os clientes e nós supervisionávamos os processos para eles. Grande parte do trabalho é fácil, basta um advogado gritar no telefone para um burocrata que nem se abala. Vales-refeição, pensões de veteranos, subsídios para moradia, seguro-saúde, auxílio-pensão para os filhos – cerca de vinte e cinco por cento do nosso trabalho lidam com benefícios.

Eu ouvia com atenção e ele podia ler minha mente. Mordecai começou a puxar a linha do molinete.

– Deve compreender, Michael, os sem-teto não têm escolha. Ninguém ouve, ninguém se importa e eles não esperam nenhuma ajuda. Assim, quando eles tentam usar o telefone para reivindicar os benefícios aos quais têm direito, não conseguem coisa alguma. São deixados na espera permanente. Seus telefonemas nunca são respondidos. Eles não têm endereço. Os burocratas não se importam e desse modo afundam exatamente as pessoas a quem deviam ajudar. Um assistente social experiente pode pelo menos fazer com que os burocratas ouçam o que ele diz e talvez examinem o caso e talvez telefonem depois. Mas se você põe um advogado no telefone, gritando como um possesso, as coisas acontecem. Sem problema. Mande o cheque para mim, eu dou para o cliente.

Ele estava elevando a voz, sacudindo as duas mãos no ar. Além de tudo o mais, Mordecai era um consumado contador de histórias. Imaginei que devia ser muito eficiente na frente de um júri.

– Uma história engraçada – ele disse. – Mais ou menos há um mês, um dos meus clientes foi ao escritório do Seguro Social apanhar um formulário para benefícios. Devia ser uma coisa de rotina. Ele tem sessenta anos e dores constantes por causa de um problema de coluna. Depois de dormir por dez anos em bancos de parques e em pedras, qualquer um tem problema de coluna. Ele esperou na fila do lado de fora do escritório, finalmente chegou à porta, esperou outra hora, chegou à primeira mesa, tentou explicar o que queria e recebeu uma descompostura de uma secretária rabugenta que estava tendo um dia difícil. Ela até comentou o cheiro dele. Meu cliente, humilhado, saiu sem o formulário. Telefonou para mim. Eu dei meus telefonemas e na última quarta-feira tivemos uma pequena cerimônia no escritório do Seguro Social. Eu fui com meu cliente. A secretária estava lá com seu supervisor, o supervisor do supervisor, o diretor do escritório e um Grande Homem da Administração de Seguro Social. A secretária ficou na frente do meu cliente e leu um pedido de desculpas de uma página. Foi muito bonito, emocionante. Então ela me entregou os formulários para requisição de benefícios e todos me garantiram que o pedido receberia atenção imediata. Isso é justiça, Michael, isso é a lei da rua. Dignidade.

As histórias continuaram, uma depois da outra, todas acabando com os advogados das ruas como os mocinhos, os sem-teto vitoriosos. Eu sabia que Mordecai guardava no seu repertório outras tantas histórias de cortar o coração, provavelmente mais numerosas, mas ele estava preparando o terreno.

Perdi a noção de tempo. Ele nem falou na correspondência. Por fim saímos e voltamos para o albergue.

Faltava uma hora para escurecer, um bom momento, pensei, para se refugiar no porão, antes que os desordeiros enchessem as ruas. Percebi que eu andava devagar e me sentia confiante ao lado de Mordecai. Sem ele eu estaria chapinhando na neve, o corpo inclinado para a frente, meus pés nervosos mal tocando o solo.

A Sra. Dolly havia conseguido um monte de frangos inteiros e estava à minha espera. Ela cozinhou os frangos, eu retirei dos ossos a carne fervendo.

A mulher de Mordecai, JoAnne, apareceu para nos ajudar na hora de maior movimento. Ela era tão simpática quanto o marido, e quase tão alta quanto ele. Os dois filhos tinham dois metros de altura. Cassius tinha dois metros e dez, um astro do basquete, morto a tiros quando tinha dezessete anos.

Saí à meia-noite. Nem sinal de Ontario e sua família.

Dez

O domingo começou com um telefonema de Claire no fim da manhã, outra conversa quase formal só para dizer a que horas ela devia chegar em casa. Sugeri jantarmos no nosso restaurante favorito, mas ela não estava com vontade. Não perguntei se havia alguma coisa errada. Estávamos muito além disso.

Como nosso apartamento ficava no terceiro andar, eu não conseguira que o *Post* de domingo fosse entregue em casa. Havíamos tentado vários métodos, mas na maior parte das vezes eu não encontrava o jornal.

Depois do banho, vesti as minhas camadas de agasalho. A previsão era de máxima de cinco graus negativos e eu estava me preparando para sair quando a televisão transmitiu a reportagem principal daquela manhã. Parei, petrificado. Ouvi as palavras mas não registrei imediatamente. Cheguei mais perto da televisão na cozinha, sentindo os pés pesados, o coração gelado, com a boca aberta, em choque.

Mais ou menos às onze horas da noite, a polícia encontrou um carro pequeno perto do parque Fort Totten, na região nordeste, na zona de guerra. Estava parado na rua, os pneus carecas atolados na neve derretida. Dentro dele encontraram uma jovem mãe e quatro filhos, todos mortos por asfixia. A polícia suspeitava que a família vivia no carro e estava tentando se aquecer. O escapamento do carro estava enterrado num monte de neve retirada do meio da rua. Alguns detalhes, mas nenhum nome.

Corri para a rua, derrapando na neve, mas mantendo o

equilíbrio, segui pela rua P na direção da Wisconsin, até chegar à banca de jornais da rua 34. Ofegante e horrorizado, apanhei o jornal. No canto inferior da primeira página estava a história, obviamente impressa no último minuto. Nenhum nome.

Abri o primeiro caderno, jogando o resto do jornal na rua molhada. A reportagem continuava na página quatorze, com alguns comentários padrão da polícia e as advertências previsíveis do perigo de escapamentos entupidos. Em seguida os detalhes de partir o coração: a mãe tinha vinte e dois anos. Seu nome era Lontae Burton. O bebê era Temeko. Os dois menores, Alonzo e Dante, gêmeos de dois anos. O irmão mais velho era Ontario, quatro anos.

Eu devo ter feito algum som estranho porque um homem que corria olhou para mim como se eu fosse perigoso. Comecei a andar, com o jornal aberto, pisando nas outras páginas caídas no chão molhado.

– Com licença – uma voz irritada disse atrás de mim. – Quer fazer o favor de pagar esse jornal?

Continuei a andar.

Ele se aproximou e gritou.

– Ei, cara!

Parei apenas o tempo suficiente para tirar uma nota de cinco dólares que joguei aos pés do homem, mal olhando para ele.

Na rua P, perto do apartamento, encostei no muro de tijolos de uma bela casa geminada. A neve fora cuidadosamente limpa da calçada. Li a reportagem outra vez, devagar, esperando que de algum modo o fim fosse diferente. Inúmeros pensamentos e interrogações passavam por minha cabeça e eu mal conseguia acompanhar. Porém, duas delas se repetiam incessantemente. Por que eles não voltaram para o albergue? E será que o bebê morreu enrolado no meu paletó?

Pensar era uma carga pesada demais. Andar era quase impossível. Depois do choque, a culpa atacou com toda força. Por que não fiz alguma coisa na sexta-feira, no albergue? Eu podia ter levado todos para um motel aquecido e dado de comer a eles.

O telefone estava tocando quando entrei. Era Mordecai. Perguntou se eu tinha visto a notícia. Eu perguntei se ele lembrava da fralda. A mesma família, eu disse. Mordecai não sabia o nome de nenhum deles. Contei minha conversa com Ontario.

– Eu sinto muito, Michael – ele disse, muito mais triste agora.

– Eu também.

Não consegui dizer muita coisa, as palavras se negavam a sair, por isso concordamos em nos encontrar mais tarde. Sentei no sofá e fiquei uma hora completamente imóvel.

Depois fui até o carro e tirei os pacotes de comida, brinquedos e roupas que tinha comprado para eles.

Só porque estava curioso, Mordecai foi ao meu escritório à tarde. Estivera em muitas firmas grandes no passado mas queria ver o lugar em que Senhor tinha caído. Eu o conduzi numa breve visita, com um relato resumido do caso dos reféns.

Saímos no carro dele. Eu agradeci o tráfego pouco intenso de domingo porque Mordecai não estava interessado no que os outros carros faziam.

– A mãe de Lontae Burton tem trinta e oito anos e está cumprindo pena de dez anos por venda de crack – ele me informou. Tinha dado alguns telefonemas. – Dois irmãos, ambos na prisão. Lontae tinha um histórico de prostituição e drogas. Nenhuma idéia de quem podia ser o pai, ou os pais, das crianças.

– Quem é a sua fonte?

– Encontrei a avó dela num conjunto habitacional. A última vez que vira Lontae, ela só tinha três filhos, e estava vendendo drogas com a mãe. Segundo a avó, ela cortou relações com a neta por causa das drogas.

– Quem os enterra?

– As mesmas pessoas que enterraram DeVon Hardy.

– Quanto custa um enterro decente?

– É negociável. Está interessado?

– Eu gostaria que alguém tomasse conta deles.

Estávamos na avenida Pensilvânia, passando pelos enormes edifícios do Congresso, o Capitólio ao fundo. Não me contive e praguejei silenciosamente contra os tolos que gastavam bilhões por mês enquanto tanta gente não tinha onde morar. Como era possível quatro crianças inocentes morrerem na rua, praticamente à sombra do Capitólio, porque não tinham um teto?

Elas não deviam ter nascido, diriam alguns do meu lado da cidade.

Os corpos foram levados para o departamento médico-legal da prefeitura, onde ficava o necrotério. Era um prédio de dois andares, de pedra marrom, agregado ao hospital geral de Washington. Ficariam lá até alguém os reclamar. Se não aparecesse ninguém no prazo de quarenta e oito horas, depois de embalsamados sumariamente, seriam postos em caixões de madeira e enterrados rapidamente no cemitério perto de RFK.

Mordecai parou num local proibido e depois de um segundo disse:

– Tem certeza de que quer entrar?

– Acho que sim.

Mordecai já estivera ali antes e havia telefonado para comunicar a nossa visita. Um guarda de segurança com um uniforme deselegante teve a ousadia de tentar nos deter e Mordecai reagiu falando tão alto que me assustou. De qualquer modo, meu estômago estava apertado.

O guarda recuou, feliz por se afastar de nós. Um conjunto de portas de vidro laminado tinha a palavra NECROTÉRIO escrita em negro. Mordecai entrou como se fosse o dono do lugar.

– Sou Mordecai Green, advogado da família Burton – ele rosnou para o jovem atrás da mesa. Era mais um desafio do que uma apresentação.

O jovem verificou uma prancheta, depois mais alguns papéis.

– Que diabo você está fazendo? – Mordecai disse, agressivo outra vez.

O jovem ergueu os olhos como se fosse responder no mesmo tom, mas então percebeu o tamanho do adversário.

– Só um minuto – ele disse e virou para o computador.

Mordecai voltou-se para mim e disse em voz muito alta.

– Parece que eles têm um milhão de corpos aqui.

Percebi que ele não tinha paciência com os burocratas e funcionários do governo e lembrei a história sobre o pedido de desculpas da secretária do Seguro Social. Para Mordecai, cinqüenta por cento do trabalho de um advogado consistiam em ameaçar e gritar.

Um cavalheiro pálido com cabelo mal tingido e um aperto de mão pegajoso apareceu e se apresentou como Bill. Vestia um jaleco de laboratório e os sapatos tinham solas grossas de borracha. Onde encontram gente para trabalhar no necrotério?

Passamos com ele por uma porta e seguimos por um corredor esterilizado onde a temperatura começou a cair e finalmente chegamos à sala principal.

– Quantos vocês receberam hoje? – Mordecai perguntou, como se passasse por ali todos os dias para contar os corpos.

Bill girou a maçaneta da porta e disse:

– Doze.

– Você está bem? – Mordecai me perguntou.

– Eu não sei.

Bill empurrou a porta de metal e entramos. O ar gelado cheirava a anti-séptico. O chão era de ladrilho branco, a luz azul fluorescente. Segui Mordecai, tentando não olhar para os lados, mas era impossível. Os corpos estavam completamente cobertos com lençóis, como na televisão. Passamos por uma porção de pés muito brancos com uma etiqueta no dedo grande. Depois vimos alguns escuros.

Viramos e paramos num canto, com uma maca à esquerda e uma mesa à direita.

Bill disse:

– Lontae Burton. – E com um gesto teatral puxou o lençol até a cintura dela. Era a mãe de Ontario, sem dúvida, com uma camisola branca. A morte não havia deixado marcas no seu rosto. Parecia adormecida. Olhei para ela, fascinado.

– É ela – Mordecai disse, como se a conhecesse há anos. Olhou para mim para confirmação e consegui inclinar a cabeça afirmativamente. Bill virou para o lado e eu prendi a respiração. As crianças estavam cobertas com um único lençol.

Estavam enfileiradas, muito juntas, as mãos cruzadas sobre as camisolas brancas, querubins adormecidos, pequenos soldados das ruas finalmente em paz.

Eu queria tocar Ontario, tocar o braço dele e dizer que eu sentia muito. Eu queria acordá-lo, levá-lo para casa, alimentá-lo e dar a ele tudo que ele pudesse desejar.

Dei um passo à frente para ver melhor.

– Não toque – Bill disse.

Fiz um gesto afirmativo e Mordecai disse:

– São eles.

Bill os cobriu, eu fechei os olhos e fiz uma breve oração, pedindo misericórdia e perdão. Não permita que aconteça outra vez, o Criador me disse.

Numa sala que dava para o corredor, Bill puxou dois grandes cestos de arame com os objetos pessoais da família. Pôs tudo sobre a mesa e nós o ajudamos a fazer o inventário. A roupa estava suja e muito usada. Meu paletó forrado de lã era a melhor coisa que tinham. Havia três cobertores, uma bolsa, alguns brinquedos baratos, uma mamadeira, uma toalha, mais roupas sujas, uma caixa de wafers de baunilha, uma lata de cerveja fechada, cigarros, dois preservativos e cerca de vinte dólares em notas e moedas.

– O carro está no estacionamento da prefeitura – Bill disse. – Dizem que está cheio de lixo.

– Nós cuidamos disso – Mordecai disse.

Assinamos os papéis do inventário e saímos com os objetos pessoais da família Lontae Burton.

– O que vamos fazer com estas coisas? – perguntei.

– Vamos levar para a avó. Você quer seu paletó?

– Não.

A funerária pertencia a um ministro conhecido de Mordecai. Ele não gostava do reverendo porque a igreja dele não era muito amistosa para com os sem-teto, mas sabia como se entender com ele.

Paramos na frente da igreja, na avenida Geórgia, perto da Howard University, uma parte mais limpa da cidade, sem tantas janelas fechadas com tábuas.

– Acho melhor você ficar aqui – ele disse. – Posso me entender melhor com ele se estivermos sozinhos.

Eu não queria ficar no carro, mas a essa altura eu era capaz de confiar minha vida a Mordecai.

– Claro – eu disse, afundando um pouco no banco e olhando em volta.

– Não terá problemas.

Ele saiu e eu tranquei as portas. Depois de alguns minutos, relaxei e comecei a pensar. Mordecai queria ficar sozinho com o reverendo para poder negociar. Minha presença complicaria as coisas. Quem era eu e qual o meu interesse na família? O preço ia subir imediatamente.

A rua estava movimentada. Fiquei olhando as pessoas que passavam apressadas, desafiando o vento cortante. Uma mulher com dois filhos passou, todos bem agasalhados e de mãos dadas. Onde estavam na noite anterior, quando Ontario e a família estavam amontoados no carro gelado, respirando o monóxido de carbono inodoro até todos flutuarem para fora deste mundo? Onde estávamos todos nós?

O mundo estava se fechando. Nada mais tinha sentido. Em menos de uma semana, eu tinha visto seis pessoas que moravam nas ruas mortas e não estava preparado para me defender do choque. Eu era um advogado branco bem alimentado e rico, na reta final para riqueza muito maior e para todas as coisas maravilhosas que o dinheiro pode comprar. Certo, meu casamento estava no fim, mas eu ia me refazer disso. Havia muitas boas mulheres no mundo. Isso não me preocupava demais.

Amaldiçoei Senhor por descarrilar a minha vida. Amaldiçoei Mordecai por me fazer sentir culpado. E Ontario por partir meu coração.

Uma batida na janela me sobressaltou. Meus nervos estavam à flor da pele. Era Mordecai, parado na neve, na calçada. Eu abri um pouco a janela do carro.

– Ele diz que faz os cinco por dois mil dólares.

– Tudo bem – eu disse e ele desapareceu.

Momentos depois estava outra vez correndo com o carro pelas ruas.

– O funeral será na terça-feira, aqui na igreja. Caixões de madeira, mas muito bons. Vai providenciar flores, você sabe, para dar uma boa aparência. Ele queria três mil, mas eu o convenci de que a imprensa podia estar presente e talvez ele aparecesse na televisão. Ele gostou da idéia. Dois mil não é demais.

– Obrigado, Mordecai.

– Você está bem?

– Não.

Quase não falamos na viagem de volta ao meu escritório.

O irmão mais novo de Claire, James, estava com a doença de Hodgkin – por isso a reunião em Providence. Não tinha nada a ver comigo. Ela falou sobre o fim de semana, o choque com a notícia, as lágrimas e as preces, consolando-se mutuamente e a James e sua mulher. Era uma família de abraços e lágrimas e fiquei feliz por Claire não ter me convidado. O tratamento ia começar imediatamente, o prognóstico era bom.

Claire parecia feliz por estar em casa e aliviada por ter com quem desabafar. Tomamos vinho na sala íntima, ao lado da lareira, com uma manta sobre nossos pés. Foi quase romântico, mas eu estava chocado demais para pensar em ser sentimental. Fiz um esforço para prestar atenção ao que ela dizia, lamentar apropriadamente a desdita de James, dizer algumas frases adequadas.

Não era o que eu esperava e não tinha certeza se era o que eu queria. Pensei que íamos tentar descobrir a opinião um do outro, talvez até mesmo discutir. Logo a coisa ia ficar desagradável, depois, eu esperava, passava a civilizada e íamos tratar da separação como adultos. Mas depois de Ontario, eu não estava preparado para qualquer coisa ligada a emoções. Estava vazio. Ela insistia em dizer que eu parecia extremamente cansado. Quase agradeci por isso.

Ouvi até ela terminar, depois a conversa, lentamente, passou para mim e para meu fim de semana. Contei tudo – minha nova vida como voluntário nos albergues, depois falei sobre Ontario e sua família. Mostrei a reportagem no jornal.

Claire ficou genuinamente comovida, mas também intrigada. Eu não era a mesma pessoa da semana anterior e ela não tinha certeza de que gostava mais da última versão. Eu também não sabia.

Onze

Como duas pessoas jovens viciadas em trabalho, Claire e eu não precisávamos de despertador, especialmente nas manhãs de segunda-feira, quando enfrentávamos uma semana inteira de desafios. Levantávamos às cinco horas, comíamos cereal às cinco e meia e saíamos em direções diferentes, praticamente apostando corrida para ver quem saía primeiro.

Graças ao vinho dormi sem ser atormentado por pesadelos. Dirigindo o carro para o escritório, estava resolvido a me distanciar um pouco do povo das ruas. Eu iria ao funeral. Encontraria tempo para trabalhar *pro bono* para os sem-teto. Continuaria minha amizade com Mordecai, talvez passasse a comparecer regularmente ao seu escritório. Uma vez ou outra ajudaria a Sra. Dolly a alimentar os que têm fome. Daria dinheiro e ajudaria a levantar mais fundos para os pobres. Certamente eu podia ser mais valioso no levantamento de fundos do que como outro advogado dos pobres.

Dirigindo ainda no escuro para o escritório, resolvi que precisava de uma jornada de trabalho de dezoito horas para reajustar minhas prioridades. Minha carreira tinha sofrido um pequeno desvio, que uma orgia de trabalho ia corrigir. Só um tolo saltaria do trem da bonança no qual eu estava.

Não subi no elevador de Senhor. Ele era passado e eu o expulsei da minha mente. Não olhei para a sala de conferências onde ele morreu. Joguei minha pasta e o sobretudo numa cadeira do escritório e saí para tomar café. Andando no corredor antes das seis da manhã, falando com um colega aqui, com um funcionário ali, tirando o paletó, arregaçando as mangas – era formidável estar de volta.

Li primeiro o *Wall Street Journal,* em parte porque não encontraria nada sobre pessoas sem-teto morrendo nas ruas da capital. Depois, o *Post.* Na primeira página da seção policial havia uma pequena reportagem sobre a família de Lontae Burton, com uma foto da avó chorando no lado de fora de um prédio de apartamentos. Li a reportagem e fechei o jornal. Eu sabia mais do que o repórter e estava resolvido a não me distrair do trabalho.

Debaixo do *Post* estava uma pasta simples de papelão pardo, do tipo que a firma usava aos milhões. Não tinha nada escrito o que a tornava suspeita. Estava apenas ali no centro da minha mesa, bem visível, deixada por uma pessoa anônima. Eu a abri devagar.

Havia duas folhas de papel dentro da pasta. A primeira, uma cópia da reportagem da véspera, do *Post*, a mesma que eu tinha lido dez vezes e mostrado para Claire na noite anterior. Debaixo dela, uma cópia de alguma coisa tirada de um arquivo oficial da Drake & Sweeney. O título era: DESPEJADOS – RIVEROAKS/TAG, INC.

A coluna da esquerda era numerada de um a dezessete. O número quatro era DeVon Hardy. O número quinze, Lontae Burton e três ou quatro crianças.

Deixei a pasta sobre a mesa, levantei da cadeira, fui até a porta, tranquei e encostei nela. Os primeiros minutos passaram em silêncio completo. Olhei para a pasta na mesa. Eu tinha de acreditar que a informação era correta e precisa. Por que alguém ia inventar uma coisa dessas? Apanhei a pasta outra vez, cuidadosamente. Debaixo da segunda folha, no papelão da pasta, meu informante anônimo tinha escrito a lápis: o despejo foi legal e eticamente ilícito.

Estava em letras maiúsculas, talvez para não ser identificado, caso eu mandasse fazer uma análise. A escrita era fraca, como se o lápis mal tivesse tocado a pasta.

Durante uma hora, com a porta trancada, tudo que eu fiz foi ir até a janela, para ver o nascer do sol, sentar à minha mesa olhando para a pasta, voltar para a janela e voltar para a mesa. O movimento aumentou no corredor e então ouvi a voz de Polly. Abri a porta, cumprimentei Polly como se tudo estivesse bem e entrei na rotina de sempre.

A manhã foi cheia de reuniões e conferências, duas com Rudolph e clientes. Desempenhei minha parte com perfeição, embora incapaz de lembrar do que foi dito ou feito. Rudolph estava extremamente orgulhoso por ter seu astro de volta a todo vapor.

Fui quase agressivo com os que tentaram falar sobre a crise dos reféns e o choque retardado. Eu parecia o mesmo homem ativo e bem-disposto e as preocupações em relação a minha estabilidade emocional desapareceram. No final da manhã, meu pai telefonou. Eu não me lembrava da última vez que ele havia telefonado para o escritório. Disse que estava chovendo em Memphis, que ele se aborrecia sem fazer nada em casa, que estava bem, que ele e minha mãe estavam preocupados comigo. Claire estava ótima, expliquei, e passei para terreno seguro, contando a doença de James, que meu pai só tinha visto uma vez, no casamento. Demonstrei a devida preocupação com a família de Claire e isso o agradou.

Meu pai ficou satisfeito por me encontrar no escritório. Eu ainda estava ali, ganhando dinheiro, procurando ganhar mais. Ele me pediu para manter contato.

Meia hora depois, meu irmão Warner telefonou do seu escritório que ficava bem no centro de Atlanta. Ele era seis anos mais velho do que eu, sócio de outra grande firma, um litigante agressivo e bem-sucedido. Por causa da diferença de idade, Warner e eu nunca fomos muito chegados quando pequenos, mas gostávamos da companhia um do outro. Por ocasião do divórcio dele, há três anos, Warner desabafava comigo todas as semanas.

Warner trabalhava contra o relógio também, por isso eu sabia que a conversa ia ser rápida.

– Falei com papai – ele disse. – Ele me contou tudo.

– É claro.

– Eu compreendo o que você está sentindo. Nós todos passamos por isso. Você trabalha muito, ganha muito dinheiro, nunca pára para ajudar os que precisam. Então acontece alguma coisa e você lembra dos tempos da universidade, do primeiro ano, quando estava cheio de idéias e queria usar o diploma para salvar a humanidade. Lembra disso?

– Sim. Faz muito tempo.

– Certo. No meu primeiro ano, eles fizeram uma pesquisa. Mais da metade da minha classe queria fazer direito público. Quando nos formamos, três anos depois, todos foram atrás do dinheiro. Eu não sei o que aconteceu.

– A escola de direito nos deixa gananciosos.

– Acho que é isso. Nossa firma tem um programa pelo qual podemos tirar um ano de folga, uma espécie de licença, para trabalhar pelo interesse público. Depois de doze meses, todos voltam como se nunca tivessem deixado a firma. Vocês têm alguma coisa parecida?

O velho Warner de sempre. Eu tinha um problema, Warner tinha a solução. Limpa e perfeita. Doze meses e eu seria um novo homem. Um rápido desvio, mas meu futuro continuava a salvo.

– Não para contratados – eu disse. – Ouvi falar de um ou dois sócios que trabalharam para um ou outro governo e voltaram depois de um ou dois anos. Mas nunca um contratado.

– Mas suas circunstâncias são diferentes. Você ficou traumatizado, quase morreu simplesmente por ser membro da firma. Se fosse você, eu usaria meu prestígio, diria que preciso de algum tempo de folga. Tire um ano, depois leve seu traseiro de volta para o escritório.

– Talvez dê certo – eu disse, tentando acalmá-lo. Warner era um tipo. Uma personalidade, dinâmico como o diabo, sempre uma palavra na frente em qualquer discussão, especialmente com a família. – Tenho de desligar – eu disse. Ele também. Prometemos conversar mais em outra hora.

O almoço foi com Rudolph e um cliente, num restaurante esplêndido. Era o que chamávamos de almoço de negócios, o que significava sem álcool e também que nós cobraríamos do cliente o tempo gasto no almoço. Rudolph cobrava quatrocentos dólares por hora e eu trezentos. Trabalhamos e comemos durante duas horas, portanto o almoço custou ao cliente mil e quatrocentos dólares. Nossa firma tinha conta no restaurante, de modo que seria cobrado da Drake & Sweeney e em algum ponto do caminho nossos contadores arranjariam um meio de cobrar do cliente a comida também.

A tarde foi completamente tomada por telefonemas e conferências. Por pura força de vontade, mantive o jogo até o fim, faturando alto. A legislação antitruste nunca me parecera tão desesperadamente obscura e tediosa.

Eram quase cinco horas quando consegui ficar sozinho por alguns minutos. Eu me despedi de Polly, tranquei a porta outra vez, abri a pasta misteriosa e comecei a tomar notas ao acaso num bloco, desenhando fluxogramas com setas apontando para RiverOaks e Drake & Sweeney de todas as direções. Braden Chance, o sócio da divisão de bens imóveis com quem eu havia discutido por causa do arquivo, era o alvo de todas as flechas.

Meu principal suspeito era seu paralegal, o jovem que tinha ouvido nossa discussão e que, segundos depois, chamou Chance de "cretino", quando eu saía da sala dele. Ele devia saber os detalhes do despejo e devia ter acesso aos autos do processo.

Do meu celular, para evitar qualquer gravação por parte da Drake & Sweeney, telefonei para um paralegal em antitruste. Seu escritório ficava logo adiante do meu, no corredor ao lado. Ele passou a ligação para outro e com pouco esforço fiquei sabendo que o homem que eu queria era Hector Palma. Estava há uns três anos na firma, sempre na divisão de bens imóveis. Resolvi procurá-lo, mas fora do escritório.

Mordecai telefonou. Quis saber de meus planos para o jantar.

– Eu pago – ele disse.

– Sopa?

Ele riu.

– É claro que não. Conheço um lugar excelente.

Combinamos de nos encontrar às sete. Claire tinha voltado aos plantões de cirurgiã, esquecendo do tempo, das refeições, do marido. Tinha telefonado à tarde, apenas uma palavra rápida, de passagem. Não tinha idéia da hora em que estaria em casa, mas seria bem tarde. Para o jantar, cada um por si. Eu não a culpava por isso. Claire aprendera comigo a viver na via expressa.

Nós nos encontramos num restaurante perto de Dupont Circle. O bar do restaurante estava lotado de funcionários do governo, bem-remunerados, tomando um drinque antes de sair da cidade para a noite. Tomamos um drinque nos fundos, numa mesa pequena entre divisórias baixas.

– O caso Burton está ganhando dimensão – ele disse, tomando uma cerveja.

– Peço desculpas, mas estive enfurnado nas últimas doze horas. O que aconteceu?

– Muita cobertura da mídia. A mãe e quatro filhos pequenos mortos. Moravam num carro. Eles os encontraram a pouco mais de um quilômetro do Capitólio, onde estão fazendo a reforma do serviço de bem-estar social para enviar outras mães para as ruas. É uma beleza.

– Então o funeral vai ser um show e tanto.

– Sem dúvida. Hoje eu falei com uma dezena de ativistas dos sem-teto. Vão estar lá e estão planejando levar sua gente também. O lugar vai ficar cheio de gente que não tem onde morar. E cheio de gente da mídia. Quatro pequenos caixões ao lado do caixão da mãe, câmaras registrando tudo para o noticiário das seis. Vamos fazer um comício antes e depois uma passeata.

– Talvez essas mortes tragam alguma coisa boa.

– Talvez.

Como um advogado experiente da cidade grande, eu sabia que havia sempre um objetivo atrás de cada convite para almoço ou jantar. Mordecai estava tramando alguma coisa. Eu percebi pelo modo como seus olhos acompanhavam os meus.

– Alguma idéia de por que eles não tinham onde morar? – perguntei, sondando.

– Não. Provavelmente o motivo de sempre. Não tive tempo para investigar.

A caminho do restaurante eu havia decidido que não podia contar a ele sobre a pasta misteriosa e o que ela continha. Era confidencial, e eu a conhecia só por causa da minha posição na firma Drake & Sweeney. Revelar o que eu sabia sobre as atividades de um cliente seria uma quebra completa de responsabilidade profissional. A idéia de divulgar o conteúdo da pasta me assustava. Além disso eu não havia ainda verificado coisa alguma.

O garçom serviu as saladas e começamos a comer.

– Tivemos uma reunião na firma, esta manhã – Mordecai disse, enquanto comia. – Eu, Abraham e Sofia. Precisamos de ajuda.

Isso não me surpreendeu.

– Que tipo de ajuda?

– Outro advogado.

– Pensei que vocês estivessem quebrados.

– Temos uma pequena reserva. E adotamos uma nova estratégia de mercado.

A idéia da Clínica de Advocacia da rua 14 preocupada com estratégia de mercado era cômica e era isso exatamente o que Mordecai pretendia. Nós dois sorrimos.

– Se conseguirmos um advogado para trabalhar dez horas por semana levantando fundos, então ele pode pagar o próprio trabalho.

Outra série de sorrisos.

Ele continuou.

– Por mais que nos desagrade, temos de admitir que nossa sobrevivência depende da nossa capacidade para conseguir dinheiro. O Cohen Truste está falindo. Pudemos nos dar ao luxo de não pedir, mas agora a coisa vai mudar.

– O que mais o advogado terá de fazer?

– Assistência jurídica aos sem-teto. Você já teve uma boa

dose. Viu nosso lugar. É um pardieiro. Sofia é astuta. Abraham é uma zebra. Os clientes fedem e o dinheiro é uma piada.

– Quanto dinheiro?

– Podemos oferecer trinta mil por ano, mas só podemos prometer a metade disso durante seis meses.

– Por quê?

– O truste fecha o balanço em 30 de junho, e é quando nos diz quando vamos receber no ano fiscal seguinte, a começar de 1º de julho. Temos reserva suficiente para pagar seus serviços nos próximos seis meses. Depois disso, nós quatro vamos dividir o que sobrar, depois das despesas.

– Abraham e Sofia concordaram com isso?

– Sim, depois de um pequeno discurso que eu fiz. Achamos que você tem bons contatos no meio jurídico e uma vez que é instruído, bonitão, inteligente e toda essa baboseira, deve ser o ideal para levantar dinheiro.

– E se eu não quiser fazer isso?

– Então nós quatro podemos diminuir mais ainda nossos salários, talvez para vinte mil por ano. Depois para quinze. E quando o truste acabar, podemos ir para a rua, como nossos clientes. Advogados sem-teto.

– Quer dizer que eu sou o futuro da Clínica de Advocacia?

– Foi o que decidimos. Você entra como sócio com lucro integral. Quero ver a Drake & Sweeney fazer uma oferta melhor.

– Estou comovido – eu disse, também um pouco assustado. A oferta do emprego não foi inesperada, mas abria uma porta pela qual eu hesitava em entrar.

A sopa de feijão preto foi servida e pedimos mais cerveja.

– Qual é a história de Abraham? – perguntei.

– Garoto judeu do Brooklyn. Veio para Washington para trabalhar na equipe do senador Moynihan. Passou alguns anos no Capitólio, acabou na rua. Extremamente inteligente. Passa a maior parte do tempo coordenando litígios com os advogados *pro bono* das grandes firmas. No momento ele está processando o Censo para garantir a contagem dos sem-teto. E está processando o sistema escolar da capital para garantir a escola para os sem-teto. Seu trato com o povo deixa muito a desejar, mas ele é grande nos bastidores, planejando ações litigiosas.

– E Sofia?

– Assistente social que há onze anos estuda direito à noite. Ela age e pensa como um advogado, especialmente quando está atacando funcionários do governo. Você a ouve dizer, "Aqui é Sofia Mendoza, advogada", dez vezes por dia.

– Ela também é secretária?

– Não. Não temos secretárias. Cada um escreve, arquiva, faz café. – Inclinou-se um pouco para a frente e abaixou a voz. – Nós três estamos juntos há um longo tempo, Michael, e cavamos nossos pequenos nichos. Para ser franco, precisamos de uma cara nova com algumas idéias novas.

– O dinheiro sem dúvida é atraente – eu disse, numa fraca tentativa de humor.

Ele sorriu.

– Você não faz isso pelo dinheiro. Faz isso por sua alma.

Minha alma me manteve acordado grande parte da noite. Eu teria coragem para deixar tudo? Estava considerando seriamente aceitar um trabalho que pagava tão pouco? Literalmente, estava dizendo adeus a milhões.

As coisas que eu desejava ter um dia iam se transformar em pálidas lembranças.

O momento era certo. Com o fim do casamento, de certo modo parecia adequado fazer mudanças em todas as frentes.

Doze

Na terça-feira telefonei e disse que estava doente.

– Provavelmente uma gripe – expliquei para Polly, que, como era treinada para fazer, queria detalhes específicos. Febre, dor de garganta, dor de cabeça? Todo o citado acima. Tudo e mais alguma coisa, eu não me importava. Para faltar ao trabalho na firma, era preciso estar doente de verdade. Ela ia preencher o formulário e mandar para Rudolph. Prevendo o telefonema dele, saí do apartamento e andei por Georgetown no começo da manhã. A neve estava derretendo depressa, a máxima seria perto dos dez graus. Passei uma hora andando pelo Washington Harbor, experimentando o cappuccino de várias cafeterias, vendo os remadores congelando no Potomac.

Às dez me dirigi para o funeral.

A calçada na frente da igreja virara uma barricada, com policiais ao lado, suas motos estacionadas na rua. Mais adiante estavam os furgões das redes de televisão.

Um orador gritava no microfone para uma grande multidão. Havia faixas e cartazes recém-pintados que eles seguravam acima das cabeças, para as câmaras. Estacionei numa rua lateral, a três quadras, e corri para a igreja. Evitei a frente e fui para uma porta lateral, guardada por um homem velho. Perguntei se havia balcão e ele perguntou se eu era repórter.

O homem me conduziu para dentro e apontou para uma porta. Agradeci, subi uma pequena escada de equilíbrio precário e entrei no balcão de onde se via o belo santuário lá embaixo. O tapete era cor-de-vinho, os bancos de madeira escura, os vitrais das janelas muito limpos. Era uma bela igreja e por um segundo compreendi por que o reverendo relutava em abri-la para os sem-teto.

Eu estava sozinho no balcão. Silenciosamente caminhei até o lugar que ficava acima da porta dos fundos, com vista direta para a passagem central do púlpito. O coro começou a cantar lá fora nos degraus da entrada e sentei na tranqüilidade da igreja vazia, ouvindo a música.

Quando o coro terminou de cantar, as portas se abriram, a invasão começou. O assoalho do balcão estremecia à medida que eles entravam no santuário. O coro tomou seu lugar atrás do púlpito. O reverendo orientava o fluxo – as equipes de televisão num canto, a pequena família no primeiro banco, os ativistas e seus sem-teto no centro. Mordecai entrou com duas pessoas que eu não conhecia. Uma porta lateral abriu e os prisioneiros entraram – a mãe e os dois irmãos de Lontae, com o uniforme azul da prisão, com algemas nos pulsos e nos tornozelos, presos uns aos outros por uma corrente e escoltados por quatro guardas armados. Foram levados para o segundo banco, no centro, atrás da avó e de alguns parentes.

Quando tudo ficou em silêncio, o órgão começou a tocar, baixo e triste. Ouvi um movimento debaixo do coro e todos se voltaram para ver o que era. O reverendo entrou, subiu no púlpito e nos mandou ficar de pé.

Homens com luvas brancas empurraram os carrinhos com os quatro caixões pela passagem central e os alinharam no centro da igreja, com Lontae no centro. O do bebê era pequenino, com menos de um metro de comprimento. Os de Ontario, Alonzo e Dante eram de tamanho médio. Era um espetáculo comovente. Começou o lamento dos presentes. O coro cantarolava e se balançava com a música.

Os encarregados arrumaram as flores em volta dos caixões e por um terrível segundo pensei que iam ser abertos. Era a primeira vez que eu assistia a um funeral. Não sabia o que esperar, mas tinha visto cenas de outros funerais onde às vezes o caixão era aberto e a família beijava o corpo. Os abutres com as câmaras estavam sempre a postos.

Mas os caixões continuaram fechados e assim o mundo não ficou sabendo o que eu sabia – que Ontario e sua família pareciam perfeitamente em paz.

Sentamos e o reverendo fez uma longa prece. Depois um solo de uma irmã, depois momentos de silêncio. O reverendo leu as escrituras e fez uma prece curta. Foi seguido por uma ativista com uma catilinária contra a sociedade e contra seus líderes por permitirem que coisas como aquela acontecessem. Ela culpou o Congresso, especialmente os republicanos, a justiça e a burocracia. Mas reservou o ataque mais causticante para as classes altas, aqueles com dinheiro e poder que não se importavam com os pobres e os doentes. Ela era articulada e demonstrava revolta, muito eficaz, pensei, mas não em funeral, não era o seu território.

Aplaudiram quando ela terminou. Então o reverendo passou um longo tempo atacando duramente todos os brancos e todos os ricos.

Um solo, um pouco mais da escritura, e depois o coro começou um hino tão emocionante que quase me fez chorar. Formou-se uma procissão para a encomenda dos corpos, mas foi interrompida, quando começaram a chorar alto, passando as mãos nos caixões. Alguém gritou "abram", mas o reverendo balançou a cabeça. Então eles se amontoaram em volta dos caixões, gritando e soluçando e o coro começou a cantar um pouco mais alto. A avó era quem mais gritava, abraçada e consolada pelos outros.

Eu não podia acreditar. Onde estava aquela gente nos últimos meses de vida de Lontae? Os pequenos corpos dentro dos caixões nunca conheceram tanto amor.

As câmaras se aproximaram mais e mais e os lamentos aumentavam. Era mais um espetáculo do que outra coisa.

Finalmente o reverendo interferiu e restaurou a ordem. Ele fez outra prece com música de órgão ao fundo. Quando terminou, teve início a longa despedida, com o povo desfilando na frente dos caixões pela última vez.

A cerimônia demorou uma hora e meia. Por dois mil dólares, até que foi uma boa produção. Eu estava orgulhoso.

Eles se reuniram outra vez fora da igreja e começaram a passeata em direção ao Capitólio. Mordecai estava no meio deles e quando viraram a esquina e desapareceram, imaginei em quantas passeatas e demonstrações ele teria tomado parte. Não o bastante, ele provavelmente responderia.

Rudolph Mayes se tornara sócio da Drake & Sweeney quando tinha trinta anos, ainda um recorde. E se a vida continuasse como tinha planejado, um dia seria o sócio mais velho. O direito era a sua vida, como podiam testemunhar suas três ex-esposas. Tudo que ele tocava se transformava em desastre, mas Rudolph era o perfeito jogador da equipe da grande firma.

Ele estava à minha espera às 6 horas da tarde, no seu escritório, atrás de uma pilha de trabalho. Polly e as secretárias já tinham saído, bem como a maioria dos paralegais e dos funcionários do escritório. O movimento no corredor era bem menor àquela hora.

Fechei a porta e sentei.

– Pensei que você estivesse doente — ele disse.

– Vou sair, Rudolph – eu disse reunindo toda minha coragem, mas meu estômago estava dando nós.

Ele afastou os livros da sua frente e pôs a tampa na caneta cara.

– Estou ouvindo.

– Vou deixar a firma. Tenho uma oferta para trabalhar para uma firma voltada para o interesse público.

– Não seja idiota, Michael.

– Não estou sendo idiota. Já resolvi. E quero sair daqui sem causar transtornos.

– Você será sócio dentro de três anos.

– Encontrei um negócio melhor.

Ele não encontrou resposta e revirou os olhos para o alto, frustrado.

– Ora, vamos, Mike. Não pode se deixar derrubar por um incidente.

– Não estou sendo derrubado, Rudolph. Simplesmente estou passando para outra área.

– Nenhum dos outros reféns está fazendo isso.

– Bom para eles. Se eles estão felizes, então estou feliz por eles. Além disso, são todos da divisão de litígios, uma raça estranha.

– Para onde você vai?

– Para uma clínica de advocacia perto de Logan Circle. Especializada em direito dos sem-teto.

– Direito dos sem-teto?

– Sim.

– Quanto eles vão pagar?

– Uma verdadeira fortuna. Quer fazer uma doação para a clínica?

– Você está ficando louco.

– É só uma pequena crise, Rudolph. Estou com trinta e dois anos, muito jovem ainda para a loucura da meia-idade. Acho que assim vou superá-la mais cedo.

– Tire um mês de férias. Vá trabalhar com os sem-teto, tire isso da cabeça e volte. É um péssimo momento para sair, Mike. Você sabe como estamos atrasados.

– Não vai funcionar, Rudolph. Não tem graça se tiver uma rede de segurança.

– Graça? Está fazendo isso por divertimento?

– É claro. Pense como deve ser divertido trabalhar sem ter de olhar para o cronômetro.

– E Claire? – ele perguntou, revelando a extensão do seu desespero. Ele mal a conhecia e era a pessoa menos indicada da firma para conselheiro matrimonial.

– Ela está bem – eu disse. – Gostaria de deixar a firma na sexta-feira.

Rudolph rosnou, derrotado. Fechou os olhos e balançou a cabeça lentamente.

– Eu não acredito.

– Sinto muito, Rudolph.

Trocamos um aperto de mãos e prometemos nos encontrar no café da manhã para discutir o trabalho que eu ia deixar incompleto.

Eu não queria que Polly soubesse da novidade por terceiros, por isso fui para meu escritório e telefonei para ela. Polly estava em casa, em Arlington, fazendo o jantar. Eu arruinei sua semana.

Comprei comida chinesa e levei para casa. Com a garrafa de vinho no gelo, arrumei a mesa e comecei a ensaiar o meu discurso.

Se Claire desconfiava de uma cilada, ela não demonstrou. Com o passar dos anos tínhamos aperfeiçoado o hábito de simplesmente nos ignorarmos mutuamente, em lugar de brigar. Portanto, nossas táticas não eram refinadas.

Mas me agradava a idéia do elemento surpresa. De estar completamente preparado para o choque e com as respostas prontas. Pensei que seria bom e injusto, perfeitamente aceitável dentro dos limites de um casamento em ruínas.

Eram quase dez horas. Como Claire tinha jantado mais cedo, fomos direto para a sala com nossos copos de vinho. Aticei o fogo e sentamos nas nossas poltronas favoritas. Depois de alguns minutos, eu disse:

– Precisamos conversar.

– Sobre o quê? – ela perguntou, sem a menor preocupação.

– Estou pensando em sair da Drake & Sweeney.

– Ah, é mesmo? – Ela tomou um pouco de vinho. Admirei sua calma. Ela esperava por isso ou fazia questão de parecer despreocupada.

– Sim. Não posso mais trabalhar lá.

– Por quê?

– Estou pronto para uma mudança. O trabalho na firma de repente me parece tedioso e sem importância e quero fazer alguma coisa para ajudar as pessoas.

– Isso é ótimo. – Ela já estava pensando no dinheiro e eu ansioso para ver quanto tempo ia levar para falar no assunto. – Na verdade, é admirável, Michael.

– Eu já falei sobre Mordecai Green. Sua firma me ofereceu emprego. Começo na segunda-feira.

– Segunda-feira?

– Sim.

– Então já resolveu?

– Já.

– Sem falar comigo. Não tenho nada a ver com isso, não é mesmo?

– Não posso voltar para a firma, Claire. Disse isso para Rudolph hoje.

Tomou outro gole de vinho, rilhou os dentes levemente, uma centelha de irritação, que ela logo dominou. Seu autocontrole era notável.

Olhamos para o fogo, hipnotizados pelas chamas cor-de-laranja. Ela foi a primeira a falar.

– Posso perguntar o que isso significa financeiramente para nós dois?

– Vai mudar as coisas.

– Quanto você vai ganhar?

– Trinta mil por ano.

– Trinta mil por ano – ela disse. Depois repetiu mais uma vez, fazendo parecer muito menos. – É menos do que eu ganho.

Claire ganhava trinta e um mil por ano, uma quantia que cresceria espantosamente nos anos seguintes – muito dinheiro não estava longe. Para efeito de conversa, eu havia resolvido não demonstrar nenhuma simpatia por reclamações sobre dinheiro.

– Não se trabalha pelo interesse público visando dinheiro – eu disse, tentando não parecer santo. – Se bem me lembro, você não estudou medicina pelo dinheiro.

Como todo estudante de medicina do país, Claire tinha começado seus estudos jurando que o dinheiro não era o objetivo. Ela queria ajudar a humanidade. Exatamente como os estudantes de direito. Nós todos estávamos mentindo.

Claire olhou o fogo e fez o cálculo. Acredito que ela estava pensando no aluguel. Era um apartamento muito bom, por dois mil e quatrocentos por mês, devia ser melhor. Os móveis eram apropriados. Nós nos orgulhávamos do lugar – endereço certo, um belo prédio, vizinhança elegante – mas passávamos pouco tempo ali. E raramente tínhamos convidados. Mudar de casa ia exigir certo ajuste, mas podíamos superar.

Sempre fomos francos em matéria de finanças. Ela sabia que tínhamos cerca de cinqüenta e um mil dólares em fundos mútuos e doze mil no banco. Era incrível o pouco que tínhamos economizado em seis anos de casamento. Quando se está subindo em uma grande firma, o dinheiro parece que nunca vai acabar.

– Suponho que teremos de fazer algumas mudanças, certo? – ela disse, olhando friamente para mim. A palavra "mudanças" estava repleta de conotações.

– Acho que sim.

– Estou cansada – ela disse. Acabou de tomar o vinho e foi para o quarto.

Patético, pensei. Não conseguimos sequer bastante rancor para uma briga decente.

É claro que eu compreendia perfeitamente minha nova posição na vida. Eu era uma história maravilhosa – jovem advogado ambicioso transformado em advogado dos pobres desiste de uma firma grande e rica para trabalhar de graça. Mesmo achando que eu devia estar ficando louco, Claire achou difícil criticar um santo.

Outra acha de lenha na lareira, outro drinque e dormi no sofá.

Treze

Os sócios tinham uma sala de refeições particular no oitavo andar e para os contratados era uma honra ser convidado para ela. Rudolph era o tipo de ingênuo que pensava que um mingau de aveia irlandês, às sete horas da manhã, na sala especial, me ajudaria a recobrar o juízo. Como eu podia dar as costas a um futuro repleto de cafés da manhã com os poderosos?

Ele tinha ótimas notícias. Depois de uma conversa, bem tarde, na noite anterior, ele e Arthur tinham resolvido me conceder doze meses de licença. A firma complementaria qualquer salário que a clínica estivesse disposta a me pagar. Era uma causa justa e eles precisavam fazer mais para proteger os direitos dos pobres. Eu seria tratado como o *pro bono* designado pela firma por um ano inteiro e eles ficariam satisfeitos consigo mesmos. Eu voltaria com as baterias recarregadas, meus outros interesses satisfeitos, meus talentos outra vez dirigidos para a glória da Drake & Sweeney.

Fiquei impressionado e comovido com a idéia. Não podia descartá-la sem mais nem menos. Prometi pensar rapidamente no assunto. Ele disse que teria de ser aprovado pelo comitê executivo, uma vez que eu não era ainda sócio. A firma jamais havia considerado uma licença tão longa para um contratado.

Rudolph queria desesperadamente que eu ficasse e tinha pouco a ver com amizade. Nossa divisão antitruste estava sobrecarregada de trabalho e precisávamos pelo menos de mais dois contratados com a minha experiência. Era um péssimo momento para a minha saída, mas eu não me importava. A firma tinha oitocentos advogados. Encontrariam o que precisavam.

No ano anterior eu havia faturado pouco menos de setecentos e cinqüenta mil dólares. Por isso estava tomando café da manhã na pequena e elegante sala de refeições e ouvindo os planos urgentes para me manter na firma. Também fazia sentido dar meu salário anual para os sem-teto ou para outra caridade que eu quisesse, depois me atrair de volta no fim de um ano.

Quando ele terminou de expor a idéia da licença, passamos aos assuntos mais urgentes do escritório. Estávamos relacionando os assuntos quando Braden Chance sentou a uma mesa não muito distante da nossa. Só depois de algum tempo ele me viu. Havia uma dezena de sócios na sala, quase todos sozinhos, lendo os jornais da manhã. Tentei ignorar Chance, mas finalmente virei para ele e vi que estava olhando para mim e parecia furioso.

– Bom dia, Braden – eu disse, em voz alta, sobressaltando-o e Rudolph virou rapidamente para ver quem era.

Chance inclinou a cabeça sem dizer nada e de repente concentrou toda a atenção na torrada.

– Você o conhece? – Rudolph perguntou, em voz baixa.

– Sim, conversamos uma vez. – Durante nosso breve encontro no seu escritório, Chance tinha perguntado o nome do meu supervisor. Eu dei o nome de Rudolph. Era evidente que ele não havia feito nenhuma queixa.

– Um cretino – Rudolph disse, sempre em voz muito baixa. A opinião era unânime. Ele virou uma página do que estávamos examinando e imediatamente esqueceu Chance. Havia muito trabalho inacabado no meu escritório.

Eu pensei em Chance e no processo de despejo. Ele tinha um ar suave, pálido, traços delicados, parecia frágil. Eu não podia imaginá-lo nas ruas, examinando armazéns abandonados ocupados pelos sem-teto, sujando as mãos para garantir o resultado do seu trabalho. É claro que Chance nunca fazia isso, tinha seus paralegais. Ele sentava à sua mesa e supervisionava a papelada, faturando várias centenas de dólares por hora, enquanto os Hector Palma da firma se ocupavam com os detalhes desagradáveis. Chance almoçava e jogava golfe com os executivos da RiverOaks. Esse era seu papel como sócio da firma.

Provavelmente não sabia os nomes dos despejados do armazém da RiverOaks/TAG e por que ia saber? Eram apenas invasores, sem nome, sem rosto, sem teto. Ele não estava lá com os policiais quando foram arrastados para fora das pequenas moradias e atirados na rua. Mas Hector Palma provavelmente assistiu a tudo.

E se Chance não sabia os nomes de Lontae Burton e de sua família, então não podia fazer a associação entre o despejo e suas mortes. Ou talvez soubesse agora. Talvez alguém tivesse contado.

Essas questões tinham de ser respondidas por Hector Palma muito em breve. Era quarta-feira. Eu ia deixar a firma na sexta.

Rudolph deu o café por terminado às oito horas, o tempo exato para outra reunião no seu escritório com pessoas importantes. Fui para a minha mesa e li o *Post*. Havia uma foto de cortar o coração dos quatro caixões fechados na igreja e uma reportagem completa sobre a cerimônia e a passeata mais tarde.

Havia também um editorial, um desafio bem escrito a todos os que tinham comida e teto para parar e pensar nas Lontae Burton da nossa cidade. Elas não iam embora. Elas não podiam ser varridas das ruas e depositadas em algum lugar escondido, para que ninguém visse. Estavam morando em carros, em barracos, em tendas provisórias, dormindo nos bancos dos parques, esperando por camas nos albergues lotados e muitas vezes perigosos. Compartilhávamos a mesma cidade, elas eram parte da nossa sociedade. Se nós não as ajudássemos, seu número se multiplicaria. E continuariam a morrer nas ruas.

Recortei o editorial, dobrei e guardei na carteira.

Através da rede de paralegais, fiz contato com Hector Palma. Não seria prudente ir direto a ele. Provavelmente Chance estava por perto, de tocaia.

Nós nos encontramos na biblioteca do terceiro andar, entre pilhas de livros, longe das câmaras de segurança e de todos. Ele estava extremamente nervoso.

– Você deixou aquela pasta na minha mesa? – perguntei à queima-roupa. Não tinha muito tempo para rodeios.

– Que pasta? – ele perguntou, olhando em volta como se estivéssemos sendo perseguidos por homens armados.

– A pasta sobre o despejo da RiverOaks/TAG. Você foi o encarregado do despejo, certo?

Ele não tinha certeza se eu sabia muito ou pouco.

– Sim, fui – disse.

– Onde está a pasta com o dossiê?

Ele tirou um livro da estante e fingiu que estava absorto numa pesquisa.

– Todas as pastas ficam com Chance.

– No escritório dele?

– Sim, trancadas no arquivo.

Falávamos em voz muito baixa. Eu não estava nervoso com o encontro, mas instintivamente olhei em volta. Quem nos visse saberia imediatamente que estávamos tramando algo.

– O que há na pasta? – perguntei.

– Nada de bom.

– Diga o que é.

– Eu tenho mulher e quatro filhos. Não quero ser despedido.

– Tem minha palavra.

– Você vai embora. Por que se importa com isso?

A novidade correu rapidamente mas não fiquei surpreso. Muitas vezes me perguntei quem fazia mais fofocas, os advogados ou suas secretárias. Provavelmente os paralegais.

– Por que você deixou aquela pasta na minha mesa? – perguntei.

Ele apanhou outro livro com mão trêmula.

– Não sei do que está falando.

Ele virou algumas páginas do livro e depois foi até o fim da passagem. Fui atrás, certo de que não havia ninguém ali. Ele parou, apanhou outro livro. Queria falar ainda.

– Preciso daquele dossiê – eu disse.

– Não está comigo.

– Então como posso conseguir?

– Tem de roubar.

– Ótimo. Onde consigo a chave?

Ele olhou para mim por um momento, tentando decidir se eu falava sério.

– Não tenho a chave.

– Como conseguiu a lista dos despejados?

– Não sei do que está falando.

– Sim, você sabe. Você a deixou na minha mesa.

– Você está completamente louco – ele disse e começou a andar outra vez. Eu esperei, mas ele continuou, passou pelas fileiras de estantes, pelas pilhas de livros, pela mesa da frente e saiu da biblioteca.

Eu não tinha nenhuma intenção de me matar de trabalhar nos meus últimos três dias na firma, independente do que Rudolph acreditava. Cobri minha mesa com o lixo antitruste, fechei a porta, olhei para a parede e sorri para todas as coisas que eu ia deixar. A pressão diminuía cada vez que eu respirava. Nada mais de trabalho árduo com o relógio pendurado no pescoço. Nada mais de semanas de oitenta horas porque meus ambiciosos colegas podiam estar fazendo oitenta e cinco. Nada mais de tentar agradar os superiores. Nada mais de pesadelos onde a porta dos sócios era fechada na minha cara.

Telefonei para Mordecai e aceitei formalmente o emprego. Ele riu e disse brincando que tinha de arranjar um meio de me pagar. Eu começaria na segunda-feira, mas ele queria que eu passasse antes pela clínica para uma breve orientação. Eu lembrei do interior da Clínica de Advocacia da rua 14 e imaginei qual dos escritórios apertados e vazios seria o meu. Como se isso importasse.

No fim da tarde, passei grande parte do tempo aceitando as despedidas solenes de amigos e colegas, convencidos de que eu realmente tinha enlouquecido.

Eu aceitei isso muito bem. Afinal de contas, eu estava muito perto da santidade.

Enquanto isso, minha mulher visitava uma advogada especialista em divórcio, a advogada com fama de ser uma impiedosa massacradora de testículos.

Claire me esperava quando cheguei em casa às seis horas, bastante cedo para meus hábitos. A mesa da cozinha estava coberta de papéis com anotações e impressos de computador, com uma calculadora ao lado. Claire estava fria e bem preparada. Dessa vez eu caí na armadilha.

– Minha sugestão é um divórcio por diferenças irreconciliáveis – ela começou, agradavelmente. – Nós não brigamos. Não apontamos o dedo um para o outro. Admitimos o que até agora não pudemos dizer – o casamento acabou.

Ela parou esperando minha resposta. Eu não podia fingir surpresa. Claire estava resolvida, de que adiantaria uma objeção? Eu tinha de me mostrar tão frio quanto ela.

– Claro – eu disse, tentando parecer o mais despreocupado possível. Havia um certo alívio em poder finalmente ser sincero. Mas me aborrecia o fato de ela querer o divórcio mais do que eu queria.

Para continuar por cima ela falou então da sua visita a Jacqueline Hume, sua nova advogada do processo de divórcio, citando o nome como se fosse uma granada, depois repetindo as opiniões da sua porta-voz.

– Por que contratou uma advogada? – perguntei, interrompendo.

– Eu queria ter certeza de estar protegida.

– E pensa que quero tirar alguma vantagem?

– Você é advogado. Eu quero um advogado, só isso.

– Podia ter economizado muito dinheiro – eu disse, tentando provocar uma discussão. Afinal era um divórcio.

– Mas sinto-me muito melhor tendo uma advogada.

Ela me entregou a Evidência A, a contabilidade de todos os nossos ativos e passivos. A Evidência B era uma proposta para a divisão de tudo contido em A. Não me surpreendeu o fato de ela querer a maior parte. Tínhamos doze mil dólares em dinheiro e ela queria a metade para pagar ao banco o empréstimo do seu carro. Eu ficaria com dois mil e quinhentos do que restasse. Não mencionou o pagamento dos dezesseis mil que eu devia do Lexus. Ela queria quarenta mil dos cinqüenta e um mil dólares dos fundos mútuos. Eu ficaria com meu 401K.

– Não é bem uma divisão igualitária – eu disse.

– Não vai ser igualitária – ela disse, com a confiança de quem acaba de contratar um *pit-bull.*

– Por que não?

– Porque eu não estou passando pela crise da meia-idade.

– Então a culpa é minha?

– Não estamos determinando nenhum culpado. Estamos dividindo nossos bens. Por motivos que só dizem respeito a você, você resolveu ganhar menos noventa mil dólares por ano. Por que devo sofrer as conseqüências? Minha advogada está certa de que pode convencer um juiz de que seus atos nos prejudicaram financeiramente. Se você quer ser louco, tudo bem. Mas não espere que eu passe fome.

– Pouca probabilidade de isso acontecer.

– Eu não quero discutir.

– Eu também não ia querer se estivesse ficando com tudo. – Senti que precisava criar algum problema. Não podíamos gritar nem atirar coisas. Certamente não íamos chorar. Não podíamos fazer acusações desagradáveis sobre infidelidades ou uso de drogas. Que tipo de divórcio era aquele?

Um divórcio muito estéril. Ela me ignorou e continuou a ler a lista, sem dúvida preparada por sua porta-voz.

– O contrato do apartamento termina em 30 de junho e eu vou ficar aqui até então. Isso significa dez mil de aluguel.

– Quando você quer que eu saia?

– Logo que você quiser.

– Ótimo. – Se ela me queria fora do apartamento, eu não ia pedir para ficar. Era um jogo de superioridade. Qual lado da mesa podia mostrar maior desdém?

Eu quase disse uma idiotice como, "Já tem alguém que

vem morar aqui?" Eu queria irritá-la, queria ver derreter todo aquele gelo.

Mas continuei calmo e frio.

– Eu vou embora no fim da semana – eu disse.

Ela não respondeu, mas não pareceu estranhar.

– Por que acha que tem direito a oitenta por cento dos fundos mútuos? – perguntei.

– Não estou ficando com oitenta por cento. Vou pagar dez mil de aluguel, mais três mil de despesas da casa. Dois mil para pagar as contas conjuntas dos nossos cartões de crédito e devemos cerca de seis mil de impostos. É um total de vinte e um mil.

A Evidência C era uma lista detalhada de objetos pessoais, começando com a sala e terminando no quarto vazio. Nenhum dos dois queria brigar por causa de panelas, portanto a divisão foi bastante amigável.

– Fique com o que quiser – eu disse várias vezes, especialmente quando se tratava de coisas como toalhas e roupa de cama. Trocamos algumas coisas, sempre com elegância. Minha posição em relação aos bens era mais uma questão de relutar contra qualquer mudança física do que por orgulho de posse.

Eu queria a televisão e alguns pratos. De repente eu estava solteiro e com dificuldade para idealizar uma nova moradia. Ela, por sua vez, havia passado horas vivendo no futuro.

Mas ela foi justa. Terminamos com a Evidência C e nos declaramos igualmente divididos. Assinaríamos o acordo de separação, esperaríamos seis meses, então iríamos juntos ao tribunal para dissolver legalmente a união.

Quando o jogo acabou, nenhum dos dois queria comentar os lances principais. Vesti meu sobretudo e saí para um longo passeio pelas ruas de Georgetown, tentando compreender como minha vida tinha mudado tão drasticamente.

O desgaste do casamento fora lento, porém certo. A mudança na minha carreira o atingiu como uma bala. As coisas estavam se movendo depressa demais, mas eu não as podia parar.

Quatorze

A idéia da licença morreu no comitê executivo. Uma vez que ninguém podia saber o que acontecia naquelas reuniões privadas, fui informado por um sombrio Rudolph, explicando que estariam abrindo um precedente indesejável. Numa firma tão grande, conceder um ano de licença a um contratado podia provocar toda sorte de pedidos de outros descontentes.

Eu não teria a rede de segurança. A porta ia bater assim que eu passasse por ela.

– Tem certeza de que sabe o que está fazendo? – ele perguntou, de pé, na frente da minha mesa.

Ao lado dele, no chão, estavam duas grandes caixas de papelão. Polly já estava empacotando minhas coisas.

– Tenho certeza – eu disse com um sorriso. – Não se preocupe comigo.

– Eu tentei.

– Obrigado, Rudolph.

Ele saiu, balançando a cabeça.

Depois da surpresa armada por Claire na noite anterior, eu não consegui mais pensar na possibilidade da licença de um ano. Pensamentos mais urgentes enchiam minha cabeça. Eu estava para me divorciar, ia ficar solteiro e sem teto.

De repente, tinha de me preocupar com um novo apartamento, para não falar no novo emprego e a nova carreira. Fechei a porta e li com atenção os classificados do jornal.

Resolvi vender o carro, livrando-me assim das prestações mensais de quatrocentos e oitenta dólares. Compraria um carro usado, faria um bom seguro e ia esperar que ele desaparecesse no escuro do meu novo local de trabalho. Se eu quisesse um apartamento decente no centro da cidade, a maior parte do meu salário seria para pagar o aluguel.

Saí mais cedo para o almoço e passei duas horas correndo pelo centro de Washington, vendo sótãos para alugar. O mais barato era uma espelunca por mil e cem, caro demais para um advogado das ruas.

Outra pasta me esperava quando voltei do almoço. Também de papelão pardo, tamanho padrão, sem nada escrito por fora. No mesmo lugar da minha mesa. Dentro, duas chaves pregadas no lado esquerdo e uma nota à máquina no lado direito. Dizia:

> A chave de cima é da porta de Chance. A de baixo é da gaveta do arquivo debaixo da janela. Mande tirar cópias e devolva. Cuidado. Chance está muito desconfiado. Desfaça-se das chaves depois de usar.

Polly apareceu imediatamente, como sempre. Sem bater, sem um som, como um fantasma, aparecendo na sala. Estava emburrada e me ignorou. Há quatro anos trabalhávamos juntos e ela disse que estava arrasada com minha partida. Na verdade não éramos tão amigos assim. Ela passaria para outro escritório dentro de poucos dias. Polly era uma boa pessoa, mas não me preocupava com ela.

Fechei a pasta rapidamente, sem saber se ela havia notado. Esperei por um momento, enquanto ela se ocupava com as minhas caixas. Polly não mencionou a pasta – uma prova de que não tinha visto nada. Mas como Polly via tudo que acontecia no corredor, perto do meu escritório, eu não podia imaginar como Hector ou qualquer outra pessoa teria passado sem ser visto.

Barry Nuzzo, refém como eu e amigo, apareceu para uma conversa séria. Fechou a porta e foi até a minha mesa, desviando-se das caixas. Eu não queria discutir minha saída, por isso falei sobre Claire. A mulher dele e Claire eram de Providence, um fato bastante incomum em Washington. Tínhamos saído com eles algumas vezes durante todos aqueles anos, mas a amizade do grupo foi aos poucos se desfazendo, como o meu casamento.

Barry ficou surpreso, depois triste, depois aparentemente superou ambas as coisas muito bem.

– Você está tendo um péssimo mês – ele disse. – Eu sinto muito.

– Está sendo uma longa descida – eu disse.

Falamos sobre os velhos tempos, sobre os companheiros que tinham chegado e partido. Não tínhamos nos encontrado para uma cerveja e para comentar o incidente com Senhor e naquele momento isso me pareceu estranho. Dois amigos enfrentam a morte juntos, conseguem sair vivos, depois ficam ocupados demais para ajudar um ao outro com os resultados do choque.

Finalmente, chegamos ao assunto. Era difícil evitar, com as caixas no meio da sala. Compreendi que o incidente era o motivo daquela conversa.

– Eu quero me desculpar por não ter procurado ajudá-lo – ele disse.

– Ora, deixe disso, Barry.

– Não, falo sério. Eu devia estar com você.

– Por quê?

– Porque é evidente que você perdeu a cabeça – ele disse, com uma risada.

Tentei partilhar seu bom humor.

– É, estou um pouco louco agora, eu acho, mas vai passar.

– Não, falo sério, me disseram que você estava com problemas, eu o procurei na semana passada mas você não estava. Fiquei preocupado, mas estava no meio de um julgamento, você sabe, como sempre.

– Eu sei.

– Francamente, me sinto mal por não estar com você, Mike. Eu sinto muito.

– Ora, vamos, pare com isso.

– Nós todos quase morremos de medo, mas você podia ter morrido.

– Ele podia ter matado a todos nós, Barry. Um tiro na direção errada e bum! Não vamos mais falar nisso.

– A última coisa que eu vi quando estávamos passando pela porta foi você coberto de sangue, gritando. Pensei que estivesse ferido. Saímos todos amontoados, com gente nos agarrando, gritando e eu estava esperando a explosão. Pensei, Mike, ainda está lá, e está ferido. Paramos na frente dos elevadores. Alguém cortou as cordas dos nossos pulsos e olhei para trás bem a tempo de ver você sendo tirado da sala pelos policiais. Lembro do sangue. Todo aquele maldito sangue.

Fiquei calado. Ele precisava dizer tudo aquilo. De certa forma aliviaria sua mente. Podia dizer a Rudolph e aos outros que pelo menos tentou me convencer a mudar de idéia.

– Eu perguntava o tempo todo, "Mike foi ferido? Mike foi ferido?" Ninguém sabia. Tive a impressão de que só depois de uma hora me disseram que você estava bem. Eu ia telefonar quando chegasse em casa, mas meus filhos não me deram um momento de sossego. Eu devia ter telefonado.

– Esqueça.

– Desculpe, Mike.

– Por favor, não diga isso outra vez. Acabou. Podíamos ter falado no assunto durante dias e nada teria mudado.

– Quando você resolveu sair da firma?

Tive de pensar por um momento. A resposta verdadeira seria no domingo, quando Bill puxou os lençóis e eu vi meu amiguinho Ontario finalmente em paz. Foi ali, naquela hora, no necrotério da prefeitura que eu me tornei outra pessoa.

– Durante o fim de semana – eu disse, sem outra explicação. Ele não precisava.

Barry balançou a cabeça, como se as caixas no chão fossem culpa dele. Resolvi ajudá-lo a se livrar disso.

– Você não poderia ter me dissuadido, Barry. Ninguém poderia.

Então ele começou a balançar a cabeça afirmativamente

porque, de certo modo, compreendia. Uma arma na sua cabeça, o relógio pára, as prioridades aparecem imediatamente – Deus, família, amigos. O dinheiro cai para o fim da lista. A Firma e a Carreira desaparecem à medida que cada segundo horrível passa e você compreende que aquele pode ser o último dia da sua vida.

– E você? – perguntei. – Como vão as coisas?

A Firma e a Carreira ficam no fim da lista por poucas horas.

– Nós começamos um julgamento na sexta-feira. Na verdade, estávamos nos preparando para ele quando Senhor nos interrompeu. Não podíamos pedir um adiamento ao juiz porque o cliente estava esperando há quatro anos a data do julgamento. E não estávamos feridos, você sabe. Não fisicamente, pelo menos. Então, pisamos fundo, começamos o julgamento e continuamos com o pé embaixo. O julgamento nos salvou.

É claro. O trabalho é terapia, até mesmo salvação na Drake & Sweeney. Tive vontade de gritar naquele momento porque duas semanas atrás eu teria dito a mesma coisa.

– Ótimo – eu disse. Perfeito. – Então você está bem?

– Claro. – Ele era um litigante, um jogador macho com pele de Teflon. Também tinha três filhos, portanto o luxo de um desvio de curso aos trinta e poucos anos estava fora de cogitação.

De repente o relógio o chamou. Trocamos um aperto de mãos, um abraço e fizemos as promessas de praxe de manter contato.

Mantive a porta fechada para olhar para a pasta e decidir o que fazer com ela. Logo no começo fiz algumas suposições. Primeira, as chaves iam funcionar. Segunda, não era uma armação. Eu não tinha inimigos conhecidos e de qualquer modo ia deixar a firma. Terceira, o processo estava mesmo no escritório, na gaveta debaixo da janela. Quarta, era possível tirá-lo do arquivo sem ser apanhado. Quinta, podia ser copiado em pouco tempo. Sexta, podia depois ser devolvido como se nada tivesse acontecido. Sétima, e a maior de todas, continha realmente evidência condenatória.

Escrevi tudo isso num bloco de anotações. Tirar aquele material do arquivo seria motivo para demissão, mas eu não me importava com isso. O mesmo se aplicava ao fato de ser apanhado no escritório de Chance com uma chave não autorizada.

Copiar seria o grande desafio. Uma vez que nenhum processo da firma tinha menos de dois centímetros de espessura, provavelmente seriam umas cem páginas para fotocopiar, se eu copiasse tudo. Eu teria de ficar na frente da máquina por vários minutos, à vista de quem estivesse por perto. Isso seria muito perigoso. Secretárias e funcionários do escritório faziam as cópias, não os advogados. Eram máquinas de alta tecnologia, complicadas e sem dúvida só esperando para enguiçar no momento em que eu apertasse um botão. Além disso eram codificadas – botões tinham de ser apertados para que cada cópia fosse cobrada do cliente certo. E ficavam em áreas abertas. Não consegui me lembrar de nenhuma num canto discreto. Talvez pudesse encontrar em outra seção da firma, mas minha presença seria suspeita.

Eu teria de sair do prédio com o dossiê e isso era quase um ato criminoso. Mas eu não ia roubar, só pedir emprestado por algum tempo.

Às quatro horas, fui para a seção de bens imóveis com minhas mangas arregaçadas, carregando uma pilha de pastas como se tivesse algum negócio muito sério para tratar. Hector não estava à sua mesa. Braden Chance estava no escritório com a porta entreaberta, falando no telefone com sua voz rabugenta. Uma secretária sorriu para mim quando passei por ela. Não vi nenhuma câmara de segurança me espiando lá de cima. Só alguns andares tinham essas câmaras. Quem ia querer quebrar a segurança na seção de bens imóveis?

Saí às cinco horas. Comprei sanduíches numa delicatessen e segui para meu novo escritório.

Meus sócios ainda estavam lá, à minha espera. Sofia chegou a sorrir quando apertou a minha mão, mas só por um instante.

– Bem-vindo a bordo – Abraham disse solenemente, como se eu estivesse embarcando num navio prestes a afundar. Mordecai indicou com um gesto a pequena sala ao lado da sua.

– Que tal isto? – ele disse. – Suíte E.

– Uma beleza – eu disse, entrando no meu escritório. Tinha a metade do tamanho do que eu acabava de deixar. Minha mesa na firma não caberia ali. Havia quatro arquivos encostados numa parede, cada um de uma cor. A luz vinha de uma lâmpada nua pendente do teto. Não vi nenhum telefone.

– Eu gosto – eu disse, e não estava mentindo.

– Amanhã vamos arranjar um telefone – ele disse, abaixando a persiana da janela. – O último ocupante foi um jovem advogado chamado Banebridge.

– O que aconteceu com ele?

– Não conseguiu viver com tão pouco dinheiro.

Começava a escurecer e Sofia estava ansiosa para sair. Abraham voltou para sua sala. Mordecai e eu jantamos à mesa dele – os sanduíches que eu tinha comprado e o péssimo café que ele fez.

A copiadora era uma máquina enorme da década de oitenta, sem painéis de código e outros sinos e apitos das máquinas de minha antiga firma. Ficava num canto da sala principal, perto de uma das quatro mesas cobertas de pastas antigas.

– A que horas vocês vão sair esta noite? – perguntei para Mordecai.

– Eu não sei. Daqui a uma hora, eu acho. Por quê?

– Só por curiosidade. Vou voltar para a Drake & Sweeney por uma ou duas horas, uma coisa de última hora que eles querem que eu termine. Depois gostaria de trazer alguma coisa do meu escritório para cá, esta noite. Seria possível?

Sem parar de mastigar, Mordecai abriu uma gaveta, tirou um chaveiro com três chaves e jogou para mim.

– Entre e saia quando quiser – ele disse.

– É seguro?

– Não. Por isso, tenha cuidado. Estacione o mais perto da porta possível. Ande depressa. Depois tranque a porta.

Ele deve ter visto o medo nos meus olhos, porque disse:

– Procure se acostumar. Seja esperto.

Às seis e meia caminhei rapidamente e muito alerta para meu carro. A calçada estava vazia, nada de assaltantes, nada de tiroteios, nenhum arranhão no meu Lexus. Orgulhoso, abri a porta com a chave e entrei. Talvez fosse possível para mim sobreviver nas ruas.

Levei onze minutos para chegar à Drake & Sweeney. Se demorasse trinta minutos para copiar o documento de Chance, a pasta ficaria cerca de uma hora fora do escritório dele. Se tudo corresse bem. E ele jamais ia saber. Esperei até as oito, depois fui para a seção de bens imóveis, andando calmamente, com as mangas da camisa arregaçadas outra vez, como se estivesse muito ocupado.

Os corredores estavam desertos. Bati na porta de Chance, ninguém respondeu. Estava trancada. Então, verifiquei cada escritório, batendo de leve, depois com mais força, e depois girando a maçaneta. Mais ou menos a metade das portas estava trancada. Em todos os cantos procurei as câmaras de segurança. Examinei as salas de conferências e as salas das datilógrafas. Ninguém.

A chave da porta de Chance era igual à minha, da mesma cor e do mesmo tamanho. Funcionou perfeitamente e de repente eu estava dentro do escritório escuro, tentando resolver se acendia ou não as luzes. Uma pessoa que passasse no corredor não veria a luz ser acesa e eu duvidava que fosse possível ver a claridade pela fresta debaixo da porta. Além disso, estava escuro demais e eu não tinha uma lanterna. Tranquei a porta, acendi as luzes, fui direto para a gaveta do arquivo debaixo da janela e abri com a segunda chave. Ajoelhado, abri a gaveta silenciosamente.

Havia dezenas de pastas todas relacionadas à RiverOaks, arrumadas de acordo com algum método de classificação.

Chance e suas secretárias eram muito organizados, uma característica muito apreciada na firma. Uma pasta grossa tinha a etiqueta RiverOaks/TAG, Inc. Eu a tirei do arquivo, comecei a folhear rapidamente para ter certeza de que era o que eu queria.

Uma voz de homem gritou "Ei!" no corredor e quase me matou de susto.

Outra voz de homem respondeu de algumas portas adiante e os dois começaram a conversar perto da porta de Chance. Falavam de basquete. Dos Bullets e dos Knicks.

Com as pernas bambas, fui até a porta. Apaguei a luz e fiquei ouvindo a conversa. Depois, sentei no sofá de couro fino por alguns momentos. Se me vissem saindo do escritório sem nada na mão, nada aconteceria. De qualquer modo eu só tinha mais um dia na firma. Mas é claro que nesse caso ficaria sem a pasta.

E se alguém me visse saindo com a pasta? Se me interrogassem, eu estaria perdido.

Estudei a situação, supondo que seria apanhado em qualquer um dos casos. Tenha paciência, dizia para mim mesmo. Eles vão sair daí. Basquete deu lugar ao tema mulheres, nenhum dos dois parecia ser casado, provavelmente eram funcionários da escola de direito de Georgetown, trabalhando à noite. Logo eu não ouvia mais suas vozes.

Tranquei a gaveta, no escuro, e apanhei a pasta. Cinco minutos, sete, oito. Abri um pouco a porta silenciosamente e, do lado de dentro ainda, examinei o corredor dos dois lados. Ninguém. Saí rapidamente, passei pela mesa de Hector e segui para a recepção, andando depressa, mas tentando parecer casual.

"Ei!", alguém gritou. Virei o corredor e olhei para trás rapidamente. Vi um homem andando na minha direção. A porta mais próxima era de uma pequena biblioteca. Entrei. Felizmente estava escuro. Passei entre as estantes de livros até encontrar outra porta no outro lado. Abri e, no fim de um corredor curto, vi o aviso de saída em cima de outra porta. Passei correndo por ela. Resolvi que seria mais rápido descer do que subir. Corri para baixo, embora meu escritório ficasse dois andares acima. Se por acaso ele tivesse me reconhecido, iria me procurar no escritório.

Saí no térreo, sem fôlego, sem paletó, não querendo ser visto, especialmente pelo segurança que guardava os elevadores para evitar a entrada de mais gente das ruas. Fui para uma saída lateral, a mesma que eu e Polly tínhamos usado para evitar a imprensa na noite da morte de Senhor. Fazia muito frio e caía uma garoa fina quando corri para meu carro.

Os pensamentos de um ladrão de primeira viagem. Foi uma idiotice. Uma grande idiotice. Fui apanhado? Ninguém me viu sair do escritório de Chance. Ninguém sabia que eu estava com uma pasta que não me pertencia.

Eu não devia ter fugido. Quando ele gritou, eu devia ter parado, conversado com ele, como se tudo estivesse ótimo, e se ele quisesse ver a pasta, eu o repreenderia e iria embora. Provavelmente era um dos funcionários sem importância que estavam conversando no corredor.

Mas por que ele gritou daquele jeito? Se não me reconheceu, por que estava tentando me deter, do outro lado do corredor? Segui pela Massachusetts, ansioso para tirar a cópia e devolver a pasta ao lugar certo. Não era a primeira vez que eu passava a noite trabalhando e se tivesse de esperar até as três da manhã para entrar outra vez no escritório de Chance, tudo bem.

Fiquei um pouco mais calmo. O aquecimento do carro estava no máximo.

Eu não podia saber que uma batida policial num ponto de drogas tinha fracassado e um policial levara um tiro, que o Jaguar de um traficante estava correndo como um louco na rua 18. O sinal estava verde quando cheguei na New Hampshire, mas os garotos que atiraram no policial não estavam preocupados com as regras de trânsito. O Jaguar era apenas uma forma vaga à minha esquerda e então, de repente, o *air bag* explodiu no meu rosto.

Quando voltei a mim, a porta estava espetando meu ombro esquerdo. Rostos negros olhavam para mim através do vidro estilhaçado. Ouvi sirenes e desmaiei outra vez.

Um dos paramédicos abriu meu cinto de segurança e me tiraram por cima do painel, pela porta do passageiro.

– Não vejo nenhum sangue – alguém disse.

– Pode andar? – um paramédico perguntou. Eu sentia dores nos ombros e nas costelas. Tentei ficar de pé, mas minhas pernas não estavam me obedecendo.

– Eu estou bem – eu disse, sentando na beirada da maca. Ouvi um barulho atrás de mim mas não consegui virar o pescoço. Eles me prenderam na maca e quando entrei na ambulância vi o Jaguar, com as rodas para o ar e cercado por policiais e paramédicos.

Eu repetia, "estou bem, estou bem", enquanto eles mediam a minha pressão. A ambulância acelerou e eu não ouvia mais a sirene.

Fui levado para a emergência do centro médico da George Washington University. As radiografias não revelaram nenhuma fratura. Eu estava cheio de equimoses e com muitas dores. Entupiram-me de analgésicos e me levaram para um quarto particular.

Acordei no meio da noite. Claire estava dormindo numa cadeira ao lado da minha cama.

Quinze

Ela saiu antes do amanhecer. Um bilhete carinhoso deixado na mesa dizia que precisava ir para o hospital e que voltaria na hora do almoço. Tinha falado com meus médicos e, pelo que parecia, eu não ia morrer.

Parecíamos gente perfeitamente normal e feliz, um belo casal, devotado um ao outro. Eu adormeci outra vez perguntando a mim mesmo por que exatamente estávamos nos divorciando.

Uma enfermeira me acordou às sete horas e entregou o bilhete. Eu li outra vez, enquanto ela falava sobre o tempo – granizo e neve – e media minha pressão. Pedi um jornal que ela levou depois de trinta minutos, com o meu cereal. A reportagem estava na primeira página da seção policial. O policial havia sido atingido no tiroteio e seu estado era crítico. Ele matara um traficante. O segundo traficante, que estava dirigindo o Jaguar, morreu no local do acidente em circunstâncias que ainda seriam investigadas. Eu não era mencionado, o que achei ótimo.

Se eu não estivesse envolvido, seria a história de outro tiroteio entre policiais e traficantes de crack, e eu a teria ignorado. Bem-vindo às ruas. Tentei me convencer de que podia ter acontecido a qualquer profissional de Washington, mas era difícil acreditar. Estar naquela parte da cidade depois do anoitecer era pedir encrenca.

O meu braço esquerdo estava inchado e começava a ficar azul – o ombro e a clavícula esquerdos, rígidos e doloridos.

Minhas costelas estavam doloridas a ponto de me obrigar a ficar imóvel. Só doía quando eu respirava. Fui ao banheiro e olhei meu rosto no espelho. Um *air bag* é uma pequena bomba. O impacto atinge o rosto e o peito. Mas a avaria era mínima: nariz e olhos um pouco inchados, o lábio superior com uma forma diferente. Nada que não fosse desaparecer durante o fim de semana.

A enfermeira voltou com mais comprimidos. Eu a fiz identificar cada um, depois disse não à coleção. Eram para dor e rigidez muscular e eu precisava ficar com a mente clara. O médico apareceu às sete e meia para um exame rápido. Como eu não tinha nada quebrado nem rompido, minhas horas como paciente estavam contadas. Ele sugeriu mais radiografias, por segurança. Eu tentei dizer não, mas o assunto já fora resolvido com minha mulher.

Fiquei andando pelo quarto, mancando, por uma eternidade, testando todas as partes do meu corpo, assistindo aos programas tediosos da manhã, esperando que nenhum conhecido entrasse e me visse com a camisola xadrez amarela.

Encontrar um carro batido em Washington é uma tarefa difícil, especialmente quando iniciada logo depois do acidente. Comecei com o catálogo de telefones e a metade dos telefones do serviço de trânsito não respondeu. A outra metade me atendeu com grande indiferença. Era cedo, o tempo estava ruim. Era sexta-feira, por que se dar ao trabalho?

Em geral os carros acidentados eram levados para o depósito da prefeitura na rua Rasco, a nordeste da cidade. Fiquei sabendo disso por uma secretária da central de polícia. Ela trabalhava no setor de controle de animais. Eu estava ligando ao acaso para os vários ramais da polícia. Outros carros às vezes eram levados para outros depósitos e era muito provável que o meu estivesse ainda preso ao reboque. Os reboques eram de empresas particulares, ela explicou, e isso sempre causava problemas. Ela havia trabalhado no departamento de trânsito por algum tempo, mas detestou.

Pensei em Mordecai, minha nova fonte de informações relacionadas à rua. Esperei até as nove horas para telefonar. Contei a história, garanti que estava ótimo, apesar de estar no hospital, e perguntei se ele sabia como encontrar um carro acidentado. Mordecai ia tentar localizá-lo.

Telefonei para Polly e repeti a história.

– Você não vem trabalhar? – ela perguntou, com a voz embargada.

– Estou no hospital, Polly. Não ouviu o que eu disse?

Ela hesitou, confirmando o que eu temia. Eu imaginei um bolo com uma vasilha de ponche ao lado, provavelmente numa sala de conferências, sobre a mesa, com cinqüenta pessoas de pé, em volta, propondo brindes e fazendo breves discursos sobre o quanto eu era maravilhoso. Eu já participara de algumas dessas reuniões. Eram horríveis. Eu resolvi evitar minha festa de despedida.

– Quando vai sair do hospital? – ela perguntou.

– Não sei. Talvez amanhã. – Era mentira. Eu ia sair naquela manhã, com ou sem a aprovação da equipe médica.

Mais hesitação. O bolo, o ponche, os discursos importantes de pessoas muito ocupadas, talvez um ou dois presentes de despedida. Como Polly ia sair dessa?

– Eu sinto muito – ela disse.

– Eu também. Alguém está me procurando?

– Não. Ainda não.

– Ótimo. Por favor, informe Rudolph do acidente e diga que eu telefono mais tarde. Tenho de desligar agora. Eles querem mais exames.

Assim, minha carreira na Drake & Sweeney, antes promissora, terminou sem glória. Eu não compareci à minha festa de despedida. Aos trinta e dois anos, estava livre dos grilhões da servidão corporativa e do dinheiro. Livre para seguir minha consciência. Eu me sentiria otimamente se não fosse pelas pontadas nas costelas cada vez que fazia um movimento.

Claire chegou depois das onze e conversou um longo

tempo com meu médico, no corredor. Eu os ouvia falando a linguagem dos médicos. Entraram no quarto, juntos anunciaram a minha alta e eu vesti a roupa que ela havia trazido de casa. Claire me levou para o apartamento, uma viagem curta, durante a qual muito pouco se falou. Não havia chance de reconciliação. Por que um simples acidente de carro iria mudar as coisas? Ela estava ali como amiga e como médica, não como minha mulher.

Ela preparou sopa de tomate e me instalou no sofá. Enfileirou os comprimidos no balcão da cozinha, deu as instruções e foi embora.

Fiquei imóvel por dez minutos, o suficiente para tomar metade da sopa e comer alguns biscoitos, depois fui para o telefone. Mordecai não tinha encontrado nada.

Consultando os classificados, comecei a telefonar para corretores e serviços de locação de apartamentos. Depois pedi um carro com chofer, de uma locadora de automóveis. Tomei um longo banho de chuveiro para relaxar os músculos doloridos.

Meu motorista se chamava Leon. Sentei na frente, ao lado dele, tentando não fazer uma careta cada vez que o carro passava por um buraco.

Eu não podia pagar um bom apartamento, mas pelo menos queria um que fosse seguro. Leon tinha algumas idéias. Paramos numa banca de jornais e comprei dois folhetos de imobiliárias locais.

Na opinião de Leon, um bom lugar para morar no momento, mas isso podia mudar dentro de seis meses, ele avisou, era Adams-Morgan, ao norte de Dupont Circle. Era um bairro bem conhecido, por onde eu havia passado muitas vezes, nunca com vontade de parar ou passear. As ruas eram ladeadas por conjuntos de casas geminadas, todas ocupadas, o que, em Washington D. C., significava um bairro vibrante de vida. Os bares e casas noturnas eram "quentes" no momento, informou Leon, e os melhores restaurantes novos estavam ali. Nas áreas mais pobres é claro que era preciso ter muito cuidado. Se gente importante como senadores eram assaltados no Capitólio, isto significava que ninguém estava a salvo.

Seguindo para Adams-Morgan, de repente Leon encontrou um buraco maior do que seu carro. Passamos aos solavancos, ficamos suspensos no ar por um tempo que me pareceu dez segundos e aterrissamos com um tranco. Eu não contive um grito de dor, quando todo o lado esquerdo do meu torso pareceu desmoronar dolorosamente.

Leon ficou apavorado. Tive de contar a verdade, dizer onde eu tinha passado a noite anterior. Ele diminuiu consideravelmente a velocidade e se transformou no meu corretor de imóveis. Leon me ajudou a subir os degraus do primeiro apartamento, em péssimo estado, com cheiro de urina de gato emanando do carpete. Sem poupar palavras, Leon disse à proprietária que ela devia ter vergonha de mostrar um lugar naquelas condições.

A segunda parada foi num sótão, cinco andares acima da rua, e eu quase não consegui subir toda a escada. Sem elevador. E pouco aquecimento. Leon agradeceu cortesmente ao zelador.

O sótão seguinte era a quatro andares da rua, mas com um elevador bom e limpo. A casa geminada ficava na rua Wyoming, bonitinha e arborizada, perto da Connecticut. O aluguel era de quinhentos e cinqüenta por mês e eu disse sim antes mesmo de ver o apartamento. Eu estava afundando rapidamente, pensando cada vez mais nos analgésicos no balcão da cozinha e pronto para alugar qualquer coisa.

Três cômodos pequenos num sótão com teto inclinado, banheiro com encanamento que parecia estar funcionando, assoalho limpo e um pouco de vista para a rua.

– Ficamos com ele – Leon disse para o proprietário. Eu estava encostado num batente, prestes a desmoronar. Num pequeno escritório no porão, li o contrato às pressas, assinei e fiz um cheque de depósito para o primeiro mês de aluguel.

Eu havia prometido a Claire sair no fim de semana. Estava resolvido a cumprir o prometido.

Se Leon estava curioso com a minha mudança da sofisticação de Georgetown para um pombal de três cômodos em Adams-Morgan, ele não fez nenhuma pergunta. Era muito profissional para isso. Levou-me de volta ao nosso apartamento e esperou no carro, enquanto eu engolia meus comprimidos e tirava uma soneca rápida.

Um telefone estava tocando em algum lugar da minha confusão quimicamente induzida. Levantei cambaleando, encontrei o telefone, consegui dizer "alô".

Rudolph disse:

– Pensei que você estivesse no hospital.

Ouvi e reconheci a voz dele, mas a confusão ainda não tinha clareado.

– Eu estava – respondi com voz pastosa. – Agora não estou. O que você quer?

– Sentimos sua falta esta tarde.

Ah, sim, o show com bolo e ponche.

– O acidente de carro não estava nos meus planos, Rudolph. Por favor, perdoe-me.

– Muita gente queria se despedir.

– Eles podem me escrever, diga para mandarem por fax.

– Você está péssimo, não está?

– Sim, Rudolph. Sinto-me como se acabasse de sofrer um acidente de carro.

– Está tomando alguma coisa?

– Por que quer saber?

– Desculpe. Escute, Braden Chance esteve no meu escritório há uma hora. Está ansioso para ver você. Estranho, não acha?

A confusão desapareceu e minha cabeça ficou muito mais clara.

– Quer me ver para quê?

– Ele não quis dizer. Mas está à sua procura.

– Diga que eu saí da firma.

– Eu disse. Desculpe por incomodá-lo. Passe por aqui quando tiver tempo. Ainda tem amigos na firma.

– Obrigado, Rudolph.

Guardei os comprimidos no bolso. Leon estava cochilando no carro. Assim que saímos, telefonei para Mordecai. Ele tinha encontrado o registro do acidente. O serviço de reboque era o Hundley Towing. O Hundley Towing usava uma secretária eletrônica para quase todos os telefonemas. As ruas estavam escorregadias, os acidentes eram muitos, um tempo de muito trabalho para os donos de reboques. Finalmente um mecânico atendeu o telefone, mais ou menos às três horas, mas não adiantou nada.

Leon encontrou a sede do Hundley na Rhode Island, perto da rua 7. Em tempos melhores fora um posto de gasolina completo com oficina, serviço de reboque, estacionamento e trailers para alugar. Todas as janelas tinham grades. Leon parou o mais perto possível da entrada.

– Me dê cobertura – eu disse, saindo do carro e correndo para dentro. A porta fechou automaticamente quando passei por ela, batendo no meu braço esquerdo. A dor me fez dobrar o corpo para a frente. Um mecânico com macacão sujo de graxa apareceu e olhou desconfiado para mim.

Expliquei por que estava ali. Ele encontrou uma prancheta e examinou os papéis pregados nela. Eu ouvia vozes de homem falando e praguejando – sem dúvida estavam jogando dados, tomando uísque, provavelmente vendendo crack.

– O carro está com a polícia – ele disse, ainda olhando para os papéis.

– Você sabe por quê?

– Na verdade não. Houve um crime ou coisa parecida?

– Sim, mas meu carro não tinha nada a ver com o crime.

Olhou para mim sem nenhuma expressão. Tinha seus próprios problemas.

– Alguma idéia de onde possa estar? – perguntei, tentando ser agradável.

– Quando eles apreendem um carro, geralmente levam para um depósito na rua Geórgia, ao norte de Howard.

– Quantos depósitos a prefeitura tem?

Ele deu de ombros e começou a andar para os fundos da oficina.

– Mais de um – disse e desapareceu.

Passei pela porta com cuidado e corri para o carro de Leon.

Estava escuro quando encontramos o depósito que ocupava meia quadra, com uma cerca de malha de aço e arame farpado cortante. Dentro havia centenas de carros acidentados, dispostos ao acaso, uns por cima dos outros.

Leon ficou ao meu lado na calçada, olhando através da cerca.

– Lá está – eu disse, apontando. O Lexus estava estacionado perto de um barracão, de frente para nós. O lado esquerdo da frente estava destruído. O pára-choque tinha desaparecido, o motor estava exposto e amassado.

– Você é um homem de muita sorte – Leon disse.

Ao lado dele estava o Jaguar, o teto amassado, sem nenhum vidro nas janelas.

Havia uma espécie de escritório no barracão, fechado e escuro. Os portões estavam trancados com correntes pesadas e cadeados. A cerca de arame farpado brilhava na chuva. Numa esquina, não muito distante, vi um grupo de homens. Eu percebi que estavam nos observando.

– Vamos sair daqui – eu disse.

Leon me levou para o Aeroporto Nacional, o único lugar que eu conhecia para alugar um carro.

A mesa estava posta, a comida chinesa no forno. Claire me esperava, um pouco preocupada, mas era impossível dizer quanto. Eu disse que tinha saído para alugar um carro, de acordo com as instruções da minha empresa de seguros. Ela me examinou como boa médica que era e me fez tomar um comprimido.

– Pensei que você fosse descansar – ela disse.

– Eu tentei. Não consegui. Estou morrendo de fome.

Seria a nossa última refeição juntos como marido e mulher, começando do mesmo modo que tinha começado, com algo rápido e preparado fora de casa.

– Você conhece alguém chamado Hector Palma? – ela perguntou, no meio do jantar.

Engoli rapidamente a comida.

– Sim.

– Ele telefonou há uma hora. Disse que precisava falar com você, que era importante. Quem é ele?

– Um paralegal da firma. Eu ia passar a manhã com ele revendo um dos meus processos. Ele está numa situação difícil.

– Deve estar. Quer encontrar com você esta noite às nove horas, no Nathan's, na rua M.

– Por que num bar? – eu estranhei.

– Ele não disse. Me pareceu suspeito.

Meu apetite desapareceu, mas continuei a comer para não parecer nervoso. Não que fosse necessário. Claire não estava dando a mínima.

Fui a pé até a rua M, debaixo de uma chuva leve que estava se transformando em granizo e sentindo muita dor. Seria impossível encontrar lugar para estacionar na sexta à noite. E eu esperava que a caminhada fosse boa para exercitar os músculos e clarear a mente.

Aquele encontro só podia significar encrenca e me preparei enquanto andava. Pensei em mentiras para cobrir a minha pista e outras mentiras para cobrir as primeiras. Depois de roubar, mentir não parecia grande coisa. Hector podia estar trabalhando para a firma, provavelmente estava com um gravador. Eu pretendia ouvir atentamente e falar muito pouco.

O Nathan's não estava muito cheio. Cheguei dez minutos antes da hora, mas ele estava lá, esperando por mim numa mesa entre divisórias. Quando me aproximei, ele saltou do banco e estendeu a mão para mim.

– Você deve ser Michael. Eu sou Hector Palma, da seção de bens imóveis. É um prazer conhecê-lo.

Foi um assalto, uma explosão de simpatia que me deixou de sobreaviso. Apertei a mão dele e disse alguma coisa como “O prazer é meu”.

Ele apontou para a mesa.

– Sente-se aqui – ele disse, todo calor e sorrisos.

Eu curvei o corpo com cuidado e entrei entre o banco e a mesa.

– O que aconteceu com seu rosto? – ele perguntou.

– Beijei um *air bag*.

– Sim, ouvi falar no acidente – ele disse, muito depressa. Depressa demais. – Você está bem? Alguma coisa quebrada?

– Não – eu disse devagar, tentando entender o que ele pretendia.

– Ouvi dizer que o outro cara morreu – ele disse, uma fração de segundo depois que eu falei. Ele estava no controle da conversa. Eu devia seguir as deixas.

– É um traficante.

– Esta cidade... – ele disse, quando o garçom apareceu. – O que vai querer? – perguntou para mim.

– Café puro – eu disse.

Nesse momento, enquanto pensava no que ia pedir, ele começou a bater com o pé na minha perna.

– Que cerveja você tem? – ele perguntou, uma pergunta que todo garçom detesta. O homem olhou para longe e começou a recitar as marcas de cerveja.

As batidas na minha perna me fizeram olhar para ele. As mãos de Hector estavam juntas sobre a mesa. Usando o garçom como escudo, ele curvou de leve o dedo indicador da mão direita e apontou para o próprio peito.

– Molson – ele anunciou de repente, e o garçom foi embora.

Ele estava com um aparelho de escuta e alguém o vigiava. Onde quer que estivessem, não podiam nos ver com o garçom na frente. Instintivamente tive vontade de virar e olhar para as outras pessoas no bar. Mas resisti à tentação, graças em grande parte ao pescoço muito rígido.

Isso explicava o cumprimento caloroso, como se não nos conhecêssemos. Hector fora interrogado o dia todo e negou tudo.

– Sou paralegal na divisão de bens imóveis – ele explicou. – Você conheceu Braden Chance, um dos sócios.

– Sim. – Uma vez que minhas palavras estavam sendo gravadas, eu ia oferecer muito pouco.

– Eu trabalho especialmente para ele. Nós dois conversamos rapidamente na semana passada, quando você visitou o escritório de Chance.

– Se você diz. Eu não me lembro.

Percebi um sorriso muito leve, a tensão diminuiu em volta dos olhos, nada que uma câmara pudesse captar. Debaixo da mesa, bati com o pé na perna dele. Eu esperava que estivéssemos dançando a mesma música.

– Escute, eu quis me encontrar com você porque sumiu uma pasta do escritório de Chance.

– Eu estou sendo acusado?

– Bem, não, mas é um possível suspeito. Foi a pasta do processo que você pediu para ver quando praticamente invadiu o escritório dele, na semana passada.

– Então, *estou* sendo acusado – eu disse, furioso.

– Ainda não. Relaxe. A firma está fazendo uma investigação minuciosa do assunto e estamos simplesmente falando com todos de quem podemos lembrar. Como eu o ouvi pedindo a Braden para dar uma olhada no processo, a firma me pediu para falar com você. Só isso.

– Eu não sei do que você está falando. Só isso.

– Não sabe nada sobre a pasta?

– É claro que não. Por que eu ia tirar uma pasta do escritório de um sócio?

– Estaria disposto a um teste no polígrafo?

– É claro – eu disse com firmeza, até com indignação. Nem no inferno eu faria um teste no detector de mentiras.

– Ótimo. Eles estão pedindo a todos para fazer o teste. Todos que possam ter estado, mesmo remotamente, perto da pasta.

A cerveja e o café chegaram, permitindo uma pausa para avaliação e para me reposicionar. Hector acabava de me dizer que ele estava encrencado. Um teste no polígrafo seria a morte dele. Você conheceu Michael Brock antes de ele deixar a firma? Falaram sobre a pasta desaparecida? Deu a ele cópias de qualquer coisa tirada da pasta? Você o ajudou a apanhar a pasta? Sim ou não. Perguntas difíceis com respostas simples. De jeito nenhum ele podia mentir e sobreviver ao teste.

– Eles estão também tirando impressões digitais – ele disse em voz baixa, não para evitar o microfone escondido, mas para, de certa forma, amenizar o golpe.

Não adiantou. A idéia de ter deixado minhas impressões jamais me ocorreu, nem antes, nem durante o roubo.

– Fazem muito bem – eu disse.

– Na verdade, eles levantaram as impressões durante toda a tarde. Da porta, do interruptor, do arquivo. Uma porção de impressões.

– Espero que eles encontrem o homem.

– Na verdade é uma coincidência, sabe. Braden tinha cem processos arquivados no escritório e o único que está faltando é o que você parecia tão ansioso para ver.

– Está insinuando alguma coisa?

– Eu acabei de dizer. Uma verdadeira coincidência. – Estava fazendo isso para os que nos escutavam.

Achei que devia representar um pouco também.

– Não gostei do modo como disse isso – eu praticamente gritei. – Se quer me acusar de alguma coisa, vá à polícia, consiga um mandado e mande me prender. Do contrário, guarde suas opiniões idiotas para você.

– A polícia já está envolvida – ele disse friamente, e minha zanga fingida derreteu. – Trata-se de roubo.

– É claro que é um roubo. Vá apanhar seu ladrão e pare de perder tempo comigo.

Ele tomou um longo gole de cerveja.

– Alguém deu a você as chaves do escritório de Braden?

– É claro que não.

– Bem, eles encontraram uma pasta vazia na sua mesa, com um bilhete sobre duas chaves. Uma da porta, outra de um arquivo.

– Eu não sei nada sobre isso – eu disse, com a maior arrogância possível, enquanto tentava me lembrar do último lugar que tinha deixado a pasta vazia. Meu rastro estava se alargando. Eu era treinado para pensar como advogado, não como criminoso.

Outro longo gole de cerveja, outro gole de café.

Ele tinha dito o suficiente. A mensagem fora transmitida, uma pela firma, outra pelo próprio Hector. A firma queria a pasta de volta, com o conteúdo intacto. Hector queria que eu soubesse que sua participação custaria seu emprego.

Cabia a mim salvá-lo. Eu podia devolver a pasta, confessar, prometer manter em segredo o que ela continha e a firma provavelmente me perdoaria. Nenhum mal teria sido feito. Proteger o emprego de Hector podia ser uma condição da devolução da pasta.

– Mais alguma coisa? – perguntei, de repente pronto para ir embora.

– Nada. Quando você pode fazer o teste do polígrafo?

– Eu telefono.

Apanhei meu sobretudo e saí do bar.

Dezesseis

Por motivos que eu logo entenderia, Mordecai detestava profundamente os policiais de Washington, embora a maior parte fosse de negros. Na opinião dele, eram impiedosos com os sem-teto e este era o padrão invariavelmente usado por ele para medir os bons e os maus.

Mas ele conhecia alguns. Um era o sargento Peeler, um homem descrito por Mordecai como "das ruas". Peeler trabalhava com crianças-problema num centro comunitário perto da clínica de advocacia e freqüentava a mesma igreja que Mordecai. Peeler tinha contatos e podia mexer os pauzinhos para retirar meu carro.

Ele entrou na clínica um pouco depois das nove da manhã de sábado. Mordecai e eu estávamos tomando café e tentando nos manter aquecidos. Peeler não trabalhava aos sábados. Eu tive a impressão de que ele teria preferido ficar na cama.

Com Mordecai dirigindo e se encarregando da conversa, e eu no banco de trás, passamos pelas ruas escorregadias rumo ao nordeste. Em lugar da neve prevista, o que chegou foi uma chuva fria. O movimento era pouco na rua. Era outra manhã gelada de fevereiro. Só os muito bem-dispostos se aventuravam a andar na rua.

Paramos na calçada perto dos portões trancados a cadeado do depósito da prefeitura, perto da avenida Geórgia. Peeler disse:

– Esperem aqui.

Do carro eu podia ver o que sobrara do meu Lexus.

Ele foi até o portão, apertou um botão num poste e a porta do escritório no barracão se abriu. Um policial pequeno e magro, uniformizado, com guarda-chuva, foi até o portão e ele e Peeler trocaram algumas palavras.

Peeler voltou para o carro, bateu a porta e sacudiu a água dos ombros.

– Ele está à sua espera – disse.

Saí na chuva, abri o guarda-chuva e caminhei rapidamente para o portão onde o policial Winkle me esperava sem o menor sinal de bom humor ou boa vontade. Tirou do bolso uma porção de chaves, encontrou três que serviam nos cadeados pesados e disse "está ali", abrindo o portão. Fui atrás dele, evitando sempre que possível as poças de água e lama. Todo meu corpo doía a cada movimento, por isso minhas manobras eram restritas. Ele foi direto para meu carro.

Eu fui direto para o banco da frente. Nada da pasta. Depois de um momento de pânico, eu a encontrei atrás do banco do motorista, no chão, intacta. Eu a apanhei, pronto para ir embora. Não estava disposto a examinar os restos do carro que eu deixei na rua. Eu me livrei vivo e inteiro e era isso que importava. Na próxima semana ia procurar a empresa de seguros.

– É isso? – Winkle perguntou.

– Sim – eu disse, pronto para ir.

– Venha comigo.

Entramos no barracão onde um aquecedor a gás roncava num canto, com rajadas de ar quente. Ele escolheu uma das pranchetas presas na parede e começou a olhar para a pasta que estava na minha mão.

– Pasta de papelão marrom – ele disse, enquanto escrevia. – Mais ou menos quatro centímetros de espessura. – Eu fiquei ali parado, segurando a pasta com força, como se fosse de ouro. – Tem algum nome nela?

Eu não estava em posição de protestar. Uma observação agressiva e eles jamais me encontrariam.

– Para que precisa disso? – perguntei.

– Ponha a pasta na mesa – ele disse.

A pasta foi posta na mesa.

– RiverOaks traço TAG, Inc. – ele disse, escrevendo. – Arquivo número TBC-96-3381.

A pista ficava cada vez mais ampla.

– Essa pasta é sua? – ele perguntou, apontando, bastante desconfiado.

– Sim, é.

– Tudo bem. Pode ir agora.

Agradeci e ele não respondeu. Minha vontade era atravessar correndo o depósito, mas andar já era desafio suficiente. Ele trancou o portão atrás de mim.

Mordecai e Peeler viraram para trás e olharam para a pasta, assim que eu entrei no carro. Nenhum dos dois sabia do que se tratava. Tudo que eu disse para Mordecai foi que era muito importante. Eu precisava recuperá-la antes que fosse destruída.

Todo aquele esforço por uma simples pasta de papelão?

Tive vontade de folhear os papéis enquanto voltávamos para a clínica, mas me contive.

Agradeci a Peeler, me despedi de Mordecai e dirigi com muita cautela para o meu novo sótão.

A fonte do dinheiro era o governo federal, o que não era incomum em Washington D. C. O Serviço Postal pretendia construir uma gigantesca instalação dos correios na cidade, no valor de vinte milhões de dólares e a RiverOaks era uma das várias imobiliárias grandes e agressivas que esperava fazer a construção, alugar e administrar o negócio. Vários locais foram considerados, todos nas partes piores e decadentes da cidade. Três locais foram propostos em dezembro último. A RiverOaks começara a comprar todos os terrenos baratos de que ia precisar.

A TAG era uma empresa legalmente registrada, com um único acionista, Tillman Gantry, descrito no memorando do dossiê como um ex-cafetão, um pequeno empresário e criminoso duas vezes condenado. Um dos muitos homens desse tipo da cidade. Depois do crime, Gantry havia descoberto os ramos dos carros usados e dos imóveis. Ele comprava prédios abandonados, às vezes fazia rápidas reformas e revendia, às vezes criava espaços para alugar. Quatorze propriedades da TAG estavam relacionadas no documento. O caminho de Gantry cruzou o da RiverOaks quando o Serviço Postal dos Estados Unidos precisou de mais espaço.

No dia 6 de janeiro, o Serviço Postal informou à RiverOaks por carta registrada que a empresa fora escolhida para ser a construtora/proprietária/locadora do novo departamento dos correios. Um memorando do acordo determinava um recebimento anual de aluguéis no valor de 1,5 milhão garantidos por vinte anos. A carta dizia também, com uma pressa nada típica das transações governamentais, que o acordo final entre a RiverOaks e o Serviço Postal devia ser assinado impreterivelmente até o dia 1º de março, do contrário o contrato perdia o efeito. Depois de estudar e planejar durante sete anos, os federais queriam construir de um dia para o outro.

A RiverOaks, seus advogados e corretores de imóveis lançaram-se ao trabalho. Em janeiro, a empresa comprou quatro propriedades na avenida Flórida, perto do armazém onde ocorreu depois o despejo. O dossiê tinha dois mapas da área, com cores diferentes indicando os lotes comprados e os lotes em negociação.

Faltavam sete dias para 1º de março. Não era de admirar que Chance tivesse dado pela falta da pasta tão rapidamente. Ele trabalhava com ela todos os dias.

O armazém na avenida Flórida fora comprado pela TAG no último mês de julho, por uma quantia não declarada no documento. A RiverOaks o comprou por duzentos mil dólares, no dia 31 de janeiro, quatro dias antes do despejo que pôs na rua DeVon Hardy e a família Burton.

No assoalho nu de madeira do que seria minha sala de estar, retirei cuidadosamente cada folha de papel da pasta, examinei, depois a descrevi em detalhe num bloco de anotações, para que continuassem exatamente na mesma ordem. Havia a habitual coleção de papéis que devia haver em todos os registros de negócios imobiliários: impostos do ano anterior, a lista de proprietários, escrituras anteriores, um acordo para compra e venda da propriedade, correspondência com a imobiliária, documentos da realização do negócio. A compra foi feita em dinheiro, portanto nenhum banco estava envolvido.

Na orelha esquerda da pasta ficava a ata, um formulário impresso usado para descrever sucintamente cada item em ordem cronológica. A capacidade de organização de uma secretária de Drake & Sweeney podia ser julgada pelo nível de detalhe na ata de cada pasta. Cada pedaço de papel, mapa, foto ou gráfico – qualquer coisa e tudo que fosse anexado ao documento devia estar registrado na ata. Tal organização fora gravada em nossas mentes durante o período de treinamento na firma. A maioria de nós tinha aprendido do modo mais difícil – não havia nada mais frustrante do que procurar num arquivo algum dado que não estivesse na ata com detalhes suficientes. Se não fosse possível encontrar em trinta segundos, dizia o ditado, o dossiê não servia para nada.

O dossiê de Chance era meticuloso, sua secretária era detalhista. Mas tinha havido algumas alterações fraudulentas.

No dia 22 de janeiro, Hector Palma foi ao armazém, sozinho, para uma inspeção de rotina dos compradores. Quando estava entrando, foi agredido com uma pancada na cabeça por dois assaltantes que levaram sua carteira e todo o dinheiro, ameaçando-o com uma faca. Ele ficou em casa no dia 23 de janeiro e preparou um memorando para o dossiê, descrevendo o assalto. A última frase dizia: "Voltarei na segunda-feira, 27 de janeiro, com um guarda, para a inspeção." O memorando estava devidamente registrado na ata da pasta.

Mas não havia nenhum memorando da sua segunda visita. O item do dia 27, na ata dizia: memorando HP – visita ao local, inspeção.

Hector foi ao armazém no dia 27, com um guarda, para inspecionar o local, sem dúvida verificou que havia pessoas morando lá e preparou um memorando, o qual, a julgar pelos outros preparados por ele, devia ser bastante detalhado e completo.

O memorando fora retirado da pasta. Certamente isso não era crime, e eu muitas vezes retirava papéis das pastas, sem anotar na ata. Mas tinha sempre o cuidado de repor tudo que eu havia tirado. Se um item constava da ata, devia estar na pasta.

O negócio foi fechado no dia 31 de janeiro, uma sexta-feira. Na terça-feira seguinte, Hector voltou para expulsar os moradores do armazém. Estava com um segurança de uma empresa particular de segurança, um policial do distrito e dois homens fortes da empresa encarregada do despejo. De acordo com o memorando de duas páginas, levaram três horas para esvaziar o armazém. Embora ele tentasse ocultar sua emoção, Hector não tinha estômago para esse trabalho.

Meu coração parou quando li o seguinte: "A mãe tinha quatro filhos, um ainda bebê. Ela morava num apartamento de dois cômodos sem banheiro ou água. Dormiam em dois colchões no chão. Ela lutou com o policial enquanto os filhos assistiam. Por fim ela foi removida."

Então Ontario assistiu à luta da mãe.

Havia uma lista dos despejados, dezessete ao todo, excluindo as crianças, a mesma lista que alguém tinha deixado na minha mesa na segunda-feira de manhã, com uma cópia da reportagem do *Post*.

Nas costas da pasta, soltas, sem registro na ata, estavam as intimações de despejo para os dezessete ocupantes do armazém. Não foram usadas. Invasores não têm direitos, inclusive o direito de serem notificados. As intimações foram preparadas posteriormente, num esforço para cobrir a pista. Provavelmente foram incluídas no documento depois do episódio com Senhor, pelo próprio Chance, para o caso de precisar.

A alteração fraudulenta era óbvia e tola. Mas Chance era um sócio da firma. Praticamente não havia precedente de um sócio ter de entregar um dossiê.

A pasta não fora entregue, fora roubada. Um ato criminoso, cujas provas estavam sendo agora recolhidas. O ladrão era um idiota.

Como parte do meu período de pré-admissão, sete anos atrás, investigadores particulares tiraram minhas impressões digitais. Seria simples comparar essas impressões com as que foram levantadas do arquivo de Chance. Uma questão de minutos. Eu tinha certeza de que já tinham feito isso. Será que havia um mandado de prisão contra mim? Era inevitável.

A maior parte do assoalho estava coberta de papéis quando eu terminei, três horas depois. Arrumei cuidadosamente os papéis na pasta, fui até a clínica e tirei cópia.

Ela havia saído para fazer compras, dizia o bilhete. Nós tínhamos um belo conjunto de malas, de que nos esquecemos quando fizemos a divisão dos bens. No futuro Claire ia viajar muito mais do que eu, por isso escolhi a mala de lona barata e as sacolas de ginástica. Eu não queria ser apanhado, por isso amontoei as peças básicas sobre a cama – meias, roupa de baixo, camisetas, objetos de toalete, sapatos, mas só o que eu havia usado no ano anterior. Ela podia se desfazer do resto. Apressadamente limpei minhas gavetas e meu lado do armário de medicamentos no banheiro. Ferido e machucado, física e emocionalmente, desci os dois lances de escada, deixei as malas no carro alugado e voltei para apanhar alguns ternos e roupas melhores. Encontrei meu velho saco de dormir que não usava há uns cinco anos e o levei para baixo com um acolchoado e um travesseiro. Eu tinha direito ao meu despertador, meu rádio, ao CD portátil com alguns CDs, à TV em cores de treze polegadas do balcão da cozinha, a um bule de café e ao conjunto de toalhas azuis.

Quando o carro estava cheio, escrevi um bilhete dizendo que tinha partido. Deixei ao lado do dela e me recusei a olhar para ele. Minhas emoções eram conflitantes e estavam à flor da pele, eu não estava preparado para lidar com elas. Eu nunca havia saído de casa e não sabia muito bem o que devia fazer.

Tranquei a porta e desci a escada. Certamente eu voltaria dentro de alguns dias para apanhar o resto das minhas coisas, mas enquanto descia a escada tive a impressão de que era a última vez.

Claire ia ler o bilhete, verificar as gavetas e os closets para ver o que eu havia levado e quando compreendesse que eu tinha realmente ido embora, ia sentar na sala para uma rápida lágrima. Talvez para chorar de verdade. Mas não ia durar muito. Ela passaria facilmente para a fase seguinte.

Quando saí com o carro, não tive nenhuma sensação de liberdade. Não me sentia satisfeito por estar solteiro. Claire e eu perdemos alguma coisa.

Dezessete

Entrei no meu escritório e tranquei a porta. Fazia mais frio no domingo, na clínica, do que no sábado. Eu estava com uma suéter pesada, calça de veludo, meias de lã e li o jornal sentado à minha mesa com duas xícaras de café na minha frente. O prédio tinha aquecimento, mas eu não estava disposto a lidar com ele.

Senti falta da minha cadeira de executivo, de couro, giratória, que balançava e girava a um comando meu. A nova era pouco mais do que uma cadeira dobrável que se costuma alugar para festas de casamento. Prometia ser desconfortável em dias melhores, no meu estado atual, era um aparelho de tortura.

A mesa era muito usada, provavelmente doação de uma escola abandonada, quadrada como uma caixa, com gavetas dos dois lados, que abriam mas não sem um pouco de esforço. As duas cadeiras para clientes no outro lado da mesa eram dobráveis – uma preta, a outra de um tom esverdeado que eu nunca tinha visto antes.

As paredes eram de estuque, pintadas há décadas e desbotadas, com um tom pálido de limão. Tinham rachaduras e as aranhas dominavam os cantos do teto. A única decoração era um cartaz anunciando a Marcha pela Justiça no Mall, em julho de 1988.

O assoalho era de carvalho antigo, as tábuas arredondadas nas beiradas, prova de muito uso durante anos. Fora varrido recentemente e a vassoura estava ainda num canto com um espanador, uma delicada insinuação de que a limpeza da sala ia depender de mim.

Ah! A queda do poderoso! Se meu querido irmão Warner pudesse me ver naquele domingo, tremendo de frio, sentado à minha triste mesa, olhando para as rachaduras na parede, trancado para não ser assaltado por meus possíveis clientes, teria explodido em palavrões tão ricos e pitorescos que valeria a pena registrá-los por escrito.

Eu não compreendia a reação dos meus pais. Teria de telefonar logo para eles e dar as duas notícias desagradáveis das minhas mudanças de endereços.

Uma batida longa na porta quase me matou de medo. Dei um pulo na cadeira, sem saber o que fazer. Os malfeitores da rua estariam atrás de mim? Outra batida enquanto eu olhava pela janela. Vi alguém tentando espiar por entre as grades e o vidro grosso da porta da frente.

Era Barry Nuzzo, tremendo de frio e ansioso para entrar em um lugar seguro. Destranquei a porta e ele entrou.

– Que pardieiro! – ele disse agradavelmente, olhando em volta enquanto eu passava a chave na porta outra vez.

– Elegante, não acha? – eu disse, tentando adivinhar por que ele estava ali.

– Que espelunca! – disse ele, zombeteiro. Deu a volta na mesa de Sofia, tirando as luvas devagar, com medo de tocar em alguma coisa e provocar uma avalanche de pastas.

– Nós tentamos manter as despesas no mínimo para levar mais dinheiro para casa – eu disse. Era uma velha piada da Drake & Sweeney. Os sócios estavam sempre se queixando das despesas, ao mesmo tempo renovando a decoração dos próprios escritórios.

– Então você está aqui pelo dinheiro? – ele perguntou, ainda em tom de brincadeira.

– É claro.

– Você ficou louco.

– Encontrei uma vocação.

– Eu sei, e também está ouvindo vozes.

– É por isso que está aqui? Para me dizer que estou louco?

– Telefonei para Claire.

– E o que ela disse?

– Disse que você tinha saído de casa.

– Verdade. Estamos nos divorciando.

– O que aconteceu com seu rosto?

– O *air bag*.

– Ah, sim, tinha esquecido. Disseram que foi só uma pequena amassada no pára-choque.

– Foi mesmo. O pára-choque ficou amassado.

Ele dobrou o sobretudo nas costas de uma cadeira, depois o vestiu rapidamente outra vez.

– Contenção de despesas significa que não pagam a conta do aquecimento?

– Uma vez ou outra deixamos passar um mês.

Ele andou mais um pouco, espiando para dentro dos escritórios ao lado do meu.

– Quem financia esta firma? – ele perguntou.

– Um truste.

– Um truste em declínio?

– Sim, um truste em rápido declínio.

– Como você descobriu?

– Senhor costumava vir aqui. Estes eram seus advogados.

– O bom e velho Senhor – ele disse. Parou por um momento e olhou para a parede. – Você acha que ele teria nos matado?

– Não. Ninguém estava ouvindo o que ele dizia. Era só outro desabrigado. Ele queria ser ouvido.

– Em algum momento você pensou em saltar em cima dele?

– Não, mas pensei em tirar a arma dele e matar Rafter.

– Eu queria que tivesse feito isso.

– Talvez da próxima vez.

– Tem café?

– Claro. Sente-se.

Eu não queria que Barry fosse à cozinha, que deixava muito a desejar. Encontrei uma xícara, lavei rapidamente e enchi de café. Eu o convidei para o meu escritório.

– Bonito – ele disse, olhando em volta.

– É aqui onde tudo vai começar – eu disse com orgulho. Tomamos posição cada um de um lado da mesa, as duas cadeiras rangendo quando sentamos e prestes a desmontar com nosso peso.

– Era com isso que você sonhava na universidade? – ele perguntou.

– Não me lembro da universidade. Faturei muitas horas desde aquele tempo.

Finalmente ele olhou para mim sem zombaria, sem um sorriso e a brincadeira acabou. Por mais horrível que fosse a idéia, imaginei se Barry estava com um microfone. Eles tinham mandado Hector para a arena com um microfone na camisa, podiam ter feito a mesma coisa com Barry. Ele não se ofereceria para isso, mas podiam pressioná-lo. Eu era o inimigo.

– Então você veio à procura de Senhor? – ele disse.

– Acho que sim.

– O que encontrou?

– Barry, você está se fazendo de idiota? O que está acontecendo na firma? Vocês já se prepararam para o ataque? Estão atrás de mim?

Ele pensou cuidadosamente, tomando pequenos goles de café.

– Este café é horrível – ele disse, pronto para cuspir.

– Pelo menos está quente.

– Eu sinto muito sobre Claire.

– Obrigado, mas prefiro não falar nisso.

– Michael, uma pasta desapareceu. Todo mundo está acusando você.

– Quem sabe que você está aqui?

– Minha mulher.

– A firma o mandou me procurar?

– De jeito nenhum.

Acreditei nele. Há vários anos éramos amigos, às vezes bem íntimos. Porém, na maior parte do tempo estávamos ocupados demais para amizade.

– Por que estão me acusando?

– A pasta tem alguma coisa a ver com Senhor. Você procurou Braden Chance e pediu para ver o processo. Você foi visto perto do escritório dele no dia em que a pasta desapareceu. Há provas de que recebeu de alguém umas chaves, às quais não tinha direito.

– Isso é tudo?

– Isso e as impressões digitais.

– Impressões digitais? – perguntei, tentando parecer surpreso.

– Por toda a parte. Na porta, no interruptor, no arquivo. Combinam perfeitamente com as suas. Você esteve lá, Michael. Você tirou a pasta. Muito bem, o que fez com ela?

– Quanto você sabe sobre o conteúdo da pasta?

– Senhor foi despejado por um dos nossos clientes da divisão de imóveis. Ele era um invasor. Ficou doido, quase nos matou de medo, você quase foi ferido. Você teve um colapso nervoso.

– Isso é tudo?

– Tudo que eles nos disseram.

– Eles quem?

– Eles, os chefões. Recebemos memorandos na última sexta-feira – a firma toda, advogados, secretárias, paralegais, todo mundo – informando que uma pasta fora roubada, que você era o suspeito e que nenhum funcionário da firma deveria ter qualquer contato com você. Estou proibido de estar aqui neste momento.

– Não vou contar para ninguém.

– Obrigado.

Se Braden Chance fez a associação entre o despejo e Lontae Burton, nunca ia admitir. Nem para os outros sócios. Barry estava dizendo a verdade. Provavelmente pensava que meu único interesse na pasta tivesse a ver com DeVon Hardy.

– Então, por que você está aqui?

– Sou seu amigo. As coisas estão uma loucura neste momento. Meu Deus, tivemos policiais no escritório na sexta-feira, dá para acreditar? A semana passada foi a SWAT e éramos reféns. Agora você se atirou de um penhasco. E essa coisa com Claire. Por que não tiramos umas férias? Vamos para algum lugar por umas duas semanas. Com nossas mulheres.

– Onde?

– Eu não sei. Quem se importa? As ilhas.

– De que adiantaria?

– Podíamos descongelar, pelo menos. Jogar um pouco de tênis. Dormir. Recarregar as baterias.

– Tudo pago pela firma?

– Pago por mim.

– Esqueça Claire. Está acabado, Barry. Levou muito tempo, mas está acabado.

– Tudo bem. Então vamos nós dois.

– Mas você não pode ter nenhum contato comigo.

– Tenho uma idéia. Acho que posso ter uma longa conversa com Arthur. Podemos arrumar as coisas. Você devolve a pasta, esquece o que ela contém, a firma cede e esquece também, nós dois vamos jogar tênis por duas semanas em Maui, depois você volta para o escritório a que tem direito.

– Eles o mandaram, não foi?

– Não. Eu juro.

– Não vai funcionar, Barry.

– Dê uma boa razão. Por favor.

– Ser advogado é mais do que faturar horas e ganhar dinheiro. Por que devemos nos prostituir para grandes empresas? Estou cansado disso, Barry. Quero fazer diferença.

– Fala como um estudante universitário.

– Exatamente. Entramos neste negócio porque achávamos que o direito era uma vocação elevada. Poderíamos lutar contra a injustiça e os males sociais, fazer todo tipo de coisas grandiosas porque seríamos advogados. Éramos idealistas na época. Por que não podemos ser outra vez?

– Dívidas.

– Não estou tentando fazer a sua cabeça. Você tem três filhos. Felizmente eu e Claire não temos nenhum. Posso me dar ao luxo de ser um pouco doido.

Um aquecedor num canto, que eu não tinha notado, começou a bater e sibilar. Olhamos para ele, esperando um pouco de calor. Um minuto. Dois.

– Eles virão atrás de você, Michael – ele disse, ainda olhando sem ver para o aquecedor.

– Eles? Quer dizer nós?

– Certo. A firma. Você não pode roubar uma pasta. Pense no cliente. O cliente tem direito ao sigilo. Se um dossiê desaparece, a firma tem obrigação de procurar.

– Serei indiciado?

– Provavelmente. Eles estão furiosos, Michael. Não pode culpá-los. Falam também em ação disciplinar da ordem dos advogados. Um mandado de segurança talvez. Rafter já está trabalhando nele.

– Por que Senhor não apontou um pouco mais para baixo?

– Eles estão vindo com toda a força.

– A firma tem mais a perder do que eu.

Barry olhou para mim por um momento. Ele não tinha conhecimento do conteúdo da pasta.

– Há mais do que Senhor? – perguntou.

– Muito mais. A firma está muito vulnerável. Se vierem atrás de mim, eu vou atrás deles.

– Você não pode usar um dossiê roubado. Nenhum tribunal do país vai aceitar como prova. Você não entende de direito criminal.

– Estou aprendendo. Diga a eles para desistir. Lembre, eu tenho a pasta e tem muita sujeira nela.

– Michael, eles eram apenas um bando de invasores.

– É muito mais complicado do que isso. Alguém precisa conversar com Braden Chance e saber a verdade. Diga para Rafter pensar bem antes de fazer alguma besteira. Acredite, Barry, isto é matéria de primeira página. Vocês vão ter medo de sair de casa.

– Então você está propondo uma trégua? Você fica com a pasta, nós o deixamos em paz?

– Pelo menos por enquanto. Não posso dizer nada sobre a próxima semana ou a outra.

– Por que não fala com Arthur? Eu faço o papel de juiz.

Nós três entramos numa sala, trancamos a porta, resolvemos tudo. O que acha?

– É tarde demais. Muita gente morreu.

– Senhor se matou.

– Há outros. – E isso era tudo que eu ia dizer. Barry era meu amigo mas certamente ia repetir nossa conversa para os chefes da firma.

– Será que você podia ser mais explícito? – ele disse.

– Não posso. É confidencial.

– Isso parece um tanto hipócrita, vindo de um advogado que rouba dossiês.

O aquecedor gorgolejou e arrotou, e durante um tempo foi mais fácil olhar para ele do que falar. Nenhum de nós queria dizer coisas de que poderíamos nos arrepender mais tarde.

Ele perguntou sobre os outros funcionários da clínica. Eu o levei para uma visita às instalações.

– Incrível – ele murmurou, mais de uma vez. — Podemos manter contato? – ele perguntou, na porta.

– Claro.

Dezoito

Minha orientação levou mais ou menos trinta minutos, o tempo que levamos para ir da clínica à Casa Samaritana, em Petworth, a nordeste. Mordecai dirigia e falava. Eu estava sentado, quieto, segurando minha pasta, nervoso como um advogado novato prestes a ser lançado aos lobos. Eu estava com calça jeans, camisa branca e gravata, um velho blazer azul-marinho e tênis Nike muito usados, com meias brancas. Não estava mais fazendo a barba. Eu era um advogado das ruas e podia me vestir como quisesse.

Mordecai, é claro, notou imediatamente a mudança no meu estilo quando entrei no seu escritório e anunciei que estava pronto para trabalhar. Ele não disse nada, mas olhou demoradamente para os tênis. Já tinha visto tudo isso antes – homens de grandes firmas, descendo das suas torres para passar algumas horas com os pobres. Por algum motivo, achavam que deviam deixar a barba crescer e vestir jeans.

– Sua clientela vai ser uma variedade de terços – ele disse, dirigindo mal, só com uma das mãos, segurando o café com a outra, ignorando os outros veículos à nossa volta. – Mais ou menos um terço está empregado, um terço é de famílias com filhos, um terço é mentalmente incapaz, um terço é de veteranos de guerra. E mais ou menos um terço dos pretendentes a moradias de baixo custo consegue alguma coisa. Nos últimos quinze anos, dois milhões e meio de unidades de casas populares foram eliminadas e os programas federais de moradia tiveram um corte de setenta por cento. Não admira que essa gente esteja vivendo nas ruas. Os governos equilibram o orçamento à custa dos pobres.

Ele citava as estatísticas sem nenhuma dificuldade. Essa era a sua vida e a sua profissão. Como advogado treinado para fazer anotações detalhadas, tive de controlar o impulso para abrir minha pasta e começar a escrever. Apenas escutei.

– Essa gente tem empregos de salário mínimo, portanto nem pode pensar numa residência particular. Eles nem sonham com isso. E o que ganham não é suficiente para pagar moradia. Assim, eles vão ficando cada vez mais atrasados nos pagamentos e ao mesmo tempo os programas de assistência recebem um golpe atrás do outro. Veja só: somente quatorze por cento dos sem-teto deficientes recebem os benefícios devidos à sua condição. Quatorze por cento! Você vai ver uma porção desses casos.

Ele freou de repente no sinal vermelho com o carro quase no meio do cruzamento. As buzinas soaram de todos os lados. Eu afundei no banco, esperando outra colisão. Mordecai não tinha a menor idéia de que seu carro estava impedindo o movimento do tráfego da hora do rush. Olhava para a frente, para outro mundo.

– O mais assustador disso tudo é o que não se vê nas ruas. Cerca de metade dos pobres gasta setenta por cento do que ganha tentando manter o teto que tem. O governo diz que eles deviam gastar um terço. Há centenas de milhares de pessoas nesta cidade agarradas ao seu teto. Um contracheque atrasado, uma visita inesperada ao hospital, uma emergência, e elas perdem a casa.

– Para onde vão?

– Raramente vão diretamente para os albergues. A princípio, vão para a casa de parentes, depois dos amigos. A tensão é enorme porque as famílias e os amigos também moram em casas subsidiadas pelo governo e seus contratos limitam o número de pessoas que podem morar em cada unidade. São obrigadas a violar os contratos, o que pode levar ao despejo. Elas vão de um lugar para outro, às vezes deixam um filho com uma irmã, outro com um amigo. As coisas vão de mal a pior.

Muitos sem-teto têm medo dos albergues e procuram evitá-los desesperadamente.

Parou o tempo suficiente para tomar um pouco de café.

– Por quê? – eu perguntei.

– Nem todos os albergues são bons. Tem havido assaltos, roubos, até estupros.

E era nesse ambiente que eu ia passar o resto da minha carreira de advogado.

– Eu esqueci o meu revólver – eu disse.

– Você vai ficar bem. Há centenas de voluntários *pro bono* nesta cidade. Nunca ouvi dizer que um deles tenha sido maltratado.

– É bom ouvir isso. – Estávamos em movimento outra vez, mais ou menos seguros.

– Cerca de metade dessa gente tem problemas com drogas, como seu amigo DeVon Hardy. É muito comum.

– O que você pode fazer por eles?

– Não muito, infelizmente. Existem ainda alguns programas, mas é difícil arranjar um leito. Conseguimos pôr Hardy num programa de recuperação para veteranos, mas ele saiu. Só o viciado resolve quando quer largar o vício.

– Qual é a droga mais usada?

– Álcool. É a mais barata. Muito crack, porque também é barato. Você vê de tudo, mas as drogas de "grife" são muito caras.

– Qual vai ser meu primeiro caso?

– Está ansioso, não está?

– Estou e não tenho a menor idéia.

– Relaxe. O trabalho não é complicado, exige paciência. Você vai encontrar uma pessoa que não está recebendo algum benefício, provavelmente vales-refeição. Um divórcio. Alguém com uma queixa contra o senhorio. Uma disputa trabalhista no emprego. Pode estar certo de encontrar um processo criminal.

– De que tipo?

– Coisa pequena. A tendência nas grandes cidades é para criminalizar os sem-teto. Elas aprovaram todo tipo de leis para perseguir os que vivem nas ruas. Não podem esmolar, não podem dormir nos bancos, não podem acampar debaixo de uma ponte, não podem guardar objetos de uso pessoal num parque, não podem sentar na calçada, não podem comer em público. Muitas dessas leis foram revogadas nos tribunais. Abraham fez um belo trabalho convencendo os juízes federais de que essas leis viciadas infringem os direitos da Primeira Emenda. Assim, as cidades procuram fazer vigorar as leis gerais, como ociosidade, vadiagem, embriaguez pública. O alvo são os sem-teto. Um cara bem vestido se embriaga num bar e urina numa viela, tudo bem. Um sem-teto urina na mesma viela e é preso por urinar em público. As varreduras são comuns.

– Varreduras?

– Sim. Eles escolhem uma área da cidade, varrem todos os sem-teto e os jogam em outro lugar. Atlanta fez isso antes dos Jogos Olímpicos – não podiam ter toda aquela gente pedindo esmola e dormindo nos bancos na frente de todo o mundo – então mandaram os S.S. e eliminaram o problema. Depois a cidade se gabava da sua beleza.

– Onde eles os puseram?

– Pode estar certo de que não os levaram para albergues porque em Atlanta não há nenhum. Simplesmente os mudaram de lugar, jogando-os em outras partes da cidade, como esterco. – Um rápido gole de café enquanto ajustava o aquecimento – nenhuma das mãos na direção, por cinco segundos. – Lembre-se, Michael, todos precisam estar em algum lugar. Essa gente não tem alternativas. Se você tem fome, você pede comida. Se está cansado, dorme onde quer que encontre um bom lugar. Se você não tem casa, tem de viver em algum lugar.

– Eles são presos?

– Todos os dias e é uma política pública idiota. Imagine um cara que vive nas ruas, entrando e saindo de albergues, trabalhando em algum lugar por salário mínimo, tentando do melhor modo possível melhorar na vida e se tornar auto-suficiente. Então ele é preso por dormir debaixo de uma ponte. Ele não quer dormir debaixo da ponte, mas todo mundo tem de dormir em algum lugar. Ele é culpado porque o conselho da prefeitura, com seu brilhantismo, transformou em crime o fato de não se ter onde morar. Ele tem de pagar trinta dólares para sair da cadeia, e mais trinta para a fiança. Sessenta saídos de um bolso quase vazio. Aí o cara é chutado para mais um ponto abaixo na escala social. Foi preso, humilhado, multado, punido e supostamente deve reconhecer o horror dos seus atos e procurar uma casa. Sair das malditas ruas. Isso acontece na maioria das nossas cidades.

– Ele não estaria melhor na cadeia?

– Você esteve em alguma cadeia ultimamente?

– Não.

– Não vá. Os policiais não são treinados para lidar com os sem-teto, especialmente com os doentes mentais e viciados. As prisões estão superlotadas. O sistema de justiça parece um pesadelo e perseguir os sem-teto só serve para sobrecarregar mais ainda o trabalho dos tribunais. E agora vem a parte mais cretina: custa vinte e cinco por cento a mais, por dia, manter uma pessoa na cadeia do que dar albergue, alimento, transporte e aconselhamento. Esses casos, é claro, teriam um benefício a longo prazo. Vinte e cinco por cento. E isso não inclui as custas da prisão e do processo. A maioria das prefeituras está falida de qualquer modo, especialmente a da capital – por isso estão fechando os albergues, lembre-se disso – porém gastam dinheiro transformando os sem-teto em criminosos.

– Parece material para um processo judicial – eu disse, embora ele não precisasse de encorajamento.

– Estamos processando como loucos. Advogados em todo o país estão atacando essas leis. As malditas prefeituras estão gastando mais com honorários de advogados do que na construção de abrigos para os sem-teto. Você tem de amar este país. Nova York, a cidade mais rica do mundo, não pode dar casas ao seu povo, por isso ele dorme nas ruas e pede esmolas na Quinta Avenida e isso ofende a sensibilidade dos nova-iorquinos, por isso eles elegem Rudy não sei do quê, que promete limpar as ruas e ele faz com que seu conselho da cidade declare fora-da-lei o sem-teto, sem mais nem menos – não podem pedir esmolas, não podem sentar na calçada, não podem ser sem-teto – e eles cortam orçamentos a torto e a direito, fecham albergues e cortam subvenção para assistência e ao mesmo tempo gastam uma fortuna com advogados de Nova York para defendê-los do ato de tentar eliminar os pobres.

– Qual é a situação em Washington?

– Não tão ruim quanto a de Nova York, mas não muito melhor, infelizmente. Estivemos numa parte da cidade por onde duas semanas atrás eu não teria passado nem com um tanque de guerra em plena luz do dia. As fachadas das lojas tinham grades de ferro, os prédios de apartamentos eram estruturas altas e sem vida com roupa estendida nas janelas. Todos de tijolo cinzento, com a arquitetura anônima do dinheiro federal dado às pressas.

– Washington é uma cidade de negros – ele continuou – com uma grande classe de dependentes do governo. Atrai muita gente que quer uma mudança, uma porção de ativistas e radicais. Pessoas como você.

– Não sou ativista nem radical.

– É, segunda-feira de manhã. Pense onde você esteve todas as manhãs de segunda-feira nos últimos sete anos.

– Sentado à minha mesa.

– Uma bela mesa.

– Sim.

– No seu escritório elegante.

– Sim.

Olhou para mim com um largo sorriso e disse:

– Você é agora um radical.

E com isso concluiu minha orientação.

Um pouco adiante à direita estava um grupo de homens com várias camadas de roupa, em volta de um fogão portátil, a gás, numa esquina. Mordecai parou o carro junto à calçada ao lado deles. O prédio fora construído para uma loja de departamentos, há muitos, muitos anos. Um aviso pintado a mão dizia: Casa Samaritana.

– É um albergue particular – Mordecai disse. – Noventa leitos, comida decente, fundado por uma coalizão de igrejas em Arlington. Há seis anos trabalhamos aqui.

Um furgão de um banco de alimentos estava parado na porta. Voluntários descarregavam caixas de legumes e frutas. Mordecai falou com um homem idoso que trabalhava na porta e entramos.

– Vou mostrar o lugar rapidamente – Mordecai disse. Eu fiquei perto dele enquanto andávamos pelo andar principal. Era um labirinto de corredores curtos, todos com quartos dos dois lados, separados por divisórias não pintadas. Cada aposentado tinha uma porta com fechadura. Um estava aberto. Mordecai olhou para dentro e disse: – Bom dia.

Um homenzinho com olhos esbugalhados estava sentado numa cama, olhando para nós, sem dizer nada.

– Este é um bom quarto – Mordecai disse. – Tem privacidade, uma boa cama, lugar para guardar as coisas e eletricidade. – Apertou o interruptor ao lado da porta e a lâmpada do teto apagou. O quarto ficou mais escuro por um segundo e então ele acendeu a luz outra vez. Os olhos esbugalhados não fizeram o menor movimento.

O quarto não tinha teto, o telhado velho da antiga loja ficava dez metros acima.

– E banheiro? – perguntei.

– Ficam todos nos fundos. Poucos albergues têm banheiros individuais. Tenha um bom dia – ele disse para o homem, que respondeu com uma inclinação da cabeça.

Havia rádios ligados, alguns com música, outros com noticiário, pessoas passando. Era manhã de segunda-feira, eles tinham empregos e coisas para fazer.

– É difícil conseguir um quarto aqui? – perguntei, sabendo a resposta.

– Quase impossível. A lista de espera tem um quilômetro de comprimento e o albergue pode escolher os pretendentes.

– Por quanto tempo eles ficam aqui?

– Varia. Três meses é provavelmente uma boa média. Este é um dos melhores albergues, por isso aqui estão seguros.

Assim que estabilizam sua vida, o albergue começa a procurar uma moradia que possam pagar.

Ele me apresentou a uma jovem com botas negras de combate, que dirigia o albergue.

– Nosso novo advogado – foi como ele me descreveu.

Ela me deu as boas-vindas ao albergue. Os dois começaram a falar sobre um cliente que tinha desaparecido e eu segui pelo corredor até encontrar a seção das famílias. Ouvi choro de criança e fui até uma porta que estava aberta. O quarto era pouco maior e dividido em cubículos. Uma mulher forte que não devia ter mais de vinte e cinco anos estava sentada numa cadeira, nua da cintura para cima, amamentando um bebê, e não se abalou quando me viu na porta. Duas crianças pequenas brincavam numa cama. O rádio tocava música rap.

A mulher pôs a mão em concha debaixo do seio que estava livre e o levantou um pouco, num gesto de oferecimento. Voltei apressadamente para o corredor e encontrei Mordecai.

Clientes nos esperavam. Nosso escritório ficava num canto do refeitório, perto da cozinha. Nossa mesa de armar era emprestada pelo cozinheiro. Mordecai abriu com a chave um arquivo no canto e nosso escritório estava aberto. Seis pessoas estavam sentadas numa fila de cadeiras encostadas na parede.

– Quem é o primeiro? – ele perguntou e uma mulher se adiantou, levando sua cadeira. Sentou na frente dos seus advogados, os dois com caneta e bloco de anotações, um o experiente veterano dos direitos dos sem-teto, o outro sem a menor idéia do que ia fazer.

O nome dela era Waylene, idade, vinte e sete, dois filhos, sem marido.

– A metade geralmente é do albergue – Mordecai disse, enquanto tomávamos notas. – A outra metade é das ruas.

– Aceitamos qualquer um?

– Qualquer um que não tenha onde morar.

O problema de Waylene era simples. Trabalhava numa lanchonete de onde saiu por algum motivo que Mordecai considerou irrelevante e os empregadores deviam a ela dois pagamentos. Como não tinha endereço fixo, o empregador havia mandado os cheques ao lugar errado. Os cheques desapareceram, o empregador não tomou nenhuma providência.

– Onde você vai estar na próxima semana? – Mordecai perguntou.

Waylene não tinha certeza. Talvez aqui, talvez ali. Estava procurando emprego e, se encontrasse, outras coisas poderiam acontecer e talvez ela fosse morar com alguém, ou sozinha.

– Vou receber seu dinheiro e mandar entregar os cheques no meu escritório. – Deu a ela seu cartão. – Telefone para este número dentro de uma semana.

Ela pegou o cartão, agradeceu e saiu apressada.

– Telefone para a lanchonete, identifique-se como advogado dela, seja gentil a princípio, depois grite se eles não quiserem cooperar. Se for necessário, passe pela lanchonete e apanhe o cheque pessoalmente.

Escrevi as instruções no meu bloco de anotações como se fossem complicadas. A lanchonete devia duzentos e dez dólares a Waylene. O último caso no qual eu tinha trabalhado na Drake & Sweeney foi uma disputa antitruste com novecentos milhões em jogo.

O segundo cliente não apresentou nenhum problema legal específico. Ele só queria conversar com alguém. Estava bêbado ou sofria de alguma doença mental, provavelmente as duas coisas, e Mordecai o levou até a cozinha para uma xícara de café.

– Alguns deles não resistem quando vêem uma fila – ele disse.

A terceira estava morando no albergue há dois meses, portanto não havia o problema do endereço. Tinha cinqüenta e oito anos e era viúva de um veterano, limpa e decentemente vestida. De acordo com a pilha de papéis que eu examinei, enquanto o meu companheiro falava com ela, a mulher tinha direito à pensão do marido. Mas os cheques estavam sendo enviados a uma conta bancária em Maryland, à qual ela não tinha acesso. Ela explicou isso. Os documentos comprovavam. Mordecai disse:

– Vamos fazer com que os cheques sejam enviados para a Agência dos Veteranos, que é muito boa.

A fila crescia à medida que trabalhávamos. Mordecai já tinha visto tudo aquilo antes: vales-refeição que não eram enviados por falta de endereço fixo, um proprietário que se recusava a devolver o depósito, falta de pagamento de pensão para filhos, um mandado de prisão por causa de cheques sem fundo, um requerimento ao Seguro Social para auxílio por invalidez. Passei para a ponta da mesa e comecei a entrevistar também. No meu primeiro dia de advogado dos pobres eu estava por minha conta, tomando notas e atuando com a mesma importância que meu colega.

Marvis foi meu primeiro cliente. Ele precisava de um divórcio. Eu também. Depois de ouvir sua triste história, tive vontade de correr para casa e beijar os pés de Claire. A mulher de Marvis era prostituta, uma mulher decente até descobrir o crack. O crack a levou a um traficante, depois a um cafetão, depois à vida nas ruas. Durante esse percurso ela roubou e vendeu tudo que eles tinham e fez dívidas em nome dele. Marvis foi à falência. Ela foi morar com o cafetão e levou os dois filhos do casal.

Marvis fez algumas perguntas de ordem geral sobre o processo do divórcio e como eu só conhecia os procedimentos básicos, expliquei do melhor modo possível. Enquanto tomava notas, imaginei Claire no escritório elegante de uma boa advogada naquele momento, finalizando os planos para dissolver nossa união.

– Quanto tempo vai demorar? – ele perguntou, trazendome de volta à realidade.

– Seis meses – respondi. – Acha que ela vai contestar?

– Como assim?

– Acha que ela vai concordar com o divórcio?

– Nós não falamos sobre isso.

A mulher tinha saído de casa há um ano e isso me parecia um bom caso de abandono de lar. Com o agravante do adultério, achei que o caso seria uma barbada.

Marvis estava há uma semana no albergue, sóbrio e procurando trabalho. Eu gostei da meia hora que passei com ele e prometi a mim mesmo conseguir seu divórcio.

A manhã passou rapidamente, meu nervosismo desapareceu. Eu estava estendendo a mão para ajudar pessoas reais com problemas reais, pessoas sem importância, sem outro lugar para conseguir um representação legal. Elas se sentiam intimidadas, não só por mim, mas também pelo vasto mundo das leis e regulamentos e tribunais e burocracia. Eu aprendi a sorrir e a fazer com que se sentissem à vontade. Algumas pediam desculpas por não poder me pagar. O dinheiro não era importante, eu dizia. O dinheiro não era importante.

Ao meio-dia, devolvemos nossa mesa para o almoço. O refeitório estava cheio, a sopa pronta.

Como estávamos nas vizinhanças, paramos no Grill da avenida Flórida. Eu era o único branco no restaurante lotado, mas começava a me adaptar à diferença. Ninguém tentou me matar até aquele momento. Ninguém parecia se importar.

Sofia encontrou um telefone que funcionava. Estava debaixo de uma pilha de pastas, na mesa perto da porta. Eu agradeci e me retirei para a privacidade do meu escritório. Contei oito pessoas sentadas, quietas, esperando que Sofia, a leiga, tivesse tempo de dispensar seus conselhos. Mordecai sugeriu que eu passasse a tarde trabalhando nos casos anotados naquela manhã na Samaritana. Eram dezenove. Ele insinuou também que eu devia trabalhar com afinco para ter tempo de ajudar Sofia no atendimento.

Se eu cheguei a pensar que o ritmo seria mais lento com os sem-teto, estava enganado. De repente eu estava atolado nos problemas dos outros. Felizmente, com meu histórico de viciado em trabalho e com alto nível de concentração, consegui dar conta do recado.

Porém, meu primeiro telefonema foi para a Drake & Sweeney. Pedi para falar com Hector Palma, na divisão de bens imóveis, e me puseram na espera. Eu desliguei depois de cinco minutos e liguei outra vez. Finalmente uma secretária atendeu e me deixou na espera novamente. A voz cortante de Braden Chance soou de repente no meu ouvido.

– Posso ajudá-lo?

Eu engoli em seco e disse:

– Sim, eu estava esperando para falar com Hector Palma. – Tentei disfarçar a voz.

– Quem está falando? – ele quis saber.

– Rick Hamilton, um velho amigo da escola.

– Ele não trabalha mais aqui. Desculpe. – Chance desligou e eu fiquei olhando para o telefone. Pensei em telefonar para Polly e pedir para verificar o que tinha acontecido com Hector. Ela não demoraria a descobrir. Ou talvez Rudolph, ou Barry Nuzzo, ou meu paralegal favorito. Então lembrei que eles não eram mais meus amigos. Eu não estava mais lá. Eu era área proibida. Eu era o inimigo. Eu era encrenca e os poderosos os proibiam de falar comigo.

Encontrei três Hector Palma no catálogo. Eu ia telefonar mas as linhas estavam ocupadas. A clínica tinha duas linhas e quatro advogados.

Dezenove

Eu não estava com pressa de sair da clínica no fim do meu primeiro dia. Minha casa era um sótão vazio, não muito maior do que qualquer um dos três cubículos da Casa Samaritana. Minha casa era um quarto sem cama, uma sala de estar com televisão de canais abertos, uma cozinha com uma mesa de jogo e sem geladeira. Eu tinha planos vagos e distantes para mobiliar e decorar.

Sofia saiu às cinco em ponto, como sempre fazia. Morava num bairro perigoso e preferia estar em casa com as portas trancadas quando a noite chegava. Mordecai saiu mais ou menos às seis, depois de discutir comigo durante trinta minutos os problemas do dia. Não fique até muito tarde, ele avisou, e de preferência não saia sozinho. Ele sabia que Abraham e Lebow iam trabalhar até as nove e sugeriu que eu saísse com eles. Deixe o carro perto. Ande depressa. Esteja alerta para tudo.

– Então, o que você acha? – ele perguntou, parando na porta, antes de sair.

– Achei um trabalho fascinante. O contato humano é muito estimulante.

– Às vezes corta o coração.

– Isso já aconteceu.

– Ótimo. Se chegar a um ponto em que não sente mais nada, está na hora de desistir.

– Eu mal comecei.

– Eu sei e é bom ter você conosco. Estávamos precisando de um branco por aqui.

– Então fico feliz por ser uma mascote.

Ele saiu e eu fechei a porta. Eu havia percebido uma política tácita de portas abertas. Sofia trabalhava numa área aberta e durante toda a tarde eu me diverti ouvindo Sofia descompor um burocrata após o outro pelo telefone, falando alto, para toda a clínica ouvir. Mordecai era um animal no telefone, com a voz profunda e grave rugindo, fazendo todo tipo de exigências e ameaças terríveis. Abraham era muito mais tranqüilo, mas sua porta estava sempre aberta.

Uma vez que eu não sabia ainda o que estava fazendo, preferia manter a minha fechada. Tinha certeza de que eles seriam pacientes.

Telefonei para os três Hector Palma do catálogo. O primeiro não era o Hector que eu queria. O segundo telefonema ninguém atendeu. O terceiro era a secretária eletrônica do verdadeiro Hector Palma. A mensagem era seca: Não estamos em casa. Deixe seu recado. Retornaremos seu telefonema.

Era a voz dele.

Com seus recursos infinitos, a firma tinha muitos meios de esconder Hector Palma. Oitocentos advogados, 170 paralegais, escritórios em Washington, Nova York, Chicago, Los Angeles, Portland, Palm Beach, Londres e Hong Kong. Eram espertos demais para despedi-lo porque ele sabia demais. Ele ia ganhar o dobro do que ganhava, ia ser promovido e transferido para outro escritório em outra cidade, com um apartamento maior.

Eu anotei o endereço do catálogo. Se a secretária estava ainda funcionando, talvez ele não tivesse mudado ainda. Com meu conhecimento recém-adquirido das ruas, tinha certeza de que podia encontrá-lo.

Bateram de leve na porta que se abriu no meio da batida. A fechadura e a maçaneta eram velhas e frouxas e a porta fechava, mas sem trinco. Era Abraham.

– Tem um minuto? – ele perguntou, sentando-se.

Era sua visita de cortesia, seu modo de dizer alô. Abraham era um homem calmo e distante com uma intensa aura de inteligência que seria intimidadora se eu não tivesse passado os últimos sete anos num prédio com quatrocentos advogados de todas as categorias e tipos. Eu havia conhecido uma dúzia de Abrahams, homens arredios e sérios, que davam pouca atenção às conveniências sociais.

– Eu queria dar as boas-vindas – ele disse e imediatamente se lançou a uma calorosa explicação do motivo da sua escolha do direito público. Era um homem da classe média do Brooklyn, escola de direito da Universidade de Colúmbia, três anos horríveis numa firma de Wall Street, quatro anos em Atlanta, com um grupo que combatia a pena de morte, dois anos frustrantes no Capitólio, até o dia em que um anúncio numa revista de direito, pedindo um advogado para a Clínica de Advocacia na rua 14 chamou sua atenção.

– O direito é uma vocação nobre – ele disse. – É mais do que ganhar dinheiro. – Então fez outro discurso, uma catilinária contra as grandes firmas e os advogados que ganhavam milhões de dólares. Um amigo dele do Brooklyn estava ganhando dez milhões por ano processando empresas de implante de seios, de costa a costa. – Dez milhões de dólares por ano! Dá para abrigar e alimentar todos os sem-teto da capital!

Em resumo, ele estava feliz por eu ter visto a luz e sentia muito o episódio com Senhor.

– Especificamente, o que você faz? – eu perguntei, gostando da conversa. Ele era entusiasmado e inteligente, com um vasto vocabulário que me deixava tonto.

– Duas coisas. Política. Trabalho com outros advogados para elaborar a legislação. E dirijo a parte de litígios, geralmente ações de classe. Processamos o Departamento do Comércio porque o número dos sem-teto foi falsificado no censo. Processamos o sistema escolar da capital por recusar a admissão dos filhos dos sem-teto. Nós processamos como uma classe porque o governo erroneamente revogou vários milhares de subsídios de moradia sem processo legal adequado. Atacamos muitos dos estatutos designados para criminalizar os sem-teto. Nós processamos quase qualquer coisa quando os sem-teto estão sendo prejudicados.

– Isso é complicado.

– Sim, é, mas felizmente, aqui na capital temos uma porção de bons advogados dispostos a ceder seu tempo. Eu sou o treinador. Eu faço o plano do jogo, reúno o time, depois determino as jogadas.

– Você não entrevista clientes?

– Ocasionalmente. Mas trabalho melhor quando estou na minha salinha, ali, sozinho. Por isso estou feliz por você estar aqui. Precisamos de ajuda com o movimento dos clientes.

Ele se levantou de repente, a conversa tinha acabado. Combinamos sair às nove em ponto e ele se foi. No meio de um dos seus discursos, notei que ele não usava aliança.

O direito era sua vida. O velho ditado de que o direito é uma amante ciumenta passava a um novo nível com pessoas como Abraham e eu.

O direito era tudo que tínhamos.

A polícia local esperou até quase uma hora da manhã e então atacou como unidades de assalto. Tocaram a campainha e imediatamente começaram a dar socos na porta. Durante o tempo que Claire precisou para se orientar, levantar da cama e vestir alguma coisa sobre o pijama, estavam dando pontapés na porta, prontos para arrombá-la. "Polícia", disseram, depois da sua pergunta apavorada. Claire abriu a porta devagar e recuou horrorizada quando quatro homens – dois uniformizados, dois à paisana – entraram como se suas vidas estivessem em perigo.

– Para trás! – um deles ordenou.

Claire estava paralisada.

– Para trás! – ele berrou.

Bateram a porta da frente. O líder, tenente Gasko, com um terno barato e muito justo, adiantou-se e tirou alguns papéis dobrados do bolso.

– A senhora é Claire Brock? – ele perguntou com a pior imitação do detetive Columbo.

Ela fez que sim com a cabeça, boquiaberta.

– Eu sou o tenente Gasko. Onde está Michael Brock?

– Ele não mora mais aqui – ela conseguiu murmurar.

Os outros três estavam perto, prontos para atacar qualquer coisa.

De jeito nenhum Gasko ia acreditar naquilo. Mas não tinha um mandado de prisão, apenas um mandado de busca.

– Tenho um mandado de busca para este apartamento, assinado pelo juiz Kisner às cinco horas desta tarde. – Desdobrou os papéis e os estendeu abertos para Claire ver, como se ela pudesse ler a letra miúda daquela distância.

– Por favor, afaste-se – ele disse.

Claire recuou mais ainda.

– O que estão procurando? – ela perguntou.

– Está tudo escrito aí – Gasko disse, jogando os papéis sobre o balcão da cozinha.

Os quatro começaram a revistar o apartamento.

O celular estava perto da minha cabeça e do travesseiro, no chão, na abertura do meu saco de dormir. Era a terceira noite que eu dormia no chão, uma parte do esforço para me identificar com meus clientes. Eu estava comendo pouco, dormindo menos ainda, tentando fazer uma avaliação dos bancos de parques e calçadas. O lado esquerdo do meu corpo estava roxo até o joelho, extremamente dolorido e eu dormia só do lado direito.

Era um pequeno preço para pagar. Eu tinha um teto, calor, uma porta trancada, um emprego, a segurança das refeições no dia seguinte, o futuro.

Encontrei o celular e atendi.

– Alô.

– Michael! – Claire disse em voz baixa e sibilante. – A polícia está revistando o apartamento.

– O quê?

– Estão aqui agora. Quatro deles, com um mandado de busca.

– O que eles querem?

– Estão procurando uma pasta.

– Chego aí em dez minutos.

– Por favor, venha depressa.

Entrei no apartamento como um possesso. Por acaso Gasko foi o primeiro tira que encontrei.

– Eu sou Michael Brock. Quem é você?

– Tenente Gasko – ele disse com um sorriso desdenhoso.

– Quero ver sua identificação. – Virei para Claire, que estava encostada na geladeira com uma xícara de café. – Veja uma folha de papel – eu disse para ela.

Gasko tirou a insígnia do bolso do paletó e a ergueu bem alto para que eu visse.

– Larry Gasko – eu disse. – Você vai ser a primeira pessoa a ser indiciada num processo judicial, às nove horas desta manhã. Agora, quem mais está com você?

– Tem mais três – Claire disse, me entregando o papel. – Acho que estão nos quartos.

Fui para o fundo do apartamento com Gasko atrás de mim e Claire atrás dele. Vi um policial à paisana no quarto de hóspedes, de quatro, olhando debaixo da cama.

– Quero ver sua identificação – gritei para ele.

O homem ergueu-se rapidamente, pronto para lutar. Dei um passo para ele, rilhei os dentes e disse:

– Sua identificação, seu cretino.

– Quem é você? – ele perguntou, dando um passo para trás, olhando para Gasko.

– Michael Brock. Quem é você?

Ele mostrou a insígnia.

– Darrell Clark – anunciei em voz alta e anotei o nome. – Acusado número dois.

– Você não pode me processar – ele disse.

– Espere só para ver, rapaz. Dentro de oito horas, na corte federal, vou processá-lo em um milhão de dólares por busca ilegal. E vou ganhar e conseguir um julgamento, depois persegui-lo até você pedir falência.

Os outros dois policiais apareceram saindo do meu quarto e os quatro me cercaram.

– Claire – eu disse. – Apanhe a câmara de vídeo, por favor. Quero tudo isto gravado.

Ela entrou no quarto.

– Temos um mandado assinado por um juiz – Gasko disse, um pouco na defensiva. Os outros três deram um passo à frente para fechar o círculo.

– O mandado de busca é ilegal – eu disse, secamente. – As pessoas que o assinaram serão também processadas. Cada um de vocês vai ser processado. Vão ficar de licença, provavelmente sem remuneração, e terão de enfrentar um processo judicial.

– Nós temos imunidade – Gasko disse, olhando para os companheiros.

– Uma ova que têm.

Claire voltou com a câmara.

– Você disse a eles que eu não moro aqui? – eu perguntei.

– Disse – Claire respondeu e encostou a câmara no olho.

– Mesmo assim vocês continuaram a busca. Nesse momento ela se tornou ilegal. Deviam saber que tinham de parar, mas é claro que então não teria nenhuma graça, certo? É muito mais divertido vasculhar as coisas dos outros. Vocês tiveram uma chance e a deixaram escapar. Agora terão de arcar com as conseqüências.

– Você é biruta – Gasko disse.

Eles tentavam não demonstrar que estavam com medo, mas sabiam que eu era advogado. Não tinham me encontrado no apartamento, portanto talvez eu soubesse do que estava falando. Eu não sabia. Mas naquele momento, soava muito bem.

O gelo da legalidade sobre o qual eu patinava era muito fino.

Ignorei a observação do tenente.

– Seus nomes, por favor – eu disse para os dois policiais uniformizados. Eles mostraram as insígnias. Ralph Lilly e Robert Blower. – Obrigado – eu disse como um consumado sabe-tudo. – Vocês serão os acusados número três e quatro. Agora, por que não vão embora?

– Onde está a pasta? – Gasko perguntou.

– A pasta não está aqui porque eu não moro aqui. É por isso que vocês vão ser processados, tenente Gasko.

– Eu estou sempre sendo processado. Não é nada demais.

– Ótimo. Quem é o seu advogado?

Ele não conseguiu dizer o nome na crucial fração de segundo que se seguiu. Eu fui até a sala e eles me seguiram com relutância.

– Vão embora – eu disse. – A pasta não está aqui.

Claire estava filmando e gravando tudo e eles procuravam diminuir ao mínimo possível a agressividade. Blower resmungou alguma coisa sobre advogados quando estavam indo para a porta.

Depois que eles saíram eu li o mandado. Claire me observava, tomando café na mesa da cozinha. Passado o choque da busca, ela estava outra vez calma, até mesmo fria. Não ia admitir que tinha ficado assustada, não se permitiria parecer nem um pouco vulnerável e certamente não ia dar a impressão de que precisava de mim de qualquer modo.

– O que tem na pasta? – ela perguntou.

Na verdade, ela não queria saber. O que Claire queria era a garantia de que aquilo não ia acontecer outra vez.

– É uma longa história. – Em outras palavras, não pergunte. Ela compreendeu.

– Você vai mesmo processá-los?

– Não. Não existe base para um processo. Eu só queria me livrar deles.

– Funcionou. Eles podem voltar?

– Não.

– É bom ouvir isso.

Dobrei o mandado e guardei no bolso. Era válido apenas para um item – a pasta RiverOaks/TAG, que naquele momento estava escondida nas paredes do meu novo apartamento junto com a cópia.

– Você disse a eles onde eu moro? – perguntei.

– Eu não sei onde você mora – ela respondeu.

Então, houve um espaço de tempo durante o qual seria apropriado ela perguntar meu endereço. Claire não perguntou.

– Sinto muito que isso tenha acontecido, Claire.

– Tudo bem. Prometa que não vai acontecer outra vez.

– Eu prometo.

Eu saí sem um abraço, sem um beijo, sem nenhum contato físico. Simplesmente disse boa-noite e saí do apartamento. Era exatamente o que ela queria.

Vinte

Terça-feira era o dia de coletar informações na Comunidade para a Não-violência Criativa, ou CCNV, de longe o maior albergue da cidade. Mais uma vez Mordecai dirigiu o carro. Seu plano era me acompanhar durante a primeira semana, depois me soltar na cidade.

Minhas ameaças e advertências a Barry Nuzzo não foram ouvidas. A Drake & Sweeney queria fazer jogo duro e isso não devia ser surpresa para mim. Aquela batida antes do nascer do dia no meu antigo apartamento era um aviso grosseiro do que estava para vir. Eu tinha de contar a verdade para Mordecai.

Assim que entramos no carro e ele ligou o motor, eu disse:

– Minha mulher e eu estamos separados. Eu saí do apartamento.

O pobre homem não estava preparado para esse tipo de notícia às oito horas da manhã.

– Eu sinto muito – ele disse, olhando para mim e quase atropelando um homem que atravessava a rua fora da faixa.

– Não se preocupe. Esta manhã a polícia invadiu o apartamento onde eu morava à minha procura e especificamente à procura de uma pasta que eu apanhei quando saí da firma.

– Que tipo de pasta?

– O dossiê DeVon Hardy e Lontae Burton.

– Estou ouvindo.

– Como sabemos, DeVon Hardy fez reféns e foi morto porque a Drake & Sweeney o despejou da sua casa. Foi despejado com dezesseis outros e algumas crianças. Lontae e sua pequena família faziam parte do grupo.

Mordecai pensou por um momento e depois disse:

– Esta é uma cidade muito pequena.

– O armazém abandonado ficava num terreno que a RiverOaks pretendia usar para construir uma agência dos correios. É um projeto de vinte milhões de dólares.

– Conheço o prédio. Sempre foi usado pelos sem-teto.

– Acontece que eles não eram invasores, pelo menos acho que não eram.

– Está supondo? Ou tem certeza?

– Por enquanto, estou supondo. O dossiê foi alterado, papéis retirados, papéis acrescentados. Um paralegal chamado Hector Palma tratou do trabalho sujo, das visitas ao local e do despejo e se tornou meu informante. Mandou um bilhete anônimo informando que o despejo foi ilegal. Ele me deu as chaves para abrir o arquivo. Desde ontem ele não trabalha mais no escritório aqui da capital.

– Onde ele está?

– Eu gostaria de saber.

– Foi ele quem deu as chaves?

– Ele não entregou pessoalmente. Deixou na minha mesa, com instruções.

– E você usou?

– Sim.

– Para roubar uma pasta?

– Eu não pretendia roubar. Estava indo para a clínica para tirar cópia quando um idiota avançou o sinal e me mandou para o hospital.

– Foi a pasta que você apanhou no seu carro?

– Exatamente. Eu ia tirar uma cópia e levar de volta ao arquivo, na Drake & Sweeney, e ninguém jamais ficaria sabendo.

– Eu questiono a sensatez disso. – Ele queria me chamar de cretino idiota, mas nosso relacionamento era muito recente para isso. – O que está faltando no dossiê?

Fiz um relato sucinto da história da corrida da RiverOaks para construir a agência dos correios.

– A pressão era para conseguir o terreno rapidamente. Palma foi ao armazém na primeira vez e foi assaltado. Memorando na pasta. Ele voltou com um guarda e esse memorando está faltando. Foi registrado na ata do dossiê, depois retirado, provavelmente por Braden Chance.

– Então, o que diz o memorando?

– Eu não sei. Mas tenho a impressão de que Hector inspecionou o armazém, encontrou os sem-teto nos apartamentos provisórios, falou com eles e ficou sabendo que estavam pagando aluguel para Tillman Gantry. Não eram invasores, mas inquilinos, com direito a toda a proteção da lei do inquilinato. A essa altura, a turma da demolição estava a caminho, o negócio tinha de ser fechado, Gantry ia ganhar uma nota com a venda, por isso o memorando foi ignorado e o despejo executado.

– Havia dezessete pessoas.

– Sim, e algumas crianças.

– Você sabe os nomes dos outros?

– Sei. Alguém, acho que Palma, me deu uma lista. Deixou na minha mesa. Se pudermos encontrar essas pessoas, teremos testemunhas.

– Talvez. O mais provável, porém, é que Gantry os tenha ameaçado. Ele é um homem perigoso com uma arma perigosa, gosta de bancar o chefão da máfia. Quando ele manda calar a boca, todos obedecem, do contrário vão ser pescados de algum rio.

– Mas você não tem medo dele, tem, Mordecai? Vamos procurá-lo, dar um aperto nele, ele vai ceder e nos contar tudo.

– Você passou muito tempo nas ruas, certo? Contratei um cretino idiota.

– Ele vai correr quando nos vir.

O humor não estava funcionando àquela hora. Nem o aquecimento do carro, embora o ventilador estivesse girando a toda velocidade. O carro estava gelado.

– Quanto Gantry recebeu pelo prédio? – ele perguntou.

– Duzentos mil. Ele o tinha comprado há seis meses. Não há registro de quanto pagou.

– De quem ele comprou?

– Da prefeitura. Estava abandonado.

– Deve ter pagado uns cinco mil. Dez, no máximo.

– Um bom negócio.

– Muito bom. Para Gantry significa um progresso considerável. Seus negócios sempre foram pequenos – apartamentos baratos, lavadoras de carros e pequenas lanchonetes, empreendimentos insignificantes.

– Por que ele ia comprar o armazém e fazer apartamentos baratos para alugar?

– Dinheiro. Digamos que ele pagou cinco mil, e gastou mais mil para levantar algumas paredes e instalar uns dois banheiros. Ele manda ligar a luz e está no negócio. A notícia se espalha, os candidatos aparecem, ele cobra cem dólares por mês, pagos unicamente em dinheiro. De qualquer modo, seus inquilinos não se preocupam com documentos. Ele mantém a aparência de local abandonado, assim, se a prefeitura aparecer, pode dizer que é só um bando de invasores. Promete expulsá-los, mas não pretende fazer isso. Isso acontece todos os dias por aqui. Moradias ilegais.

Eu quase perguntei por que a prefeitura não interfere, fazendo cumprir as leis, mas felizmente desisti a tempo. A resposta estava nos buracos nas ruas, numerosos demais para serem evitados, na frota dos carros da polícia, perigosos demais para serem usados, nos tetos das escolas prestes a desabar, nos hospitais com pacientes enfiados em closets e nas quinhentas mães e crianças sem teto, que não encontravam um albergue. A cidade simplesmente não estava funcionando.

E um proprietário renegado, que realmente estivesse tirando essa gente das ruas, não parecia uma prioridade.

– Como você vai encontrar Hector Palma? – ele perguntou.

– Eu suponho que a firma é esperta demais para despedi-lo. Eles têm mais sete escritórios, e devem ter escondido Hector em um deles. Eu o encontrarei.

Estávamos no centro da cidade. Ele apontou e disse:

– Está vendo aqueles trailers amontoados ali? Aquela é a praça Mount Vernon.

O espaço ocupava meia quadra, com cerca alta para dificultar a vista do lado de fora. Os trailers tinham formas e tamanho diferentes, alguns dilapidados, todos velhos e usados.

– É o pior albergue da cidade. São antigos trailers do correio doados pelo governo à prefeitura que, por sua vez, teve a idéia brilhante de enchê-los de sem-teto. Ficam amontoados naqueles trailers como sardinhas em lata.

Na esquina da rua 2 com D, ele apontou para um prédio longo de três andares, onde moravam mil e trezentas pessoas.

A Comunidade para a Não-violência encontrou um colégio abandonado, construído com verba federal e ainda de propriedade do governo e o invadiu com seiscentos sem-teto. O colégio se transformou no quartel-general e no lar dos desabrigados. Vários esforços foram feitos para desalojá-los, todos em vão. Em 1984, Snyder fez greve de fome durante cinqüenta e um dias com o objetivo de chamar a atenção para a indiferença do governo para com o problema dos sem-teto. Faltando um mês para sua reeleição, o presidente Reagan ousadamente anunciou seu plano de transformar o prédio em um albergue modelo para os sem-teto. Snyder terminou a greve. Todo mundo estava feliz. Depois da eleição, Reagan renegou a promessa, o que deu início a uma série de processos abertos na justiça.

Em 1989, a prefeitura construiu um albergue na zona sudeste da cidade, distante do centro, e começou a planejar a remoção dos sem-teto da CCNV. Porém, a prefeitura descobriu que era difícil tratar com os sem-teto. Não queriam sair de onde estavam. Snyder anunciou que eles estavam pregando tábuas nas janelas e preparando-se para o cerco. Os boatos corriam à solta – oitocentos desabrigados estavam lá, tinham pilhas de armas, ia ser uma guerra.

A prefeitura recuou, alongando seus prazos, e conseguiu a paz. A CCNV chegou a ter mil e trezentos leitos. Mitch Snyder cometeu suicídio em 1990 e a cidade deu o nome dele a uma rua.

Eram quase oito e meia quando chegamos, uma hora em

que os residentes já deviam ter saído. Muitos estavam empregados, a maior parte saía durante todo o dia. Uns cem homens estavam parados na entrada, fumando e conversando, aproveitando a manhã fria depois do descanso da noite num lugar aquecido.

No primeiro andar, Mordecai falou com um supervisor dentro da "bolha". Mordecai assinou o livro e atravessamos o hall de entrada, desviando dos homens que passavam apressados. Eu tentei não notar a cor da minha pele, mas era impossível. Eu estava razoavelmente bem vestido, com paletó e gravata. Durante toda a vida sempre tive contato com a riqueza e estava agora à deriva num mar de negros – jovens homens durões das ruas, a maior parte fichada na polícia, poucos com mais de três dólares no bolso. Certamente um deles ia quebrar meu pescoço e roubar minha carteira. Evitei olhar para eles, concentrando-me no chão. Esperamos na ante-sala.

– Armas e drogas são automaticamente proibidas – Mordecai disse, olhando para os homens que desciam a escada. Eu me senti um pouco mais seguro.

– Você nunca fica nervoso aqui? – perguntei.

– Você se acostuma. – Era fácil para Mordecai dizer isso. Ele falava a língua deles.

Numa prancheta, ao lado da porta, estavam as assinaturas dos clientes para a clínica de advocacia. Mordecai a apanhou e examinamos os nomes dos nossos clientes. Treze até aquele momento.

– Um pouco abaixo da média – ele disse. Enquanto esperávamos a chave, ele explicou. – O correio fica ali. Uma coisa frustrante neste trabalho é manter contato com os clientes. Os endereços mudam a todo momento. Os bons albergues permitem que eles enviem e recebam correspondência. – Apontou para outra porta. – Ali são guardadas as roupas. Eles recebem de trinta a quarenta novos desabrigados por semana. O primeiro passo é o exame médico. A tuberculose é o que mais preocupa no momento. O segundo passo é uma visita a essa sala para três mudas de roupa – roupa de baixo, meias, tudo. Uma vez por mês, o cliente pode voltar para um novo estoque de roupas, de modo que no fim do ano estará com um guarda-roupa decente. Isso não é roupa velha. Eles recebem mais doações do que realmente precisam.

– Um ano?

– Sim. Eles os despedem no fim de um ano o que, a princípio, pode parecer injusto. Mas não é. O objetivo é a auto-suficiência. Quando a pessoa dá entrada, sabe que tem doze meses para se limpar, ficar sóbria, aprender alguma profissão e encontrar um emprego. A maior parte vai embora em menos de um ano. Alguns gostariam de ficar para sempre.

Um homem chamado Ernie apareceu com um imenso molho de chaves. Abriu a porta da sala de espera e desapareceu. Instalamos nossa clínica e nos preparamos para prestar serviço. Mordecai foi até a porta com a prancheta e chamou o primeiro da lista.

– Luther Williams.

Luther mal cabia na porta e a cadeira estalou quando sentou nela, de frente para nós. Estava com um uniforme verde de trabalho, meias brancas e sandálias de borracha cor-de-laranja. Ele trabalhava no turno da noite na sala de caldeiras do Pentágono. A namorada o deixou e levou tudo que ele tinha, depois fez uma porção de dívidas em nome dele. Luther perdeu o apartamento e envergonhava-se de estar no albergue.

– Eu só preciso de uma oportunidade – ele disse e fiquei com pena dele.

Luther tinha uma porção de contas para pagar. As agências de crédito estavam atrás dele. No momento, estava se escondendo na CCNV.

– Vamos pedir falência – Mordecai disse. Eu não tinha idéia de como se fazia uma falência. Balancei a cabeça afirmativamente. Luther pareceu satisfeito. Preenchemos os formulários durante vinte minutos, e ele foi embora feliz.

O cliente seguinte era Tommy, que deslizou graciosamente para dentro da sala e estendeu as mãos com esmalte vermelho nas unhas. Eu a apertei, Mordecai a ignorou. Tommy estava num programa de tempo integral de reabilitação de drogas – crack e heroína – e estava atrasado no pagamento do imposto. Há três anos não fazia declaração de imposto e o Fisco de repente descobriu a falha. Devia também uns dois mil de pensão para os filhos. Fiquei aliviado quando soube que ele era pai, fosse como fosse. O programa de reabilitação era intensivo – sete dias por semana – o que impossibilitava um emprego de tempo integral.

– Você não pode pedir falência para pensão de filhos, nem para impostos – Mordecai disse.

– Bem, não posso trabalhar por causa da reabilitação e se deixar a reabilitação volto para as drogas. Assim, se não posso trabalhar e não posso pedir falência, o que posso fazer?

– Nada. Não se preocupe com isso até terminar o programa de reabilitação e conseguir um emprego. Depois, procure Michael Brock aqui.

Tommy sorriu e piscou para mim, depois flutuou para fora da sala.

– Acho que ele gosta de você – Mordecai disse.

Ernie apareceu com outra folha com onze nomes. Já havia uma fila no lado de fora da porta. Passamos para a estratégia da separação. Eu fui para a outra extremidade da sala, Mordecai ficou onde estava e começamos a entrevistar dois clientes de cada vez.

O meu primeiro cliente era um jovem acusado de usar drogas. Anotei tudo para poder mostrar para Mordecai na clínica.

O seguinte me deixou chocado. Um homem branco, cerca de quarenta anos, sem tatuagens, cicatrizes no rosto, dentes quebrados, brincos, olhos congestionados ou nariz vermelho. Sua barba não era feita há uma semana e a cabeça fora raspada há um mês. Quando apertou minha mão, notei que a dele era macia e úmida. O nome era Paul Pelham e há três meses morava no albergue. Paul Pelham era um ex-médico.

Drogas, divórcio, falência e a revogação da licença para clinicar eram tudo águas passadas, lembranças recentes, mas que estavam desaparecendo depressa. Tudo que ele queria era falar com alguém, de preferência alguém com pele branca. Ocasionalmente ele olhava apavorado para Mordecai.

Pelham fora um eminente ginecologista em Scranton, Pensilvânia – casa grande, Mercedes, bela esposa, dois filhos. Primeiro ele começou a usar Valium, depois passou para as drogas mais pesadas. Começou também a experimentar as delícias da cocaína e da carne de várias enfermeiras da sua clínica. Além disso ele tinha negócios imobiliários com projetos em construção e grandes financiamentos dos bancos. Um dia ele deixou cair um bebê durante um parto normal de rotina. A criança morreu. O pai, um ministro da igreja, muito respeitado, viu o acidente. A humilhação de um processo na justiça, mais drogas, mais enfermeiras e tudo desmoronou. Ele apanhou herpes de uma paciente, passou para a mulher, ela juntou tudo que tinha e foi para a Flórida.

A história dele prendeu minha atenção. Até aquele momento, da minha curta carreira de advogado das ruas, de cada cliente eu queria ouvir os detalhes tristes, saber como tinha acabado nas ruas. Eu queria ter certeza de que não podia acontecer comigo, que as pessoas da minha classe não precisavam se preocupar com esse tipo de infortúnio.

Pelham era fascinante porque pela primeira vez eu podia olhar para um cliente e dizer, sim, eu podia ser ele. A vida pode conspirar para derrubar qualquer um. E ele estava mais do que disposto a contar sua história.

Pelham insinuou que talvez seu rastro não estivesse muito frio. Eu já tinha ouvido bastante e ia perguntar por que, exatamente, ele precisava de um advogado, quando ele disse:

– Eu deixei de declarar algumas coisas quando pedi falência.

Mordecai estava recebendo e descartando clientes enquanto os dois caras brancos batiam papo, por isso comecei a tomar notas outra vez.

– Que tipo de coisas?

O advogado que tratou da falência era um espertalhão, ele disse, e então começou a contar como o banco havia executado sua hipoteca antes do vencimento, arruinando-o. Ele falava em voz baixa e macia e cada vez que Mordecai olhava para nós, parava de falar.

– E tem mais – ele disse.

– O quê? – perguntei.

– Isto é confidencial, não é? Quero dizer, eu tive uma porção de advogados, mas sempre paguei os honorários. Deus sabe quanto paguei.

– É extremamente confidencial – eu disse enfaticamente. Eu podia estar trabalhando de graça, mas o pagamento ou não dos honorários não afetava o sigilo entre advogado e cliente.

– Você não pode contar para ninguém.

– Nem uma palavra. – Então eu pensei que um albergue para desabrigados, no centro da capital, com mais mil e trezentos sem-teto, devia ser um esconderijo ideal.

Isso aparentemente o satisfez.

– Quando eu estava bem de dinheiro – ele disse, em voz mais baixa ainda – descobri que minha mulher estava me traindo. Uma das minhas pacientes me contou. Quando você examina uma mulher nua, ela conta tudo que sabe. Fiquei arrasado. Contratei um detetive particular e ficou provado que era verdade. O outro homem, bem, digamos que ele simplesmente desapareceu um dia. – Parou de falar esperando a minha reação.

– Desapareceu?

– Isso mesmo. Nunca mais foi visto.

– Ele está morto? – perguntei, atônito.

Pelham inclinou levemente a cabeça.

– Há quanto tempo foi isso?

– Quatro anos.

Minha mão tremia quando continuei a tomar notas.

Ele se inclinou para a frente e murmurou:

– Ele era agente do FBI. Um velho namorado dos tempos de universidade.

– Não diga – eu observei, sem saber se ele estava dizendo a verdade.

– Eles estão atrás de mim.

– Quem?

– O FBI. Há anos eles me perseguem.

– O que você quer que eu faça?

– Eu não sei. Talvez um acordo. Estou cansado de ser perseguido.

Analisei o caso por um momento, enquanto Mordecai terminava com um cliente e chamava outro. Pelham observava todos os meus movimentos.

– Preciso de algumas informações – eu disse. – Sabe o nome do agente?

– Sei. Sei quando e onde ele nasceu.

– E quando e onde ele morreu.

– Isso mesmo.

– Por que não vai ao meu escritório? Leve a informação. Não podemos falar aqui.

– Vou pensar – ele disse, consultando o relógio. Explicou que trabalhava meio-expediente como zelador de uma igreja e estava atrasado. Trocamos um aperto de mãos e ele se foi.

Eu estava aprendendo rapidamente que um dos desafios do advogado das ruas era sua capacidade para ouvir. Muitos dos meus clientes só queriam falar com alguém. Todos foram expulsos e espancados de um modo ou de outro e uma vez que tinham aconselhamento legal de graça, por que não descarregar tudo nos advogados? Mordecai era um mestre em analisar as narrativas e determinar se havia alguma coisa que ele podia fazer. Eu estava ainda assombrado com tanta pobreza.

Estava também aprendendo que o melhor caso era o que podia ser resolvido no momento, sem nenhum acompanhamento posterior. Eu tinha um caderno de anotações cheio de requerimentos de vales-refeição, assistência para conseguir moradia, seguro-saúde, cartões do Seguro Social, até carteiras de motoristas. Quando em dúvida, nós preenchíamos um formulário.

Vinte e seis clientes passaram por nós antes do meio-dia. Saímos de lá exaustos.

– Vamos andar um pouco – Mordecai disse quando saímos do prédio. O céu estava claro, o ar frio e com vento, muito revigorante depois de três horas numa sala abafada sem janelas. No outro lado da rua ficava o Tribunal de Impostos, um belo prédio moderno. Na verdade, a CCNV era cercada por edifícios muito mais bonitos e mais recentes. Paramos na esquina da Segunda com a D e olhamos para o albergue.

– O contrato deles expira dentro de quatro anos – Mordecai disse. – Os abutres das imobiliárias já estão voando em círculos em volta do local. Vão construir um novo centro de convenções a dois quarteirões daqui.

– Vai ser uma briga feia.

– Vai ser uma guerra.

Atravessamos a rua e caminhamos na direção do Capitólio.

– Aquele cara branco. Qual é a história dele? – Mordecai perguntou.

Pelham era o único cara branco.

– Espantosa – eu disse, sem saber por onde começar. – Ele era médico na Pensilvânia.

– Quem está atrás dele agora?

– O FBI.

– Isso é ótimo. Da última vez era a CIA.

Parei de andar, Mordecai não parou.

– Você já o tinha visto antes?

– Já, ele faz a ronda completa. Peter alguma coisa é seu nome.

– Paul Pelham.

– Isso muda também – ele disse, olhando para trás. – Conta uma história e tanto, não é?

Eu não conseguia falar. Fiquei ali de pé, vendo Mordecai se afastar, com as mãos enfiadas nos bolsos da jaqueta de couro, os ombros balançando de tanto rir.

Vinte e um

Quando consegui coragem suficiente para dizer a Mordecai que precisava tirar a tarde de folga, ele me informou bruscamente que minha situação era igual à de todos os outros, que ninguém controlava minhas horas e que se eu precisava de algumas horas de folga, era só ir saindo. Saí do escritório apressadamente. Só Sofia pareceu notar.

Passei uma hora com o agente de seguros. O Lexus estava acabado. Minha seguradora estava oferecendo 21.480 dólares, com quitação para que eu pudesse cobrar também da seguradora do Jaguar. Eu ainda devia 16.000 dólares ao banco e, assim, saí com um cheque de 5.000 dólares e alguns trocados, o suficiente para comprar um carro adequado à minha nova posição de advogado dos pobres, um carro que não fosse uma tentação para os ladrões de automóvel.

Perdi outra hora na sala de espera do meu médico. Como um advogado muito ocupado, telefone celular e muitos clientes, fiquei sentado no meio das revistas velhas, ouvindo o tique-taque do relógio.

Uma enfermeira me mandou ficar só de cueca e esperei vinte minutos sentado numa mesa fria. As equimoses estavam ficando marrom-escuras. O médico apalpou, piorando as coisas, depois disse que no prazo de duas semanas eu estaria curado.

Cheguei ao escritório da advogada de Claire exatamente às quatro horas e fui recebido por uma recepcionista muito séria, vestida como um homem. A má vontade ecoava de todos os cantos. Cada som era antimasculino: a voz rouca e brusca da garota que atendia o telefone, os sons de uma cantora country nos alto-falantes, ocasionalmente uma voz estridente no corredor. As cores eram todas pastel suave, lavanda, rosa e bege. As revistas na mesa de centro declaravam definitivamente: assuntos femininos muito sérios, nada glamourosos, nada de fofocas. Estavam ali para serem admiradas, não lidas.

Jacqueline Hume começou a enriquecer limpando os bolsos de médicos adúlteros, depois ganhou fama de ser terrível ao destruir a reputação de alguns senadores malcomportados. Seu nome apavorava todos os homens malcasados da capital que tivessem boa renda. Eu estava ansioso para assinar os papéis e ir embora.

Porém me fizeram esperar trinta minutos e eu estava prestes a fazer uma cena quando uma funcionária me conduziu ao escritório no fim do corredor. Ela me entregou o acordo da separação e pela primeira vez eu vi a realidade. No alto da primeira página estava escrito: Claire Addison Brock *versus* Michael Nelson Brock.

A lei exigia que ficássemos separados por seis meses antes de ser homologado o divórcio. Li o acordo atentamente, assinei e saí. Mais ou menos no feriado de Ação de Graças eu estaria oficialmente solteiro outra vez.

Minha quarta visita da tarde foi ao estacionamento da Drake & Sweeney, onde Polly foi se encontrar comigo, exatamente às cinco horas, com duas caixas de papelão cheias com as lembranças restantes do meu escritório. Ela foi cortês e eficiente, mas muito calada e, é claro, apressada. Provavelmente estava com um microfone.

Andei várias quadras e parei numa esquina movimentada. Encostado num prédio liguei para Barry Nuzzo. Como sempre, ele estava em reunião. Dei meu nome, disse que era uma emergência e trinta segundos depois Barry estava no telefone.

– Podemos falar? – perguntei, certo de que a conversa estava sendo gravada.

– Claro.

– Estou aqui perto, na esquina da K com Connecticut. Vamos tomar um café.

– Posso estar aí dentro de uma hora.

– Não. Agora, ou esqueça. – Eu não queria que eles tivessem tempo para planejar e conspirar. Nem para instalar microfones.

– Tudo bem, deixe ver. Sim, está bem. Posso ir agora.

– Estou no Café Bingler's.

– Sei onde é.

– Estou esperando. E venha sozinho.

– Você anda assistindo a filmes demais, Mike.

Dez minutos depois estávamos sentados na frente da janela de um pequeno café cheio de gente, tomando café quente e vendo o movimento de pedestres na Connecticut.

– Por que o mandado de busca? – perguntei.

– A pasta é nossa. Você está com ela, nós a queremos de volta. Muito simples.

– Vocês não vão encontrá-la, entendido? Por isso parem com essas malditas buscas.

– Onde você está morando agora?

Eu rosnei e dei minha melhor risada de escárnio.

– O mandado de prisão geralmente vem depois do mandado de busca – eu disse. – É isso que vai acontecer?

– Não posso dizer.

– Obrigado, amigo.

– Escute, Michael, vamos partir da premissa de que você está errado. Você apanhou uma coisa que não é sua. Isso é roubo, puro e simples. Fazendo isso, você se tornou adversário da firma. Eu, seu amigo, ainda trabalho na firma. Não pode esperar que eu o ajude quando seus atos podem prejudicar a firma. Você armou a encrenca, não eu.

– Braden Chance não está dizendo tudo. O cara é um verme, um cretino arrogante que cometeu um erro profissional e agora está tentando salvar o próprio rabo. Ele quer que vocês pensem que é um caso simples de uma pasta roubada e que podem vir atrás de mim com segurança. Mas o que há na pasta pode deixar a firma em maus lençóis.

– Então, aonde você quer chegar?

– Desistam. Não cometam nenhuma estupidez.

– Como mandar prender você?

– Sim, para começar. Passei o dia todo analisando a situação e isso não é divertido.

– Não devia ter roubado.

– Eu não pretendia roubar, está bem? Peguei a pasta emprestada. Ia tirar uma cópia e devolver ao arquivo, mas não consegui.

– Então, finalmente admite que está com ela.

– Isso mesmo. Mas posso negar também.

– Você está jogando, Michael, e isto não é um jogo. Vai se prejudicar.

– Não se vocês me deixarem em paz. Só por enquanto. Vamos fazer uma trégua de uma semana. Nada de mandados de busca. Nada de prisão.

– Muito bem. O que você está oferecendo em troca?

– Não constranger a firma com o conteúdo da pasta.

Barry balançou a cabeça e tomou um gole de café quente.

– Não estou em posição de fazer acordos. Sou apenas um empregado.

– Arthur está no comando?

– É claro.

– Então diga para Arthur que eu só falo com você.

– Você está enganado, Michael. Está partindo do pressuposto de que a firma quer falar com você. Não quer. Estão muito nervosos com o roubo da pasta e com sua recusa em devolvê-la. Não pode culpá-los por isso.

– Faça com que prestem atenção ao que vou dizer, Barry. Esta pasta é matéria de primeira página, jornalistas fuçando tudo atrás de reportagens sensacionalistas. Se eu for preso, vou direto ao *Post*.

– Você está louco.

– É possível. Chance tinha um paralegal chamado Hector Palma. Já ouviu falar nele?

– Não.

– Você então está fora do circuito.

– Eu nunca disse que estava dentro.

– Palma sabe demais sobre a pasta. Desde ontem ele não

está trabalhando onde trabalhava até a semana passada. Eu não sei onde ele está, mas seria interessante descobrir. Pergunte a Arthur.

– Apenas devolva a pasta, Michael. Eu não sei o que está planejando, mas não pode usar num tribunal.

Tomei meu café e desci da banqueta.

– Trégua por uma semana – eu disse, andando para a porta. – E diga ao Arthur para pôr você no circuito.

– Arthur não recebe ordens de você – ele disse, irritado.

Saí rapidamente, desviando das pessoas na rua, praticamente correndo na direção de Dupont Circle, ansioso para deixar Barry bem para trás e qualquer outra pessoa que tivessem mandado para me vigiar.

O endereço de Palma, segundo o catálogo dos telefones, ficava em um conjunto residencial em Bethesda. Como eu não estava com pressa e precisava pensar, fiquei dando voltas pelo movimentado trânsito da cidade.

Eu calculava em cinqüenta por cento as chances de ser preso naquela semana. A firma não tinha outra escolha, e se Braden Chance estava realmente escondendo a verdade de Arthur e do comitê executivo, então por que não endurecer o jogo? Eles tinham provas circunstanciais suficientes do meu roubo para convencer um juiz a assinar um mandado de prisão.

O episódio com Senhor abalara a firma. Chance foi severamente repreendido, interrogado minuciosamente pelos chefes e era inconcebível que tivesse admitido qualquer ato ilegal deliberado. Ele mentiu na esperança de poder alterar o conteúdo da pasta e assim salvar a pele. Suas vítimas, afinal, não passavam de um bando de invasores sem-teto.

Então, como ele conseguiu se descartar de Hector tão depressa? O objetivo não era dinheiro – Chance era sócio da firma. Se eu fosse Chance, ofereceria dinheiro a Hector com uma das mãos e com a outra a ameaça de demissão imediata. E teria telefonado para um sócio amigo, digamos em Denver, pedindo um favor – uma transferência rápida de um paralegal. Não seria difícil.

Hector tinha desaparecido, escondendo-se de mim e de qualquer outra pessoa que o quisesse interrogar. Ainda tinha seu emprego, provavelmente com um salário mais alto.

Então, qual era o objetivo do polígrafo? Teria sido apenas uma ameaça usada pela firma contra Hector e contra mim? Será que ele fez o teste e passou? Eu duvidava.

Chance precisava de Hector para que a verdade não fosse revelada. Hector precisava de Chance para proteger seu emprego. Em determinado momento, o sócio descartou a idéia do polígrafo, se é que tinha sido de fato considerada.

O complexo de apartamentos era longo e irregular, com anexos que se alongavam, afastando-se da cidade, na direção norte. As ruas eram cheias de lanchonetes, postos de gasolina, locadoras de vídeo, tudo que os que moram fora da cidade podem precisar com urgência.

Estacionei perto de uma quadra de tênis e comecei a minha viagem pelos vários blocos. Não me apressei, não ia a nenhum lugar depois daquela aventura. Policiais podiam estar de tocaia em qualquer lugar com o mandado de prisão e as algemas. Tentei não pensar nas histórias terríveis que tinha ouvido sobre as cadeias da cidade.

Mas uma delas parecia gravada a ferro e fogo na minha memória. Alguns anos atrás, um jovem contratado da Drake & Sweeney passou várias horas de uma noite de sexta-feira bebendo num bar em Georgetown. Quando estava tentando chegar a Virgínia, foi preso sob suspeita de dirigir embriagado. Na central de polícia ele recusou o teste do bafômetro e foi imediatamente atirado na cela dos bêbados. A cela estava superlotada. Ele era o único cara de terno, com um bom relógio, sapatos finos, o único homem branco. Acidentalmente ele pisou no pé de outro preso e foi espancado até virar uma massa sangrenta. Passou três meses no hospital reconstruindo o rosto, depois foi para casa em Wilmington onde a família tomou conta dele. O dano cerebral foi insignificante, mas suficiente para desqualificá-lo para os rigores de uma grande firma.

O primeiro escritório estava fechado. Segui pela calçada, à procura de outro. O endereço na lista telefônica não dava o número do apartamento. Era um complexo com boa segurança. Havia bicicletas e brinquedos de plástico nos pequenos pátios. Pelas janelas eu via as famílias jantando e vendo televisão. Não havia grades nas janelas. Os carros nos estacionamentos eram de tamanho médio, quase todos limpos e com as quatro calotas.

Um guarda de segurança me deteve. Uma vez determinado que eu não representava uma ameaça, ele apontou para o escritório principal do complexo, mais ou menos a uns quatrocentos metros.

– Quantos apartamentos há neste conjunto? – perguntei.

– Uma porção – ele disse. Por que ele iria querer saber quantos?

O vigia da noite era um estudante que estava comendo um sanduíche com um livro de física aberto na frente. Mas estava assistindo ao jogo Bullets-Knicks num pequeno aparelho de TV. Perguntei onde ficava o apartamento de Hector Palma e ele consultou o quadro das chaves. O número era G-134.

– Mas eles se mudaram – ele disse, com a boca cheia.

– Sim, eu sei – eu disse. – Eu trabalhei com Hector. Sexta-feira foi seu último dia. Estou procurando um apartamento e estava pensando em ver o dele.

Ele começou a balançar a cabeça antes que eu acabasse de falar.

– Só aos sábados, cara. Nós temos novecentas unidades. E uma lista de espera.

– No sábado não estarei aqui.

– É uma pena – ele disse, dando outra mordida no sanduíche e olhando para o jogo.

Tirei a carteira do bolso.

– Quantos quartos? – perguntei.

Ele olhou para o monitor.

– Dois.

Hector tinha quatro filhos. Eu tinha certeza de que sua nova casa era mais espaçosa.

– Quanto é o aluguel?

– Setecentos e cinqüenta.

Tirei uma nota de cem da carteira, que ele viu imediatamente.

– O negócio é este. Você me dá a chave. Eu dou uma olhada no apartamento e volto em dez minutos. Ninguém vai saber.

– Temos uma lista de espera – ele repetiu, pondo o sanduíche no prato de papel.

– Está no computador? – perguntei, apontando.

– Está. – Ele limpou a boca.

– Então é fácil fazer uma mudança.

Ele apanhou a chave de uma gaveta trancada e o dinheiro.

– Dez minutos – ele disse.

O apartamento ficava perto, no térreo de um prédio de três andares. Abri a porta. Senti o cheiro de tinta fresca ainda no corredor. Na verdade, estava ainda sendo pintado, com uma escada de pedreiro na sala, os panos para proteger da tinta, baldes brancos.

Mesmo uma equipe de especialistas não encontraria uma impressão digital do clã dos Palma. Todas as gavetas, armários, closets estavam vazios, todos os carpetes retirados. Até as manchas da banheira e do vaso tinham sido tiradas. Nenhuma poeira, nenhuma teia de aranha, nenhuma sujeira debaixo da pia da cozinha. O lugar estava completamente estéril. Todos os cômodos tinham uma camada de tinta branca fosca, exceto a sala que estava por acabar.

Voltei ao escritório e deixei a chave no balcão.

– O que achou? – ele disse.

– Pequeno demais. Muito obrigado, mesmo assim.

– Quer seu dinheiro de volta?

– Você está estudando?

– Estou.

– Então fique com ele.

– Obrigado.

Parei na porta e perguntei:

– Palma deixou o novo endereço?

– Pensei que trabalhava com ele – ele disse.

– Tudo bem – eu disse, saí e fechei a porta.

Vinte e dois

A mulher baixinha estava sentada, encostada na nossa porta, quando cheguei para trabalhar na quarta-feira de manhã. Eram quase oito horas, o escritório estava fechado, a temperatura abaixo de zero. A princípio pensei que ela havia passado a noite ali, mais ou menos protegida do vento pelo batente da porta. Mas quando ela me viu, levantou-se rapidamente e disse:

– Bom dia.

Eu sorri, disse alô e comecei a experimentar as chaves.

– O senhor é advogado? – ela perguntou.

– Sim, sou.

– Para gente como eu?

Imaginei que ela devia ser uma sem-teto e era só isso que exigíamos dos nossos clientes.

– Claro. Por favor, entre. – Abri a porta. Estava mais frio dentro do que fora. Ajustei o termostato que, ao que eu sabia, não estava ligado a coisa alguma. Fiz café e encontrei alguns donuts do dia anterior na cozinha. Eu os ofereci e a mulher comeu um rapidamente.

– Como se chama? – perguntei. Estávamos sentados na sala da frente, ao lado da mesa de Sofia, esperando o café ficar pronto e eu rezando para que o aquecimento funcionasse.

– Ruby.

– Eu sou Michael. Onde você mora, Ruby?

– Aqui e ali. – Ela vestia um conjunto de ginástica Georgetown Hoya, de cor cinza, meias marrons grossas, tênis brancos sujos, sem grife. Devia ter de trinta a quarenta anos, era muito magra e levemente estrábica.

– Ora, vamos – eu disse, com um sorriso. – Preciso saber onde você mora. É num abrigo?

– Eu antes morava num abrigo, mas tive de sair. Quase fui estuprada. Eu tenho um carro.

Não havia nenhum carro perto do escritório quando eu cheguei.

– Você tem automóvel?

– Tenho.

– Você dirige?

– Eu não dirijo, eu durmo no banco de trás.

Eu estava fazendo perguntas sem meu bloco de anotações, uma coisa para a qual não tinha muita prática. Servi duas xícaras grandes de café e passamos para o meu escritório onde, misericordiosamente, o aquecedor estava vivo e gorgolejando. Fechei a porta. Mordecai devia chegar logo e ele jamais aprendeu a arte de entrar silenciosamente em algum lugar.

Ruby sentou na ponta da minha cadeira marrom dobrável, os ombros curvados para a frente, toda a parte superior do corpo em volta da xícara de café como se fosse a última coisa quente na vida.

– O que posso fazer por você? – perguntei, armado com meu arsenal de blocos de anotações.

– É o meu filho, Terence. Ele tem dezesseis anos e eles o levaram.

– Quem o levou?

– A prefeitura, os que tratam de adoções.

– Onde ele está agora?

– Eles estão com ele.

As respostas eram curtas, pequenas explosões nervosas, imediatamente depois de cada pergunta.

– Por que não relaxa e me conta tudo sobre Terence? – eu disse.

E ela contou. Sem procurar olhar para mim e com as duas mãos em volta da xícara de café, ela começou sua história. Alguns anos atrás, ela não lembrava quantos, mas Terence devia ter uns dez anos, eles moravam num pequeno apartamento. Ela foi presa por vender drogas. Ficou quatro meses na prisão. Terence foi morar com a irmã dela. Quando saiu da prisão, ela e Terence começaram uma vida de pesadelo nas ruas. Dormiam em automóveis, em prédios abandonados, debaixo de pontes no verão e iam para os albergues no inverno. Ela conseguiu manter Terence na escola. Ela pedia esmola na rua, se prostituía e vendia crack. Fazia de tudo para alimentar, vestir e manter Terence na escola.

Mas ela era viciada e não conseguia deixar o crack. Ficou grávida e, quando a criança nasceu, a prefeitura a tirou dela imediatamente. Era um bebê do crack.

Aparentemente ela não tinha nenhuma afeição pelo bebê, só por Terence. A prefeitura começou a fazer perguntas a respeito dele e mãe e filho desapareceram na sombra dos sem-teto. Desesperada ela procurou uma família para a qual tinha trabalhado há algum tempo, os Rowland, um casal com filhos crescidos e já independentes. Eles possuíam uma casa pequena e aconchegante perto da Howard University. Ela ofereceu cinqüenta dólares por mês para Terence morar com eles. A casa tinha um pequeno quarto em cima da varanda dos fundos, que ela havia limpado muitas vezes e seria perfeito para Terence. Depois de alguma hesitação os Rowland concordaram. Naquele tempo eles eram boa gente. Ruby podia visitar Terence durante uma hora todas as noites. As notas dele na escola melhoraram, ele estava limpo e seguro e Ruby satisfeita com o que tinha feito.

Ela reorganizou a vida de acordo com a dele: novos dispensários mais próximos da casa dos Rowland. Albergues diferentes para emergências, vielas, parques e carros abandonados diferentes. Ela juntava arduamente o dinheiro todos os meses e nunca deixou de visitar o filho todas as noites.

Até ser presa outra vez. A primeira vez foi por prostituição, a segunda por dormir num banco de parque na praça Farragut. Talvez tenha havido uma terceira, mas ela não lembrava.

Certa vez foi levada às pressas para o hospital público, quando a encontraram inconsciente na rua. Foi internada numa enfermaria para viciados, mas saiu depois de três dias porque sentia falta de Terence.

Estavam certa noite no quarto dele quando Terence olhou para a barriga dela e perguntou se estava grávida outra vez. Ela disse que achava que sim. Quem é o pai, ele quis saber. Ruby não tinha idéia. Terence praguejou e gritou tanto que os Rowland pediram para ela ir embora.

Durante a gravidez Terence nem falava com ela. Era de cortar o coração – dormindo em carros, pedindo esmolas, contando as horas para estar com Terence outra vez e então sendo ignorada durante uma hora, sentada num canto do quarto vendo o filho fazer o dever de casa.

Quando chegou a essa parte da história, Ruby começou a chorar. Eu tomei algumas notas e ouvi os passos pesados de Mordecai na sala da frente, tentando discutir com Sofia.

Seu terceiro parto, há apenas um ano, produziu outro bebê do crack, imediatamente recolhido pela prefeitura. Ela passou quatro dias sem ver Terence, enquanto estava no hospital. Quando teve alta, voltou para a única vida que conhecia.

Terence era um ótimo aluno, excelente em matemática e espanhol, tocava trombone e atuava nas peças da escola. Ele sonhava com a Academia Naval. O Sr. Rowland havia servido nas forças armadas.

Certa noite Ruby chegou para a visita em péssimo estado. Ela e a Sra. Rowland tiveram uma briga na cozinha. Palavras duras foram trocadas, ultimatos apresentados. Terence estava no meio da briga, eram três contra uma. Ou ela procurava ajuda ou não poderia mais entrar na casa. Ruby disse que simplesmente ia embora com seu filho. Terence disse que ele não ia a lugar nenhum.

Na noite seguinte, uma assistente social a esperava com todos os documentos preparados. Alguém já estivera no tribunal. Terence ia ser adotado. Os Rowland eram agora seus pais. Ele estava há três anos com eles. As visitas de Ruby não seriam mais permitidas enquanto ela não entrasse para um programa de reabilitação e ficasse longe das drogas durante sessenta dias no mínimo.

Três semanas se passaram.

– Eu quero ver meu filho – ela disse. – Sinto muita falta dele.

– Você está no programa de reabilitação? – perguntei.

Ela balançou a cabeça rapidamente e fechou os olhos.

– Por que não?

– Não posso entrar no programa.

Eu não tinha idéia do processo de admissão de um viciado em crack, que vivia nas ruas, no programa de reabilitação. Imaginei Terence num quarto aquecido, bem alimentado, seguro, limpo, sóbrio, fazendo os deveres de casa sob a severa supervisão do Sr. e da Sra. Rowland, que agora o amavam tanto quanto Ruby. Eu o imaginava tomando o café da manhã com a família, recitando listas de vocabulário enquanto comia seus cereais, o Sr. Rowland, deixando de lado o jornal, ajudando-o no seu espanhol. Terence tinha uma posição estável e normal, ao contrário da minha pobre cliente que vivia num inferno.

E ela queria que eu conseguisse a permissão para ver o filho outra vez.

– Isto vai levar algum tempo, certo? – eu disse, ignorando completamente quanto tempo ia levar. Numa cidade onde quinhentas famílias esperavam por um pequeno espaço num albergue de emergência, não devia haver muitos leitos disponíveis para viciados em drogas. – Não vai ver Terence enquanto não estiver livre das drogas – eu disse, tentando não parecer moralista.

Ela não disse nada, mas seus olhos encheram-se de lágrimas.

Eu sabia muito pouco sobre viciados. Onde ela conseguia a droga? Quanto custava? De quantas doses precisava por dia? De quanto tempo precisaria para se desintoxicar? Depois, de quanto tempo para fixar curada do vício? Quais as chances de se livrar de um vício de mais de dez anos?

E o que eles faziam com todos aqueles bebês do crack?

Ruby não tinha documentos, endereço, identidade, nada a não ser uma história de partir o coração. Ela parecia perfeitamente satisfeita na minha cadeira dobrável e comecei a imaginar como ia pedir para ela ir embora. O café tinha acabado.

A voz estridente de Sofia me fez voltar à realidade. Outras vozes agressivas misturavam-se à dela. Quando corri para a porta, meu primeiro pensamento foi de que outro Senhor maluco tinha entrado com uma arma.

Mas havia outras armas. O tenente Gasko estava de volta, outra vez com vários auxiliares. Três policiais uniformizados aproximavam-se de Sofia, que em vão os ofendia com tudo que tinha. Quando saí do meu escritório, Mordecai saiu do dele.

– Alô, Mikey – Gasko disse.

– Que diabo está acontecendo? – Mordecai rosnou e as paredes estremeceram. Um dos policiais levou a mão ao revólver.

Gasko foi direto para Mordecai.

– É uma busca – ele disse, tirando os papéis do bolso e sacudindo na frente de Mordecai. – É o Sr. Green?

– Sou – ele respondeu, tirando os papéis da mão de Gasko.

– O que você está procurando? – eu gritei para o tenente.

– A mesma coisa – ele gritou de volta. – Entregue o que queremos e teremos prazer em parar.

– Não está aqui.

– Que pasta? – Mordecai perguntou, olhando para o mandado de busca.

– A pasta com os documentos sobre a ação de despejo – eu respondi.

– Não vi o seu processo contra mim – Gasko disse. Reconheci dois dos policiais como sendo Lilly e Blower. – Só conversa fiada.

– Dê o fora daí! – Sofia gritou para Blower quando ele se aproximou da sua mesa.

Gasko estava cheio de autoridade.

– Escute, senhora – ele disse com o sarcasmo habitual. – Podemos fazer isso de dois modos. O primeiro, ponha seu traseiro naquela cadeira e cale a boca. O segundo, nós a algemamos e você senta no banco de trás de um carro durante as próximas duas horas.

Um policial estava espiando para dentro de todos os escritórios. Senti Ruby passar atrás de mim.

– Acalme-se – Mordecai disse para Sofia. – Apenas procure se acalmar.

– O que há lá em cima? – Gasko perguntou para mim.

– Depósito – Mordecai respondeu.

– Seu?

– Sim.

– Não está lá – eu disse. – Está perdendo tempo.

– Então teremos de perder tempo, certo?

Um cliente abriu a porta da frente, sobressaltando todo mundo. Ele olhou em volta, depois para os policiais e recuou rapidamente para a segurança da rua.

Pedi a Ruby para sair também. Depois, entrei no escritório de Mordecai e fechei a porta.

– Onde está a pasta? – ele perguntou em voz baixa.

– Não está aqui, eu juro. Isso é só para me pressionar.

– O mandado é legítimo. Houve um roubo, parece lógico supor que a pasta esteja com o advogado que a roubou.

Tentei achar alguma coisa inteligente e profissional para dizer, um argumento legal que impediria a busca e faria os policiais sair correndo. Mas não encontrei nada. O que eu sentia era embaraço por atrair a polícia para a clínica.

– Você tem cópia dos documentos? – ele perguntou.

– Tenho.

– Já pensou em devolver o original?

– Não posso. Seria admitir minha culpa. Eles não sabem realmente que estou com a pasta. E mesmo que eu devolvesse, iam saber que tirei cópia.

Ele passou a mão na barba e concordou comigo. Saímos do escritório no momento exato em que Lilly tropeçou ao lado da mesa que não era usada. Uma avalanche de pastas rolou para o chão. Sofia gritou com o policial, Gasko gritou com ela. A tensão ameaçava passar rapidamente das palavras para a agressão física.

Tranquei a porta da frente para que nossos clientes não vissem a busca.

– Vamos fazer o seguinte – Mordecai disse. Os policiais

olharam carrancudos para ele, mas estavam ansiosos por alguma orientação. Dar busca num escritório de advocacia era muito diferente de dar busca num bar cheio de menores.

– A pasta não está aqui, certo? Vamos partir dessa premissa. Vocês podem olhar quantas pastas quiserem, mas não podem abrir nenhuma. Isso seria violação do sigilo advogado/cliente. Combinado?

Os policiais olharam para Gasko, que deu de ombros, como se a proposta fosse aceitável.

Começamos no meu escritório, os seis policiais, eu e Mordecai apertados na salinha minúscula, esforçando-nos arduamente para evitar contato físico. Abri todas as gavetas da minha mesa, que só abriam com um tranco violento. Em certo momento, ouvi Gasko murmurar para si mesmo, "Belo escritório".

Tirei todas as pastas do meu arquivo, sacudi debaixo do nariz de Gasko e tornei a guardar no lugar. Eu só estava ali desde segunda-feira, portanto não havia muita coisa para revistar.

Mordecai saiu do meu escritório, foi até a mesa de Sofia e pegou o telefone. Quando Gasko declarou meu escritório oficialmente revistado, saímos todos, a tempo de ouvir Mordecai dizer no telefone, "Sim, juiz, obrigado. Ele está aqui".

Com um sorriso que mostrava todos os dentes, ele estendeu o telefone para Gasko.

– É o juiz Kisner, o cavalheiro que assinou o mandado de busca. Ele quer falar com você.

Gasko pegou o telefone como se pertencesse a um leproso.

– Gasko falando – ele disse, com o fone a certa distância do ouvido.

Mordecai voltou-se para os policiais.

– Senhores, podem revistar esta sala e isso é tudo. Não podem entrar nos escritórios particulares. Ordens do juiz.

– Sim, senhor – Gasko murmurou e desligou.

Nós acompanhamos os movimentos deles durante uma hora, enquanto iam de mesa em mesa – as quatro, incluindo a de Sofia. Depois de alguns minutos, compreenderam que era uma busca inútil e trataram de prolongá-la, trabalhando o mais lentamente possível. Cada mesa estava cheia de pastas com processos há muito encerrados. Os livros e publicações de direito há anos não eram consultados. Algumas pilhas estavam cobertas de pó. Tiveram de se livrar também das teias de aranha.

Cada pasta era identificada com o nome do processo datilografado ou escrito a mão. Dois policiais escreviam os nomes à medida que Gasko e os outros os anunciavam em voz alta. Era uma tarefa tediosa, e sem nenhuma utilidade.

Deixaram a mesa de Sofia por último. Ela mesma fez o trabalho, anunciando o nome de cada pasta, soletrando os mais simples como Jones, Smith, Williams. Os policiais preferiram manter distância. Ela abriu as gavetas apenas o suficiente para uma olhadela rápida. Sofia tinha uma gaveta pessoal que ninguém quis ver. Tenho certeza de que era onde ela guardava as armas.

Eles saíram sem se despedir. Pedi desculpas a Sofia e a Mordecai pela intrusão e voltei para a segurança do meu escritório.

Vinte e três

O número cinco da lista dos despejados era Kelvin Lam, um nome vagamente familiar para Mordecai. Certa vez ele havia estimado o número dos sem-teto na capital em mais ou menos dez mil. Havia pelo menos esse número de pastas espalhadas na Clínica de Advocacia da rua 14. Cada nome despertava alguma lembrança em sua mente.

Ele percorria os circuitos, os dispensários e albergues, os prestadores de serviços, os religiosos e policiais e outros advogados das ruas. Ao cair da noite, fomos para o centro da cidade, a uma igreja espremida entre belos prédios de escritórios e hotéis elegantes. Num grande porão, dois níveis abaixo da rua, o programa de alimentação Cinco Pães estava em pleno funcionamento.

Era uma sala cheia de mesas dobráveis, ocupadas por pessoas famintas que comiam e conversavam. Não era um dispensário que só servia sopa. Serviam milho, batata, uma fatia de alguma coisa que podia ser peru ou galinha, salada de frutas, pão. Eu não tinha jantado e o aroma da comida me deu fome.

– Há anos não venho aqui – Mordecai disse, quando paramos na entrada, olhando para baixo, para o refeitório. – Eles alimentam trezentas pessoas por dia. Não é maravilhoso?

– De onde vem a comida?

– Do dispensário central da capital, que funciona no porão da CCNV. Eles criaram um sistema fantástico de coleta de excesso de comida nos restaurantes locais, não restos, mas alimento não preparado, que vai estragar se não for usado imediatamente. Eles têm uma frota de caminhões refrigerados que percorre toda a cidade, apanhando a comida que levam para o dispensário e preparam refeições congeladas. Mais de duas mil por dia.

– Parece saborosa.

– Na verdade é muito boa.

Uma jovem chamada Liza nos viu. Ela era nova no Cinco Pães. Mordecai tinha conhecido sua predecessora, sobre a qual conversaram rapidamente enquanto eu via aquela gente comendo.

Notei uma coisa que devia ter visto antes. Havia níveis diferentes de sem-teto, de graus distintos na escala socioeconômica. Em uma das mesas, seis homens comiam e conversavam alegremente sobre o jogo de basquete que tinham visto na televisão. Estavam razoavelmente bem-vestidos. Um comia sem tirar as luvas, e a não ser por isso, eles podiam estar em qualquer bar freqüentado por operários da cidade sem que fossem discriminados como sem-teto. Atrás deles, um homem enorme, sozinho, comia a galinha com as mãos. Calçava botas de borracha, iguais às que Senhor usava quando morreu. O paletó era muito usado e sujo. Ele parecia alheio ao ambiente a sua volta. Sua vida era evidentemente mais difícil que a dos homens na mesa ao lado. Eles tinham acesso a água quente e sabonete, ele pouco se importava com isso. Eles dormiam nos albergues. Ele dormia nos parques com os pombos. Mas eram todos desabrigados.

Liza não conhecia Kelvin Lam, mas ia se informar. Nós a vimos andar no meio daquela gente, falando com eles, apontando para as latas de lixo num canto, dando especial atenção a uma mulher idosa. Ela se sentou entre dois homens. Nenhum deles olhou para ela. Liza foi para outra mesa, depois para outra.

A grande surpresa foi um advogado, um jovem contratado de uma grande firma, voluntário *pro bono* da Clínica de Advocacia de Washington para os Sem-Teto. Ele conhecia Mordecai de um levantamento de fundos do ano anterior.

Conversamos sobre direito por alguns minutos, depois ele desapareceu numa sala dos fundos para começar suas três horas de consultas.

– A Clínica de Advocacia de Washington tem cento e cinqüenta voluntários – Mordecai disse.

– Isso é suficiente? – perguntei.

– Nunca é suficiente. Eu acho que devemos reanimar nosso programa de voluntários *pro bono.* Talvez você pudesse se encarregar disso e supervisionar o trabalho. Abraham gostou da idéia.

Era bom saber que Mordecai e Abraham e sem dúvida Sofia também haviam conversado sobre um programa para eu dirigir.

– Vai expandir nossa base, ficaremos mais visíveis na comunidade jurídica e nos ajudará a levantar fundos.

– Certo – eu disse, sem convicção.

Liza voltou.

– Kelvin Lam está lá no fundo – ela disse, indicando com uma inclinação da cabeça. – Segunda mesa a partir do fundo. Com o boné dos Redskins.

– Você falou com ele? – Mordecai perguntou.

– Falei. Ele está sóbrio, bastante alerta e disse que está na CCNV e trabalha meio-expediente num caminhão de lixo.

– Vocês tem uma sala pequena que podemos usar?

– Claro.

– Diga ao Lam que um advogado dos sem-teto precisa falar com ele.

Lam não disse olá nem estendeu a mão. Mordecai sentou à mesa. Eu fiquei de pé num canto. Lam sentou na única cadeira e olhou para mim com uma expressão que me deu arrepios.

– Nada errado – Mordecai disse, com seu melhor tom apaziguador. – Precisamos fazer algumas perguntas, nada mais.

Nem uma palavra de Lam. Estava vestido como um residente de albergue – calça jeans, camiseta, tênis, paletó de lã –

não com as múltiplas camadas de roupa de quem dormia debaixo de uma ponte.

– Você conhece uma mulher chamada Lontae Burton? – Mordecai perguntou. Ele ia se encarregar de falar por nós dois.

Lam balançou a cabeça.

– DeVon Hardy?

Outra gesto de negação.

– No mês passado, você estava morando num armazém abandonado?

– Estava.

– Na esquina da Nova York com Flórida?

– Isso.

– Estava pagando aluguel.

– Estava.

– Para Tillman Gantry?

Lam ficou imóvel e fechou os olhos para pensar na pergunta.

– Quem? – ele perguntou.

– Quem era o dono do armazém?

– Eu pagava o aluguel para um cara chamado Johnny.

– Para quem Johnny trabalhava?

– Não sei. Não me importa. Nunca perguntei.

– Quanto tempo você morou lá?

– Uns quatro meses.

– Por que saiu?

– Fui despejado.

– Quem o despejou?

– Eu não sei. Os tiras apareceram um dia com outros caras. Eles nos pegaram e jogaram na rua. Alguns dias depois, eles demoliram o armazém.

– Você explicou aos policiais que estava pagando aluguel para morar lá?

– Uma porção de gente explicou isso. Uma mulher com três filhos pequenos tentou lutar com a polícia, mas não adiantou. Eu não brigo com os tiras. Foi uma cena horrível, cara.

– Você recebeu algum documento antes do despejo?

– Não.

– Algum aviso para sair do armazém?

– Não. Nada. Eles só apareceram.

– Nada por escrito?

– Nada. Os tiras disseram que éramos invasores, que tínhamos de sair.

– Então você saiu no último outono, mais ou menos em outubro.

– Por aí.

– Como encontrou o armazém?

– Eu não sei. Alguém disse que estavam alugando apartamentos pequenos no armazém. Aluguel barato, sabe como é. Daí eu fui ver. Eles estavam pondo algumas tábuas e construindo paredes e coisas assim. Tinha um teto, um banheiro não muito longe, água corrente. Não era um mau negócio.

– Então você foi morar lá.

– Certo.

– Assinou um contrato?

– Não. O cara disse que o apartamento era ilegal, por isso não tinha nada por escrito. Me mandou dizer que eu estava invadindo, se alguém perguntasse.

– E ele queria dinheiro?

– Só dinheiro.

– Você pagava todos os meses?

– Eu tentava. Ele aparecia todo dia 15 para receber.

– Você estava atrasado no pagamento do aluguel quando foi despejado?

– Eu não sei. Eles não deram nenhuma razão para o despejo. Só despejaram todo mundo, todos de uma vez.

– Você conhecia outras pessoas no armazém?

– Dois caras. Mas cada um ficava na sua. Todos os apartamentos tinham portas, e todas com chave.

– Essa mãe que você mencionou, a que brigou com a polícia, você a conhecia?

– Não. Eu talvez a tivesse visto uma ou duas vezes. Ela morava no outro lado.

– No outro lado?

– É. Não tinha encanamentos no centro do armazém, por isso eles construíram os apartamentos nos dois lados.

– Do seu apartamento você podia ver o dela?

– Não. Era um armazém muito grande.

– Que tamanho tinha o apartamento?

– Dois cômodos, não sei o tamanho.

– Eletricidade?

– Sim, eles puseram alguns fios. Podíamos ligar rádios e coisas assim. Tínhamos luz. Água corrente, mas o banheiro era comunitário.

– E aquecimento?

– Não muito. Ficava frio, mas nem a metade do frio que fazia na rua.

– Então você estava satisfeito lá?

– Era legal. Quero dizer, por cem paus por mês não era mau.

– Você disse que conhecia duas pessoas. Sabe os nomes delas?

– Herman Harris e Shine qualquer coisa.

– Onde eles estão agora?

– Nunca mais os vi.

– Onde você está?

– CCNV.

Mordecai tirou um cartão do bolso e deu para Lam.

– Quanto tempo vai ficar lá?

– Eu não sei.

– Pode entrar em contato comigo?

– Por quê?

– Você pode precisar de um advogado. Telefone se mudar de albergue ou arranjar um lugar para morar.

Lam pegou o cartão sem uma palavra. Agradecemos a Liza e voltamos para o escritório.

Como em todos os processos na justiça, havia vários procedimentos para se encaminhar uma ação contra os acusados. E estes eram três – a RiverOaks, a Drake & Sweeney e a TAG, e não esperávamos ter de acrescentar mais nenhum.

O primeiro método era o da cilada. O outro era fazer uma tabelinha.

Com a cilada, preparávamos uma estrutura básica de alegações, corríamos ao tribunal, dávamos entrada no processo, informávamos a imprensa e esperávamos poder provar o que achávamos que sabíamos. A vantagem era a surpresa e inconveniência para os acusados e, com sorte, a opinião pública. A desvantagem era o equivalente legal de saltar de um penhasco com a crença forte mas não confirmada de que havia uma rede lá embaixo em algum lugar.

Se se preferisse a tabelinha, começávamos com uma carta para os acusados, na qual fazíamos algumas alegações, mas em vez de processar, os convidávamos a discutir o assunto. Seriam trocadas cartas, com cada lado geralmente capaz de prever o que o outro ia fazer. Se fosse provada a responsabilidade dos acusados, provavelmente chegaríamos a um acordo. O processo judicial podia ser evitado.

A cilada era mais do nosso agrado por duas razões. Primeira, a firma não havia demonstrado interesse em me deixar em paz. As duas buscas eram prova evidente de que Arthur, no topo da pirâmide, Rafter e seu bando de advogados litigantes durões estavam dispostos a ir atrás de mim. Minha prisão daria uma bela reportagem, e sem dúvida eles passariam a notícia para a imprensa para me humilhar e pressionar mais. Precisávamos estar prontos para o ataque.

A segunda razão ia diretamente ao cerne do nosso caso. Hector e as outras testemunhas não podiam ser convocadas a testemunhar a não ser que o processo desse entrada na justiça, obrigando-os a prestar depoimento. Durante o período de descoberta dos fatos para a acusação, que acompanha a entrada do processo, teríamos oportunidade de fazer todo tipo de perguntas aos acusados, e eles seriam obrigados a responder sob juramento. Também nos seria permitido pedir depoimento de qualquer pessoa. Se encontrássemos Hector Palma, podíamos conseguir seu depoimento sob juramento. Se descobríssemos os outros despejados, podíamos obrigá-los a contar o que tinha acontecido.

Tínhamos de descobrir o que todos sabiam e o único modo de fazê-lo era usando o processo de revelação dos fatos sancionado pela corte.

Teoricamente, nosso caso era muito simples. Os ocupantes do armazém estavam pagando aluguel, em dinheiro, sem nenhum comprovante por escrito, para Tillman Gantry ou alguém que trabalhava para ele. Gantry teve oportunidade de vender o armazém para a RiverOaks, mas o negócio devia ser fechado rapidamente. Gantry mentiu para a RiverOaks e seus advogados sobre os ocupantes do armazém. A Drake & Sweeney, diligentemente, mandara Hector Palma inspecionar a propriedade antes de fechar o negócio. Hector foi assaltado na primeira visita, levou um guarda com ele na segunda e depois de inspecionar o local ficou sabendo que os residentes eram, na verdade, não invasores, mas inquilinos. Ele informou isso num memorando para Braden Chance, que tomou a decisão infeliz de ignorar o fato e fechar o negócio. Os inquilinos foram sumariamente despejados como invasores, sem os procedimentos legais adequados.

Um despejo formal levaria no mínimo trinta dias, um tempo que nenhuma das partes queria perder. Trinta dias e a pior parte do inverno teria passado, a ameaça de tempestades de neve e temperaturas abaixo de zero diminuiriam, bem como a necessidade de dormir num automóvel com o aquecimento ligado.

Eram apenas gente sem ter onde morar, sem registros, sem recibos de aluguel e sem nenhuma pista para ser seguida.

Teoricamente, não era um caso complicado. Mas os obstáculos eram enormes. Formalizar o testemunho dos sem-teto podia ser perigoso, especialmente se o Sr. Gantry resolvesse se defender. Ele era o dono das ruas, uma arena onde eu não tinha nenhuma vontade de lutar. Mordecai tinha uma vasta rede de influência com seus informantes secretos, mas não era páreo para a artilharia de Gantry. Passamos uma hora discutindo os vários modos de evitar a inclusão da TAG Inc. como acusada. Por motivos óbvios, o processo seria muito mais complicado e mais perigoso com Gantry como acusado. Nós resolvemos excluí-lo e deixar a cargo dos outros acusados – a RiverOaks e a Drake & Sweeney – a tarefa de incluí-lo no seu grupo.

Mas Gantry era a causa primária na nossa teoria de responsabilidade e ignorá-lo como acusado seria criar problemas para o andamento do processo.

Tínhamos de encontrar Hector Palma. Depois, precisávamos convencê-lo a apresentar o memorando retirado do arquivo ou nos dizer o que havia nele. Encontrá-lo era a parte mais fácil, obrigá-lo a dizer o que queríamos podia ser impossível. Provavelmente ele não ia querer falar, pois precisava do emprego. Ele fez questão de me dizer que tinha mulher e quatro filhos.

Havia outros problemas com o processo judicial. O primeiro era de procedimento legal. Nós, como advogados, não tínhamos autoridade para entrar com um processo a favor dos herdeiros de Lontae Burton e seus quatro filhos. Para isso precisaríamos ser contratados pela família. Com a mãe e dois irmãos na prisão e a identidade do pai ainda ignorada, Mordecai achava que devíamos entrar com uma petição na Vara de Família para que fosse designado um curador para administrar os bens deixados por Lontae. Fazendo isso, podíamos prescindir do contrato com a família, pelo menos no começo. No caso de danos recuperáveis, a família ia ser um pesadelo. Era quase certo que os quatro filhos tinham dois ou mais pais diferentes, e cada um deles teria de ser notificado se algum dinheiro trocasse de mãos.

– Vamos pensar nisso mais tarde – Mordecai disse. – Primeiro temos de ganhar. – Estávamos na sala da frente, eu na mesa ao lado de Sofia onde, na maior parte do tempo, ficava o velho computador. Eu estava digitando e Mordecai andando de um lado para o outro, ditando.

Fizemos planos até a meia-noite, escrevendo e reescrevendo o processo judicial, discutindo teorias, procedimentos, sonhando com o melhor modo de levar a RiverOaks e minha antiga firma aos tribunais para um julgamento sensacional. Para Mordecai era um divisor de águas, um momento crucial para atrair a solidariedade do público para com os sem-teto. Para mim era simplesmente um modo de corrigir um erro.

Vinte e quatro

Outra vez café com Ruby. Ela estava esperando ao lado da porta quando cheguei às sete e quarenta e cinco, feliz por me ver. Como alguém podia estar contente depois de passar oito horas tentando dormir no banco traseiro de um carro abandonado?

– Tem algum donut? – ela perguntou, quando eu acendi a luz.

Já era um hábito.

– Vou ver. Sente aí que vou fazer café. – Lavei o bule e procurei alguma coisa para comer. Os donuts de dois dias estavam mais duros ainda, mas não encontrei nada mais. Anotei mentalmente a necessidade de comprar outros, frescos, para o caso de Ruby aparecer pelo terceiro dia seguido. Meu palpite era de que ela ia aparecer.

Ruby comeu um donut, mordendo as bordas duras, tentando ser delicada.

– Onde você toma o café da manhã? – perguntei.

– Geralmente não tomo.

– E almoço e jantar?

– Almoço no Naomi's, na rua 10. Para o jantar vou à Missão do Calvário, na 15.

– O que você faz durante o dia?

Ela estava outra vez enrolada em volta da xícara de café, tentando manter aquecido o corpo frágil.

– Quase sempre fico no Naomi's – ela disse.

– Quantas mulheres tem lá?

– Não sei. Uma porção. Elas cuidam bem da gente, mas é só durante o dia.

– É só para mulheres sem-teto?

– É, isso mesmo. Elas fecham às quatro horas. A maioria das mulheres mora em albergues, outras na rua. Eu tenho um carro.

– Elas sabem que você está usando crack?

– Acho que sim. Querem que eu vá às reuniões para bêbados e para viciados em drogas. Eu não sou a única. Muitas mulheres também fazem isso, você sabe.

– Você se drogou na noite passada? – perguntei. As palavras ecoaram nos meus ouvidos. Mal podia acreditar que estivesse fazendo aquelas perguntas.

Ela encostou o queixo no peito e fechou os olhos.

– Diga a verdade – eu insisti.

– Eu precisei. Faço isso todas as noites.

Eu quase comecei a fazer um sermão. No dia anterior eu tinha passado praticamente todo meu tempo à procura de um lugar onde ela pudesse ser tratada. De repente Ruby se tornou minha prioridade.

Ela pediu outro donut. Eu embrulhei o último com papel de alumínio e tampei a xícara dela com o embrulho. Ela estava atrasada para alguma coisa no Naomi's e foi embora.

A passeata começou no prédio da prefeitura com um comício a favor da justiça. Como Mordecai era figura importante no mundo dos sem-teto, ele me deixou no meio do povo e foi para seu lugar no palanque.

O coro de uma igreja, com túnicas cor-de-vinho e amarelo-ouro, tomou posição nos degraus e começou a inundar a praça com hinos. Centenas de policiais patrulhavam a área, informalmente, suas barricadas impedindo o tráfego.

A CCNV havia prometido mil dos seus militantes e eles chegaram juntos – uma coluna longa, impressionante e desorganizada de homens sem-teto orgulhosos de sua condição. Eu os ouvi antes de vê-los, suas palavras de ordem bem ensaiadas soando à distância. Quando apareceram na esquina, as câmaras de TV correram para eles.

Reuniram-se na frente dos degraus da prefeitura e começaram a agitar seus cartazes, quase todos feitos em casa, pintados a mão. FIM ÀS MORTES; SALVEM OS ALBERGUES; EU TENHO DIREITO A UMA CASA; EMPREGOS, EMPREGOS. Os cartazes eram erguidos acima das cabeças, e dançavam ao ritmo dos hinos e da cadência dos gritos.

Ônibus de igrejas pararam nas barricadas e centenas de pessoas desembarcaram. A maior parte não parecia gente que vivia nas ruas. Eram paroquianos bem vestidos, quase só mulheres. A multidão cresceu, o espaço à minha volta encolheu. Eu não conhecia ninguém a não ser Mordecai. Sofia e Abraham estavam em algum lugar, no meio do povo, mas eu não os via. Foi anunciada como a maior marcha dos sem-teto dos últimos dez anos – o Comício de Lontae.

Uma foto de Lontae Burton foi ampliada e reproduzida em grandes cartazes com molduras negras e debaixo do seu rosto estavam as palavras terríveis: QUEM MATOU LONTAE? Os cartazes estavam espalhados entre o povo, e logo eram os favoritos, mesmo entre os homens da CCNV que tinham suas próprias faixas e slogans de protesto. O rosto de Lontae ondulava e balançava acima da massa do povo.

Uma sirene solitária soou à distância, depois começou a chegar mais perto. Um carro funerário com escolta policial passou pelas barricadas e parou bem na frente da prefeitura, no meio do povo. As portas de trás se abriram, um falso caixão pintado de negro foi retirado por seis homens sem-teto que o puseram nos ombros, prontos para começar a procissão. Mais quatro caixões, da mesma cor e feitio porém muito menores, foram retirados por outros sem-teto.

O mar de gente se abriu e a procissão seguiu lentamente para os degraus enquanto o coro cantava um triste réquiem que quase me fez chorar. Um daqueles pequenos caixões representava Ontario.

Então a multidão ficou mais fechada. Mãos se ergueram para tocar os caixões que seguiam seu caminho, balançando suavemente de um lado para o outro, de uma ponta para a outra.

Era um drama da maior intensidade e as câmaras amontoadas perto do palanque gravaram cada movimento solene da procissão. Íamos ver a cena repetida nas telas nas quarenta e oito horas seguintes.

Os caixões foram postos lado a lado, o de Lontae no meio, num pequeno palanque de madeira no centro dos degraus, pouco abaixo de onde Mordecai estava. Foram filmados e fotografados exaustivamente, depois começaram os discursos.

O moderador era um ativista que começou por agradecer a todos os grupos que tinham ajudado a organizar a marcha. A lista era impressionante, pelo menos pela quantidade. Ouvindo os nomes, fiquei agradavelmente surpreendido com o número de albergues, missões, dispensários, associações, clínicas médicas, clínicas de advocacia, igrejas, centros, grupos de apoio, programas de treinamento profissional, programas contra abuso de drogas, até alguns nomes de pessoas eleitas pelo povo – todos, em diferentes graus, responsáveis pelo evento.

Com tanto apoio, como podia haver o problema dos semteto?

Os seis oradores seguintes responderam à minha pergunta. Falta de subsídios adequados, para começar, cortes no orçamento, desconsideração do governo federal, a vista grossa da prefeitura, falta de compaixão dos que tinham meios para ajudar. Um sistema judiciário conservador demais, a lista não acabava. E assim por diante.

Os mesmos temas foram repetidos por cada orador, exceto por Mordecai, que foi o quinto a falar e silenciou a multidão com a história das últimas vinte e quatro horas da família Burton. Quando ele contou que tinha trocado a fralda do bebê, provavelmente a última que foi trocada, não se ouvia nenhum som. Nem uma tosse, nem um murmúrio. Olhei para os caixões como se o bebê estivesse realmente em um deles.

Então a família saiu do albergue, ele explicou, com voz lenta e profunda, voltou para as ruas, para a tempestade de neve onde Lontae e seus filhos sobreviveram apenas mais algumas horas. A partir desse ponto, Mordecai improvisou, usando a imaginação, porque ninguém sabia o que tinha realmente acontecido. Eu sabia, mas não me importei. O povo todo estava chocado com a história.

Quando ele descreveu os últimos momentos, a família, muito unida, procurando se aquecer, ouvi o choro das mulheres.

Tive então um pensamento egoísta. Se esse homem, meu amigo e colega de profissão, podia cativar milhares de pessoas de um palanque a trinta metros de distância, o que poderia fazer com doze pessoas num júri, praticamente ao alcance da mão?

Naquele momento compreendi que o caso Burton jamais chegaria aos tribunais. Nenhuma equipe de defesa sensata permitiria que Mordecai Green fizesse uma pregação a um júri de negros naquela cidade. Se nossas suposições estavam certas, e se pudéssemos provar isso, jamais haveria um julgamento.

Depois de uma hora e meia de discursos, a multidão estava impaciente e pronta para a passeata. O coro recomeçou a cantar e os caixões foram postos nos ombros dos sem-teto, que lideraram a procissão. Atrás dos caixões estavam os líderes, incluindo Mordecai. O resto de nós seguiu atrás. Alguém me deu um cartaz Lontae e eu o levantei o mais alto possível.

Pessoas privilegiadas não fazem marchas de protesto, seu mundo é seguro e limpo e governado por leis cujo objetivo é fazê-las felizes. Eu nunca tinha estado numa marcha de protesto antes. Por que me dar ao trabalho? E no começo me senti estranho, andando no meio do povo, segurando na ponta de uma vareta o cartaz com o rosto de uma mãe negra de vinte e dois anos que tinha quatro filhos ilegítimos.

Mas eu não era mais a mesma pessoa de algumas semanas atrás. Também não podia virar negro, nem que quisesse. Meu passado tinha sido voltado para o dinheiro, posse, status, questões que agora me afligiam.

Então relaxei e comecei a sentir grande prazer na caminhada. Cantei com os sem-teto, girei e balancei meu cartaz em perfeita cadência com os outros e até tentei cantar hinos que não conhecia. Estava saboreando meu primeiro exercício de protesto civil. Não seria o último.

As barricadas nos protegiam enquanto seguíamos lentamente para o Capitólio. A passeata foi bem organizada e por seu tamanho atraía a atenção em todo o caminho. Os caixões foram depositados nos degraus do Capitólio. Nós nos reunimos em volta deles, depois ouvimos outra série de discursos acalorados de ativistas civis e de dois membros do Congresso.

Os discursos eram coisas do passado. Eu tinha ouvido bastante. Meus irmãos sem-teto pouco podiam fazer. Desde a segunda-feira, quando comecei minha nova carreira, eu tinha entrado com trinta e uma ações na justiça. Trinta e uma pessoas reais esperavam que eu arranjasse vales-refeição, moradia, tratasse de divórcios, defendesse acusações de crimes, resolvesse disputas salariais, impedisse despejos, ajudasse a curar seus vícios e de certo modo esperavam que a um estalo dos meus dedos teriam justiça. Como advogado antitruste, eu raramente entrevistava clientes. As coisas eram diferentes nas ruas.

Comprei um charuto barato de um vendedor ambulante e fui dar um passeio no Mall.

Vinte e cinco

Bati na porta do apartamento vizinho ao de Hector Palma e uma voz de mulher perguntou, "Quem é?" Nenhum movimento para abrir a porta. Eu havia pensado longa e cuidadosamente no meu plano. Cheguei até a ensaiar no caminho para Bethesda. Mas não tinha certeza de que seria convincente.

– Bob Stevens – eu disse, estremecendo. – Procuro Hector Palma.

– Quem?

– Hector Palma. Ele morava no apartamento ao lado.

– O que você quer?

– Devo dinheiro a ele. Estou tentando encontrá-lo, só isso.

Se eu fosse um cobrador ou encarregado de outra missão desagradável, os vizinhos naturalmente ficariam na defensiva. Achei que dizer o contrário era um plano excelente.

– Ele foi embora – ela disse, secamente.

– Eu sei disso. Sabe para onde ele foi?

– Não.

– Viu quando eles mudaram?

É claro que a resposta só podia ser "sim". Mas em vez de me ajudar, ela se retirou para os fundos do seu apartamento e provavelmente chamou o segurança. Repeti a pergunta e toquei a campainha outra vez. Nada.

Então fui para a porta do outro lado do antigo apartamento de Hector. Dois toques da campainha e a porta abriu, presa pela corrente de segurança e um homem da minha idade com maionese no canto da boca, disse:

– O que você quer?

Repeti a história de Bob Stevens. Ele ouviu com atenção enquanto os filhos brincavam barulhentamente atrás dele, com a televisão a todo volume. Passava das oito horas, estava escuro, fazia frio e eu acabava de interromper um jantar tardio.

Mas ele não foi indelicado.

– Eu não o conhecia – ele disse.

– E a mulher dele?

– Também não. Eu viajo muito. Passo a maior parte do tempo fora de casa.

– Sua mulher os conhecia?

– Não – ele disse, depressa demais.

– Sua mulher viu quando eles se mudaram?

– Não estávamos aqui no último fim de semana.

– E não tem idéia de para onde foram?

– Não.

Agradeci e, quando me voltei, vi o guarda de segurança, um homem forte, uniformizado, batendo o cassetete na palma da mão esquerda, como um policial da rua, do cinema.

– O que você está fazendo? – ele rosnou.

– Procurando uma pessoa – eu disse. – Guarde essa coisa.

– Não permitimos vendedores aqui.

– Você é surdo? Estou procurando uma pessoa, não vendendo. – Passei por ele, seguindo para o estacionamento.

– Recebemos uma reclamação – ele disse, atrás de mim. – Você tem de ir embora.

– Estou indo.

Meu jantar foi um taco e uma cerveja num pequeno bar não muito distante. Sentia-me mais seguro comendo nos subúrbios. O restaurante era do tipo comida feita na hora, uma cadeia nacional que estava enriquecendo com bares cintilantes nos novos bairros. A maioria dos fregueses era de jovens funcionários públicos, ainda tentando ir para casa, todos falando sobre sistemas e política, tomando cerveja e gritando para o jogo na televisão.

A solidão era uma adaptação. Minha mulher e amigos tinham sido deixados para trás. Os sete anos de trabalho escravo na Drake & Sweeney não ajudavam em nada amizades ou casamentos. Com trinta e dois anos, eu não estava preparado para a vida de solteiro. Olhando o jogo e as mulheres no bar, perguntei a mim mesmo se devia voltar ao cenário dos clubes noturnos e dos bares para encontrar companhia. Certamente devia haver outros lugares e outros métodos.

Comecei a me sentir deprimido e saí do bar.

Atravessei a cidade de carro, muito lentamente, sem pressa de chegar ao meu apartamento. Meu nome estava no contrato, num computador em algum lugar e a polícia podia encontrar facilmente o meu sótão. Se estavam planejando uma prisão, sem dúvida seria à noite. Iam adorar me pregar um susto batendo na minha porta no meio da noite, me revistar com um pouco de brutalidade, fechar as algemas nos meus pulsos e me empurrar porta afora, descer no elevador, segurando com força meus braços, me empurrar para o banco de trás de um carro-patrulha para o percurso até a cadeia onde eu seria o único profissional branco preso naquela noite. Teriam enorme prazer em me atirar numa cela com o bando habitual de gente perigosa e deixar que me defendesse como fosse possível.

Independente do que estivesse fazendo, sempre levava duas coisas comigo. Um telefone celular, para chamar Mordecai assim que fosse preso, e um maço de notas – de vinte dólares – para pagar a fiança e com sorte ser libertado antes de chegar perto da cela.

Estacionei a duas quadras do prédio e examinei todos os carros vazios à procura de tipos suspeitos. Cheguei ao meu sótão intocado, em liberdade.

Minha sala tinha agora duas cadeiras de jardim e uma caixa de plástico que servia como mesa de centro e banqueta. A televisão estava sobre outra caixa de plástico. Aquela decoração mínima me divertia e eu não pretendia permitir que ninguém visse como eu estava vivendo.

Minha mãe tinha telefonado. Ouvi a gravação na secretária. Ela e meu pai estavam preocupados comigo e queriam que eu fosse visitá-los. Tinham discutido o assunto com meu irmão Warner e ele também iria à casa deles para falar comigo. Eu quase podia ouvir a análise deles sobre a minha nova vida. Alguém precisava pôr algum juízo na minha cabeça.

O comício por Lontae abriu o noticiário das onze. Havia closes dos cinco caixões negros nos degraus da prefeitura e depois a marcha. Mordecai apareceu pregando para as massas. A multidão parecia mais numerosa do que eu pensava – a estimativa era de cinco mil. O prefeito não fez nenhum comentário.

Desliguei a televisão e liguei para Claire. Há quatro dias não falava com ela e pensei que devia ser cortês e procurar quebrar o gelo. Tecnicamente ainda estávamos casados. Seria agradável jantarmos juntos dentro de um ou dois dias.

No terceiro toque uma voz estranha, relutante e masculina atendeu.

– Alô.

Por um segundo fiquei surpreso demais para falar. Eram onze e meia de uma noite de quinta-feira. Claire estava com um homem em casa. Eu estava fora há menos de uma semana. Quase desliguei, mas depois me controlei e disse:

– Claire, por favor.

– Quem está falando? – ele perguntou, agressivamente.

– Michael, o marido dela.

– Ela está no chuveiro – ele disse, com um leve traço de satisfação.

– Diga a ela que eu telefonei. – Desliguei o mais rapidamente possível.

Andei de um lado para o outro, nos três cômodos, até meia-noite, depois me vesti outra vez e saí para andar no frio. Quando um casamento desmorona, você imagina todos os cenários. Seria uma simples questão de distanciamento progressivo ou algo mais complicado? Eu teria deixado de ver os sinais? Seria ele uma aventura casual de uma noite, ou estavam se encontrando há anos? Seria um médico mulherengo com mulher e filhos, ou um viril estudante de medicina dando a ela o que eu deixei de dar?

Eu repetia para mim mesmo que não tinha importância.

Não estávamos nos divorciando por causa de infidelidades. Era tarde demais para me preocupar com a possibilidade de ela estar dormindo com outras pessoas.

O casamento estava acabado, pura e simplesmente. Fossem quais fossem as razões. Ela podia ir para o inferno que eu pouco me importava. Para mim estava acabada, descartada, esquecida. Se eu estava livre para procurar mulheres, as mesmas regras se aplicavam a ela.

Sim, certo.

Às duas horas da manhã eu estava em Dupont Circle, ignorando os chamados dos gays, e passando por homens vestidos com camadas de roupas e por acolchoados e bancos que serviam de cama. Era perigoso, mas eu não me importava.

Algumas horas depois, comprei uma caixa com uma dúzia de donuts variados, dois cafés duplos e um jornal. Ruby esperava fielmente na porta, tremendo de frio. Seus olhos estavam mais vermelhos do que nunca, o sorriso menos espontâneo.

Nosso ponto de encontro era a mesa na sala da frente, a que tinha o menor número de pilhas de pastas há muito tempo esquecidas. Fiz espaço no centro da mesa e servi o café e os donuts. Ela não gostava de chocolate e preferia os recheados com frutas.

– Você lê jornal? – perguntei, abrindo o que eu tinha comprado.

– Não.

– Você sabe ler bem?

– Não muito.

Então eu li para ela. Começamos na primeira página, especialmente porque tinha uma foto grande dos cinco caixões que pareciam navegar à deriva sobre as cabeças da multidão. A reportagem estava no canto inferior esquerdo e eu li cada palavra para Ruby, que escutava atentamente. Ruby tinha ouvido falar da morte da família Burton e os detalhes a fascinavam.

– Eu posso morrer assim também? – ela perguntou.

– Não. Só se seu carro tivesse motor e você ligasse o aquecimento.

– Eu gostaria de ter aquecimento.

– Você pode morrer por ficar exposta ao tempo.

– O que é isso?

– Morrer congelada.

Ela limpou a boca com um guardanapo de papel e tomou um gole de café. A temperatura era de onze graus negativos na noite em que Ontario e sua família morreram. Como Ruby sobreviveu?

– Para onde você vai quando fica frio de verdade? – perguntei.

– Lugar nenhum.

– Você fica no carro?

– Fico.

– Como consegue não ficar congelada?

– Tenho muitos cobertores. Eu me enfio debaixo deles.

– Nunca vai para o albergue?

– Nunca.

– Iria para um albergue se isso a ajudasse a ver Terence?

Ela inclinou a cabeça para o lado e olhou para mim, desconfiada.

– O que você disse?

– Você quer ver Terence, não quer?

– Quero.

– Então tem de largar as drogas, não é?

– Certo.

– Para largar as drogas, tem de ficar por algum tempo num centro de desintoxicação. Estaria disposta a fazer isso?

– Talvez – ela disse. – Apenas talvez.

Era um passo pequeno, mas não insignificante.

– Eu posso ajudá-la a ver Terence outra vez e fazer parte da vida dele. Mas você tem de largar o vício.

– Como vou fazer isso? – ela perguntou, sem olhar para mim. Segurou a xícara com as duas mãos, a fumaça quente subindo para o rosto.

– Você vai ao Naomi's hoje?

– Vou.

– Falei com a diretora de lá. Eles têm duas reuniões hoje,

alcoólatras e viciados em drogas juntos. São os AA/NA. Quero que você vá às duas. A diretora vai telefonar para mim.

Ela balançou a cabeça assentindo, como uma criança repreendida. Eu não queria pressionar mais, não naquele momento. Ela comeu os donuts, tomou café e ouviu com profunda atenção as reportagens do jornal, uma após a outra. Não se interessava muito por política e esportes, mas as notícias da cidade a fascinavam. Há muitos anos ela havia votado e a política da capital era fácil de entender. Ela compreendia também as reportagens policiais.

Um longo editorial atacava o Congresso e a prefeitura por não criarem serviços para os sem-teto. Outras Lontae iam acontecer, advertia o editorial. Outras crianças vão morrer nas nossas ruas, na sombra do Congresso dos Estados Unidos. Eu expliquei isso com outras palavras para Ruby, que concordou com cada frase.

Uma chuva fina e gelada começou a cair e eu levei Ruby de carro até sua próxima parada do dia. O Centro para Mulheres Naomi's era uma casa geminada de quatro andares na rua 10, noroeste, num quarteirão com outras casas iguais. Abria às sete horas, fechava às quatro e nesse tempo oferecia alimento, banhos, roupas, atividades e aconselhamento para qualquer mulher desabrigada. Ruby há muito tempo freqüentava o centro e foi recebida calorosamente pelas amigas quando entrou.

Falei com a diretora, uma jovem chamada Megan. Conspiramos para forçar Ruby a ficar sóbria. Metade das mulheres ali estava mentalmente enferma, metade era de viciadas em drogas, um terço era de soropositivos. Ruby, ao que Megan sabia, não tinha doenças infecciosas.

Quando saí, as mulheres estavam todas na sala principal, cantando juntas.

Eu estava bastante ocupado quando Sofia bateu e entrou antes que eu dissesse qualquer coisa.

– Mordecai disse que você estava procurando alguém – ela disse, com um bloco na mão, pronta para tomar notas.

Pensei por um segundo e então lembrei de Hector.

– Ah. Sim, estou.

– Eu posso ajudar. Diga tudo que sabe sobre a pessoa. – Ela se sentou e começou a escrever. Eu disse o nome, endereço, último lugar em que eu sabia que tinha trabalhado, descrição física e o fato de que tinha mulher e quatro filhos.

– Idade?

– Uns trinta.

– Salário aproximado?

– Trinta e cinco mil por ano.

– Com quatro filhos podemos supor que pelo menos um está na escola. Com esse salário, e morando em Bethesda, duvido que fosse numa escola particular. Ele é hispânico, portanto provavelmente católico. Mais alguma coisa?

Não me lembrei de mais nada. Ela voltou para sua mesa, abriu um fichário e começou a virar as páginas. Eu deixei minha porta aberta para ver e ouvir. O primeiro telefonema foi para o Serviço Postal. A conversa imediatamente passou para espanhol e eu fiquei boiando. Outros telefonemas vieram, um atrás do outro. Ela dizia alô em inglês, perguntava por seu contato e passava para sua língua nativa. Telefonou para a diocese católica, o que a levou a outra série de telefonemas breves. Eu perdi o interesse.

Uma hora depois, ela foi até a minha porta e anunciou.

– Eles foram para Chicago. Você precisa do endereço?

– Como foi que você...? – Não concluí a frase, fiquei olhando para ela incrédulo.

– Não pergunte. O amigo de um amigo da igreja deles. Eles se mudaram no fim de semana, com muita pressa. Você precisa do novo endereço?

– Quanto tempo vai levar?

– Não vai ser fácil. Posso indicar para você a direção a tomar.

Sofia tinha uns seis clientes sentados na sala, à espera dos seus conselhos.

– Agora não – eu disse. – Talvez mais tarde. Obrigado.

– Não tem de quê.

Não tem de quê. Eu havia planejado passar mais algumas horas no escuro batendo nas portas dos vizinhos, no frio, fugindo dos guardas de segurança, esperando não levar um tiro. E ela trabalhou no telefone por uma hora e encontrou a pessoa desaparecida.

A Drake & Sweeney tinha mais de cem advogados na filial de Chicago. Eu estive lá duas vezes para tratar de alguns casos. Os escritórios ficavam num arranha-céu perto do lago. O saguão do prédio tinha a altura de vários andares, com fontes e lojas em volta, escadas rolantes ziguezagueando para cima e para baixo. Um lugar perfeito para esconder e vigiar Hector Palma.

Vinte e seis

Os sem-teto estão perto das ruas, da calçada, do meio-fio e das sarjetas, do concreto, do lixo, das tampas dos bueiros e dos hidrantes, das latas de lixo, das paradas de ônibus e da frente das lojas. Eles se movem lentamente em terreno conhecido, dia após dia, parando para conversar porque o tempo pouco significa, parando para ver um carro enguiçado no meio do tráfego, um novo traficante numa esquina, um rosto estranho no seu território. Eles sentam nas calçadas escondidos sob chapéus e bonés e atrás dos toldos da lojas, e como sentinelas observam o movimento. Ouvem os sons das ruas, absorvem os odores da fumaça de óleo diesel dos ônibus da cidade e das frituras dos restaurantes baratos. O mesmo táxi passa duas vezes em uma hora e eles percebem. Uma arma é disparada à distância e eles sabem de onde partiu o tiro. Um belo carro com placa da Virgínia ou de Maryland está estacionado ao lado da calçada, eles o observam até o carro ir embora.

Se um policial à paisana espera num carro não-oficial, eles o vêem.

– A polícia está lá fora – um dos nossos clientes disse para Sofia.

Ela foi até a porta e olhou na direção da rua Q. Lá estava o que parecia um carro não-oficial da polícia. Esperou meia hora e foi olhar outra vez. Depois foi falar com Mordecai.

Eu não vi nada disso porque estava discutindo com a

administradora de vales-refeição numa das frentes de batalha e com o gabinete do promotor na outra. Era a tarde de sexta-feira e a burocracia da prefeitura, extremamente deficiente em seus melhores dias, já estava fechando as portas. Eles me deram a notícia em conjunto.

– Acho que a polícia está esperando lá fora – Mordecai informou solenemente.

Meu primeiro impulso foi me esconder debaixo da mesa, mas é claro que não fiz isso. Tentei aparentar calma.

– Onde? – perguntei, como se isso importasse.

– Na esquina. Estão vigiando o prédio há mais de meia hora.

– Talvez estejam atrás de vocês – eu disse. Ah, ah. Ninguém riu.

– Eu telefonei – Sofia disse. – E há um mandado de prisão contra você. Furto em primeiro grau.

Furto qualificado! Prisão! Um belo rapaz branco atirado no fundo do poço. Eu mudei de posição na cadeira esforçando-me para não demonstrar medo.

– Não é surpresa – eu disse. Acontecia a toda hora. – Vamos acabar com isso.

– Vou telefonar para um cara do gabinete do promotor – Mordecai disse. – Seria melhor se permitissem que você se entregasse.

– Seria ótimo – eu disse, como se não tivesse a mínima importância. – Mas estive falando com o gabinete do promotor a tarde toda. Ninguém quer me ouvir.

– Eles têm duzentos advogados – ele disse.

Mordecai não fazia amigos naquele lado da rua. Tiras e promotores eram seus inimigos naturais.

Resolvemos armar um esquema rápido. Sofia iria telefonar para um avalista de fiança que iria me encontrar na prisão. Mordecai tentaria encontrar um juiz amigo. O que ninguém disse foi o óbvio – era final de expediente de uma sexta-feira. Eu talvez não sobrevivesse até segunda-feira na cadeia municipal.

Eles saíram para dar os telefonemas e eu fiquei sentado à

minha mesa, petrificado, incapaz de me mover, pensar ou fazer qualquer coisa que não fosse ouvir o rangido da porta da frente. Não esperei muito tempo. Exatamente às quatro horas da tarde, o tenente Gasko entrou com dois dos seus homens.

No meu primeiro encontro com Gasko, quando ele estava revistando o apartamento de Claire, quando eu estava vociferando e citando nomes e ameaçando com todo o tipo de ação judicial, quando cada palavra dele era respondida causticamente por mim, quando eu era um advogado decidido e ele um simples tira, jamais me ocorreu que algum dia ele teria o prazer de me prender. Mas ali estava ele, arrogante como um campeão de meia-idade, de certa forma zombando e sorrindo ao mesmo tempo, com papéis na mão, dobrados e esperando para serem batidos contra meu peito.

– Preciso ver o Sr. Brock – ele disse para Sofia e nesse momento eu saí para a sala da frente, sorrindo.

– Alô, Gasko – eu disse. – Ainda procurando a pasta?

– Não. Hoje não.

Mordecai saiu do escritório. Sofia estava de pé ao lado da mesa. Todos se entreolharam.

– Tem um mandado? – Mordecai perguntou.

– Tenho. Para o Sr. Brock aqui – Gasko disse.

Dei de ombros e disse:

– Vamos. – Dei uns passos na direção de Gasko. Um dos seus homens tirou as algemas do cinto. Eu estava resolvido a pelo menos aparentar calma.

– Sou advogado dele – Mordecai disse. – Deixe-me ver isso. – Examinou o mandado enquanto eu era algemado com as mãos nas costas, sentindo o aço frio apertar os pulsos. As algemas eram apertadas demais ou pelo menos mais do que deveriam ser, mas eu podia agüentar e estava resolvido a parecer despreocupado.

– Eu terei prazer em levar meu cliente à central de polícia – Mordecai disse.

– Puxa, obrigado – Gasko disse. – Mas vamos lhe poupar o trabalho.

– Para onde ele vai?

– Central.

– Eu vou seguir atrás de você – Mordecai me disse. Sofia estava no telefone e isso era mais reconfortante do que saber que Mordecai estaria o tempo todo por perto.

Três dos nossos clientes assistiram à cena, três inofensivos cavalheiros das ruas que esperavam uma palavrinha com Sofia. Estavam sentados onde os clientes sempre esperavam e quando passei por eles, olharam para mim incrédulos.

Um dos homens de Gasko apertou meu cotovelo, me empurrou para fora e eu saí para a calçada, ansioso para entrar no carro da polícia, um carro branco, sujo e sem nenhuma insígnia, estacionado na esquina. Os sem-teto viram tudo – o carro parando na frente do prédio, os tiras entrando, os tiras saindo, me levando algemado.

"Prenderam um advogado", logo iam murmurar e a notícia ia correr as ruas.

Gasko sentou atrás comigo. Eu afundei no banco, olhando para o nada, começando a sentir os efeitos do choque.

– Que perda de tempo – Gasko disse, descontraído, apoiando uma bota de caubói no outro joelho. – Temos cento e quarenta homicídios não resolvidos nesta cidade, drogas em cada esquina, traficantes vendendo nas escolas e temos de perder tempo com você.

– Está tentando me interrogar, Gasko?

– Não.

– Ótimo. – Ele não se preocupou em ler os meus direitos e não precisava se preocupar enquanto não começasse a fazer perguntas.

O policial na direção estava voando para o sul na rua 14, sem luzes nem sirene e certamente sem nenhum respeito pelos sinais de trânsito ou pelos pedestres.

– Então me deixe ir.

– Se dependesse de mim, eu deixaria. Mas você enfureceu um bocado de gente. O promotor disse que está sendo pressionado para pegar você.

– Pressionado por quem? – perguntei. Mas eu sabia a resposta. A Drake & Sweeney não ia perder tempo com a polícia, preferia uma conversa profissional com o promotor.

– Pelas vítimas – Gasko disse, com sarcasmo marcante.

Concordei com o sarcasmo. Era difícil imaginar um bando de advogados ricos como vítimas de um crime.

Muita gente famosa já havia parado na cadeia. Tentei lembrar. Martin Luther King foi preso várias vezes. Boesky e Milken e outros ladrões notórios cujos nomes me escapavam no momento. Para não falar nos atores e atletas famosos dirigindo embriagados e pegando prostitutas e portando drogas. Foram atirados nos bancos de trás dos carros da polícia e levados como criminosos comuns. Um juiz de Memphis estava cumprindo uma sentença de prisão perpétua, um conhecido da universidade, numa casa de correção, um antigo cliente, na penitenciária federal por sonegação de impostos. Todos foram presos, levados para a central, fichados, suas impressões digitais foram tiradas e foram fotografados com um número no peito. E todos tinham sobrevivido.

Eu suspeitava que até Mordecai já havia sentido o aperto frio das algemas.

Havia uma certa dose de alívio porque finalmente aquilo estava acontecendo. Eu podia parar de fugir e me esconder, de olhar constantemente para trás para ver se estava sendo seguido. A espera tinha acabado. E não foi uma batida no meio da noite, o que certamente me faria ficar na cadeia até de manhã. A hora era mais propícia. Com sorte, eu poderia ser processado e pagaria a fiança antes da hora do rush de sexta-feira.

Mas havia também uma dose de horror, um medo que eu nunca havia sentido em minha vida. Muitas coisas poderiam dar errado na cadeia da cidade. Documentos poderiam ser perdidos. Demoras de todo o tipo poderiam ser criadas. A fiança poderia ser adiada até sábado ou domingo, ou mesmo até segunda-feira. Eu poderia ser deixado numa cela abarrotada de gente pouco amistosa e cruel.

A notícia da minha prisão iria se espalhar. Meus amigos iriam balançar a cabeça e se perguntar o que mais eu iria fazer para destruir a minha vida. Meus pais ficariam arrasados.

Quanto a Claire, eu não tinha certeza, especialmente agora que tinha a companhia de um gigolô.

Fechei os olhos e tentei me acomodar confortavelmente, o que verifiquei ser impossível se se está sentado sobre as próprias mãos.

Todo o processo de fichamento na polícia foi uma cena pouco distinta e confusa, movimentos irreais de um lugar ao outro com Gasko me conduzindo como se eu fosse um cãozinho perdido. Olhos no chão, eu repetia mentalmente para mim mesmo, não olhe para essa gente. Inventário primeiro, tudo que eu tinha nos bolsos, assinar o formulário. No corredor sujo para a sala de fotos, sem sapatos, encostado na fita para medir altura, não precisa sorrir se não quiser, mas por favor, olhe para a câmara. Depois de perfil. Em seguida para a sala de impressões digitais que estava ocupada e por isso Gasko me algemou a um doente mental e foi tomar café. Prisioneiros passavam arrastando os pés, todos em vários estágios do processo. Tiras por toda a parte. Um rosto branco, não um policial, mas um acusado muito parecido comigo – jovem, branco, belo terno azul-marinho, evidentemente embriagado com um hematoma na face esquerda. Como é possível estar de cara cheia antes das cinco horas da tarde de uma sexta-feira? O jovem falava alto, gritando ameaças, as palavras indistintas e arrastadas, ignorado por todos que estavam por perto. Depois ele foi embora. O tempo passou e eu comecei a entrar em pânico. Estava escuro lá fora, o fim de semana tinha começado, o crime também ia começar e a cadeia ia ficar mais movimentada. Gasko voltou, levou-me para tirar as impressões digitais e observou enquanto o Poindexter eficientemente aplicou a tinta nos meus dedos e os apertou contra o papel.

Não havia necessidade de telefonemas. Meu advogado estava em algum lugar próximo, embora Gasko não o tivesse visto. As portas ficavam mais pesadas à medida que descíamos para a cadeia. Estávamos indo na direção errada, a rua tinha ficado para trás.

– Eu não posso pagar fiança? – perguntei, finalmente. Vi as barras de ferro logo adiante; grades nas janelas e guardas atentos armados.

– Acho que seu advogado está tratando disso – Gasko disse.

Ele me entregou para o sargento Coffey, que me empurrou contra uma parede, separou minhas pernas com o pé e me revistou como se estivesse procurando uma moeda de um centavo. Como não encontrou nenhuma, apontou e rosnou para um detector de metais, pelo qual eu passei sem nenhum problema. Um zumbido, uma porta deslizou para o lado, apareceu um corredor, com filas de barras de ferro nos dois lados. Uma porta bateu atrás de mim e minha prece por uma libertação fácil cessou.

Mãos e braços saíam das grades no corredor estreito. Os homens nos observavam. Eu olhava para meus pés. Coffey olhava para dentro de cada cela, pensei que estivesse contando os prisioneiros. Paramos na terceira da direita.

Meus companheiros de cela eram negros, todos muito mais novos do que eu. Logo que entrei contei quatro, depois vi o quinto deitado no beliche superior. Eram duas camas para seis pessoas. A cela era um pequeno quadrado com três paredes de grades de ferro, de modo que eu podia ver os prisioneiros da cela vizinha e da cela que ficava no outro lado do corredor. A parede dos fundos era de blocos de concreto com um pequeno vaso sanitário no canto.

Coffey bateu a porta atrás de mim. O homem no beliche sentou com as pernas para baixo, quase tocando no rosto do outro sentado no beliche inferior. Os cinco olharam para mim. Fiquei parado perto da porta, tentando não parecer assustado, tentando desesperadamente encontrar um lugar no chão para sentar e assim não correr o perigo de tocar em nenhum deles.

Graças a Deus não tinham armas. Graças a Deus alguém tinha instalado o detector de metais. Não tinham revólveres nem facas, eu não tinha nada de valor, a não ser minha roupa. Meu relógio, a carteira, o telefone celular, o dinheiro – e todo o resto – haviam sido confiscados e inventariados.

A frente da cela devia ser mais segura do que a parte de trás. Ignorei os olhares e ocupei meu espaço no chão, encostado na porta. No corredor alguém gritava chamando um guarda.

Começou uma briga duas celas adiante e através das grades e dos beliches vi o homem bêbado branco de terno azul-marinho seguro num canto por dois enormes negros que socavam sua cabeça. Outras vozes os encorajavam e o barulho encheu toda a ala. Não era um bom momento para ser branco.

Um apito agudo, a porta abriu e Coffey estava de volta, com o cassetete na mão. A briga acabou de repente com o bêbado deitado de bruços, imóvel. Coffey entrou na cela e perguntou o que tinha acontecido. Ninguém sabia, ninguém tinha visto nada.

– Fiquem quietos! – ele ordenou e foi embora.

Minutos se passaram. O bêbado começou a gemer, alguém vomitava ao longe. Um dos meus companheiros de cela levantou-se e foi até onde eu estava. Os pés descalços tocaram de leve na minha perna. Olhei para cima, depois desviei os olhos. Ele olhou para baixo e compreendi que aquele era o fim.

– Bonito paletó – ele disse.

– Obrigado – murmurei, tentando parecer sarcástico, de modo nenhum com uma sugestão de provocação. Eu estava com um blazer azul-marinho, muito velho, que usava todos os dias com jeans e calça cáqui – meu traje radical. Certamente não valia uma surra.

– Bonito paletó – ele disse outra vez cutucando minha perna de leve com o pé. O homem no beliche de cima saltou para baixo e parou mais perto para ver melhor.

– Obrigado – eu disse outra vez.

Ele devia ter dezoito ou dezenove anos, magro e alto, nem um grama de gordura, provavelmente membro de alguma gangue que tinha passado toda a vida nas ruas. Era arrogante e ansioso para impressionar os outros com sua coragem.

Eu ia ser o traseiro mais fácil que ele já havia chutado.

– Eu não tenho um paletó tão bonito – ele disse. Um empurrão firme com o pé, uma provocação clara.

Não devia ser um marginal das ruas, eu pensei. Ele não poderia roubar ali porque não tinha para onde fugir.

– Posso emprestar se você quiser – eu disse, sem olhar para cima.

– Não.

Puxei os pés ficando com os joelhos perto do queixo. Era uma posição de defesa. Se fosse chutado ou esmurrado, eu não ia revidar. Qualquer resistência traria os outros quatro e eles iam se divertir à vontade, demolindo um cara branco.

– O garoto disse que você tem um bonito paletó – disse o do beliche de cima.

– E eu disse obrigado.

– O garoto disse que não tem um paletó tão bonito.

– Então, o que eu devo fazer? – perguntei.

– Um presente seria apropriado.

Um terceiro se adiantou e fechou o semicírculo. O primeiro chutou meu pé e todos chegaram mais perto. Estavam prontos para o ataque, um esperando o outro começar, então eu tirei o paletó rapidamente e estendi para eles.

– É um presente? – o primeiro perguntou, pegando o paletó.

– É o que você quiser – eu disse. Eu estava olhando para baixo, ainda evitando os olhos deles, por isso não vi o pé. Foi um pontapé violento na minha têmpora direita. Minha cabeça foi para trás e bateu com força nas grades – Merda! – eu gritei, levando a mão à parte de trás da cabeça.

– Pode ficar com a merda do paletó – eu disse, me preparando para a carnificina.

– É um presente?

– É.

– Obrigado, cara.

– Não tem de quê – eu disse, passando a mão no rosto. Minha cabeça estava dormente.

Eles recuaram, deixando-me enrodilhado como uma bola.

Os minutos se passaram mas eu perdi a noção do tempo. O homem branco bêbado, duas celas adiante, esforçava-se para voltar à vida e outra voz chamava o guarda. O garoto não vestiu meu paletó. A cela o engoliu.

Meu rosto latejava, mas não havia sangue. Se eu não fosse mais machucado naquela cela, devia me considerar um homem de sorte. Um homem gritou alguma coisa sobre estar tentando dormir e eu comecei a imaginar o que a noite me traria. Seis homens numa cela, duas camas muito estreitas. Será que devíamos dormir no chão, sem cobertores e sem travesseiro?

O chão estava ficando frio e ali sentado eu olhava para meus companheiros de cela imaginando quais seriam seus crimes. Eu, é claro, tinha pegado emprestada uma pasta com firme intenção de devolver. E ali estava, um ninguém, no meio de traficantes, ladrões de automóveis, estupradores, provavelmente até assassinos.

Eu não estava com fome mas pensei em comida. Não tinha escova de dentes. Não estava precisando ir ao banheiro, mas o que ia acontecer quando precisasse? Onde estava a água para beber? As necessidades básicas se tornavam cruciais.

– Bonitos sapatos – uma voz disse, me assustando. Olhei para cima e vi outro deles de pé ao meu lado. Ele estava com meias sujas, sem sapatos e seus pés eram alguns centímetros maiores que os meus.

– Obrigado – eu disse. Os sapatos em questão eram os velhos tênis de corrida. Não eram tênis de basquete e não deviam interessar ao meu companheiro de cela. Pela primeira vez eu desejei estar com o mocassim com borlas da minha carreira anterior.

– Que número? – ele perguntou.

– Quarenta.

O desordeiro que tirou meu paletó se aproximou, a mensagem foi dada e recebida.

– O mesmo número que eu calço – disse o primeiro.

– Você quer? – eu perguntei e comecei a desamarrar o cordão. – Tome. Eu gostaria de dar de presente a você os meus sapatos. – Sacudi os pés, jogando os tênis para longe e ele pegou.

E minha calça jeans, minha roupa de baixo, eu tive vontade de perguntar.

Mordecai finalmente apareceu mais ou menos às sete horas da manhã. Coffey foi me buscar na cela e quando íamos para a frente do prédio, ele perguntou:

– Onde estão seus sapatos?

– Na cela – eu disse. – Foram tirados.

– Eu vou buscar.

– Obrigado. Eu tinha um blazer azul-marinho também.

Ele olhou para o lado esquerdo do meu rosto onde o canto do olho começava a inchar.

– Você está bem?

– Maravilhosamente. Estou livre.

A fiança foi de dez mil dólares. Mordecai estava esperando com o fiador. Paguei a ele mil dólares em dinheiro e assinei os papéis. Coffey voltou com meus sapatos e meu blazer e minha prisão terminou. Sofia estava esperando no seu carro e eles me levaram embora.

Vinte e sete

Em termos estritamente físicos eu estava pagando um alto preço por minha jornada da torre para as ruas. As equimoses do acidente tinham quase desaparecido, mas as dores nos músculos e nas juntas levariam semanas. Eu estava emagrecendo por dois motivos – não podia pagar os restaurantes que freqüentava antes e tinha perdido o interesse por comida. Minhas costas doíam por causa do saco de dormir, uma prática que eu estava resolvido a continuar para ver se chegava a ficar tolerável. Mas tinha minhas dúvidas.

E então um desordeiro das ruas quase partiu minha cabeça com o pé descalço. Apliquei gelo até bem tarde e toda vez que acordava a dor parecia maior.

Mas estava feliz por estar vivo, por estar inteiro depois da descida ao inferno por algumas horas antes de ser salvo. Não tinha mais medo do desconhecido, pelo menos por enquanto. Não havia tiras de tocaia nas sombras.

Furto qualificado não era brincadeira, especialmente considerando que eu era culpado. A pena máxima era de dez anos. Mas resolvi me preocupar com isso mais tarde.

Saí do apartamento um pouco antes do sol nascer, no sábado, ansioso para comprar o jornal. Acostumei-me a tomar café em uma padaria que ficava aberta a noite toda, administrada por uma família barulhenta de paquistaneses, na Kalorama, uma zona do Adams-Morgan que podia passar de território seguro para perigoso de uma quadra para outra. Sentei na frente do balcão e pedi um café com leite. Depois abri o jornal e encontrei a pequena reportagem cuja idéia tinha me tirado o sono.

Meus amigos da Drake & Sweeney tinham planejado bem. Lá estava eu, na segunda página da seção policial, numa foto de dez anos atrás tirada para um folheto feito pela firma. Só eles tinham o negativo.

A reportagem de quatro parágrafos era breve, direta e repleta de informações dadas pela firma aos repórteres. Eu havia trabalhado sete anos para a firma, na divisão antitruste, formado em direito pela Yale, sem ficha criminal. A firma era a quinta maior no país – oitocentos advogados, oito cidades e assim por diante. O único objetivo da reportagem era me humilhar e eles conseguiram. ADVOGADO LOCAL PRESO POR FURTO, dizia a manchete ao lado da minha foto. "Itens furtados" e vinha a descrição dos objetos roubados. O que eu levei por ocasião da minha recente saída da firma.

A impressão era de uma briga sem importância – um bando de advogados brigando por causa de nada, só papéis. Quem ia se importar, a não ser eu e alguém que me conhecia? O constrangimento logo estaria terminado, havia muitas histórias reais no mundo.

A foto e o meu histórico tinham encontrado um repórter camarada, disposto a processar suas quatro fotografias e esperar até minha prisão ser confirmada. Sem nenhum esforço, eu podia ver Arthur, Rafter e sua equipe planejando durante horas minha prisão e as conseqüências, horas que sem dúvida seriam cobradas da RiverOaks, pelo simples fato de ser o cliente mais próximo do problema.

Que grande golpe de relações públicas! Quatro parágrafos na edição de sábado.

Os paquistaneses não faziam donuts com recheio de frutas. Comprei biscoitos de aveia e fui para o escritório.

Ruby estava dormindo na frente da porta e eu imaginei há quanto tempo estaria ali. Estava coberta com duas ou três colchas, com a cabeça apoiada numa sacola de compras de lona com tudo que possuía. Ela se levantou rapidamente quando eu tossi e fiz barulho com a chave.

– Por que está dormindo aqui? – perguntei.

Ela olhou para o saco de biscoitos e disse:

– Tenho de dormir em algum lugar.

– Pensei que você dormisse num carro.

– Eu durmo. Quase sempre.

Aquela conversa sobre por que uma sem-teto dormia aqui ou ali não podia levar a nada. Ruby estava com fome. Abri a porta, acendi as luzes e fui fazer café. Ela, de acordo com nosso ritual, foi direto para o que considerava a sua mesa e esperou.

Tomamos café e comemos biscoitos com as notícias da manhã. Alternávamos as histórias – eu lia uma que eu queria, depois uma que a interessava. Ignorei a reportagem a meu respeito.

Ruby não tinha ido à reunião da tarde dos AA/NA no Naomi's. A reunião da manhã foi sem incidente, mas ela fugiu da segunda. Megan, a diretora, tinha telefonado uma hora antes de Gasko aparecer.

– Como você está esta manhã? – perguntei quando terminamos de ler o jornal.

– Muito bem. E você?

– Muito bem. Estou de cara limpa. E você?

O queixo dela desceu um pouco, os olhos viraram para o lado e ela fez uma pausa suficientemente longa para ser verdade.

– Sim. Estou de cara limpa.

– Não, não está. Não minta para mim, Ruby. Sou seu amigo e seu advogado e vou ajudá-la a ver Terence. Mas não posso ajudar se mentir para mim. Agora, olhe nos meus olhos e diga se se drogou.

Ela conseguiu ficar menor do que era e com os olhos no chão, disse:

– Sim.

– Muito bem. Por que fugiu da reunião dos AA/NA ontem à tarde?

– Não fugi.

– A diretora disse que você fugiu.

– Eu pensei que tinha acabado.

Eu não ia entrar numa discussão que não podia ganhar.

– Você vai ao Naomi's hoje?

– Vou.

– Ótimo. Eu levo você, mas tem de prometer que vai às duas reuniões.

– Prometo.

– Você tem de ser a primeira a chegar às duas reuniões e a última a sair, certo?

– Certo.

– E a diretora vai estar vendo.

Ela fez um gesto afirmativo e apanhou outro biscoito, o quarto. Falamos sobre Terence e a reabilitação e outra vez comecei a sentir a completa desesperança do vício. Ela estava apavorada com a idéia de ficar sem se drogar por apenas vinte e quatro horas.

A droga era o crack, como eu já suspeitava. Vicia instantaneamente e é barata.

A caminho do Naomi's Ruby de repente disse:

– Você foi preso, não foi?

Eu quase avancei o sinal. Ao nascer do sol ela estava dormindo no chão, na frente da porta do escritório, era quase analfabeta. Como podia ter lido o jornal?

– Sim, fui.

– Foi o que pensei.

– Como soube?

– A gente ouve coisas na rua.

Ah, sim, esqueça os jornais. Os desabrigados transmitem suas notícias. O jovem advogado do escritório de Mordecai foi preso. Os tiras o levaram embora, como se fosse um de nós.

– É um mal-entendido – eu disse, como se ela se importasse.

Tinham começado a cantar quando chegamos. Ouvimos as vozes quando subíamos os degraus do Naomi's. Megan abriu a porta da frente e me convidou para tomar café. Na sala principal no primeiro andar, onde fora antes uma bela sala de estar, as senhoras do Naomi's cantavam, compartilhavam e ouviam os problemas umas das outras. Nós as observamos por alguns minutos. Como o único homem, eu me sentia um intruso.

Megan serviu o café na cozinha e me levou para conhecer o lugar. Falávamos em voz baixa porque as senhoras estavam rezando ali perto. Havia banheiros e chuveiros no primeiro andar, perto da cozinha, um pequeno jardim nos fundos onde as que sofriam de depressão podiam ficar sozinhas. No segundo andar ficavam os escritórios, os centros de entrevistas e uma sala retangular cheia de cadeiras onde os Alcoólicos Anônimos/Narcóticos Anônimos tinham suas reuniões.

Quando subíamos a escada estreita um coro alegre soou lá de baixo. O escritório de Megan ficava no terceiro andar. Ela me convidou para entrar e assim que me sentei ela jogou o *Post* no meu colo.

– Noite dura, não foi? – ela disse, com um sorriso.

Olhei outra vez para a minha foto.

– Não foi tanto assim.

– O que foi isso? – Ela apontou para a minha têmpora.

– Meu companheiro de cela queria meus sapatos. Ele tirou à força.

Ela olhou para meus tênis velhos.

– Esses?

– Sim. Bonitos, não são?

– Quanto tempo ficou preso?

– Algumas horas. Depois reorganizei a minha vida. Através da reabilitação. Agora sou um novo homem.

Ela sorriu outra vez, um sorriso perfeito, nossos olhos se encontraram por um segundo e eu pensei, Minha nossa! E não tem aliança. Megan era alta e um pouco magra demais. Usava o cabelo vermelho-escuro curto, acima das orelhas, como uma aluna de escola particular. Os olhos castanho-claros eram grandes e muito agradáveis de se mergulhar por um ou dois segundos. Megan era muito atraente e achei estranho não ter notado isso antes.

Seria uma armadilha? Eu estava ali em cima esperando algo mais do que conhecer o lugar? Como eu não havia percebido no dia anterior aquele sorriso e aqueles olhos?

Trocamos biografias. O pai dela era ministro da Igreja Episcopal em Maryland, um torcedor dos Redskins que adorava a capital. Era muito nova ainda quando resolveu trabalhar com os pobres. Não havia vocação mais nobre.

Tive de confessar que eu nunca pensei nos pobres até duas semanas atrás. Ela ficou fascinada com a história de Senhor e dos efeitos purificadores do seu ato de terrorismo na minha pessoa.

Megan me convidou a voltar para o almoço, para saber como ia Ruby. Se o sol aparecesse, podíamos almoçar no jardim.

Os advogados dos pobres não são diferentes das outras pessoas. Podem se apaixonar nos lugares mais estranhos, como albergues para mulheres sem teto.

Depois de uma semana circulando de carro pelas piores partes da capital e de passar horas nos albergues, em geral em meio aos sem-teto, eu já não sentia necessidade de me esconder atrás de Mordecai cada vez que saía. Ele era um escudo valioso, mas para sobreviver nas ruas eu tinha de pular na água e aprender a nadar.

Eu tinha uma lista de quase trinta albergues e dispensários e centros onde os desabrigados entravam e saíam. E tinha uma lista com os nomes das dezessete pessoas despejadas, incluindo DeVon Hardy e Lontae Burton.

Naquela manhã de sábado, minha parada seguinte depois do Naomi's foi a Igreja Cristã Mount Gilead, perto da Gallaudet University. De acordo com meu mapa, era o dispensário mais próximo do cruzamento da Nova York com Flórida, onde antes ficava o armazém. A diretora era uma jovem chamada Gloria que, quando eu cheguei às nove horas, estava na cozinha cortando aipo e reclamando que nenhum voluntário havia chegado. Depois que me apresentei, provando detalhadamente que minhas credenciais estavam em ordem, ela apontou para uma tábua de cortar legumes e me pediu para picar cebolas. Como um advogado dos pobres poderia dizer não?

Eu já tinha feito aquilo antes, expliquei, no dispensário de Dolly, durante a tempestade de neve. Ela foi cortês, mas estava atrasada. Enquanto eu cortava as cebolas e enxugava os olhos, falei sobre o despejo e citei os nomes, incluindo, é claro, os de DeVon Hardy e Lontae Burton.

– Nós não tratamos dos problemas deles – ela disse. – Apenas os alimentamos. Eu não sei muitos nomes.

Um voluntário chegou com um saco de batatas. Eu me preparei para partir. Gloria agradeceu e anotou os nomes. Prometeu ouvir com atenção.

Meus movimentos estavam todos planejados. Tinha muitos lugares para ir e pouco tempo. Falei com um médico na Clínica Capitólio, uma instituição particular para pacientes sem-teto que não precisavam de internação. A clínica tinha registro de cada paciente. Era sábado e na segunda-feira ele ia mandar uma secretária verificar os nomes da minha lista nos arquivos do computador. Se encontrasse algum, a secretária me telefonaria.

Tomei chá com um padre católico na Missão Redentor, numa travessa da Rhode Island. Ele analisou os nomes com grande interesse, mas não reconheceu nenhum.

– São tantos – ele disse.

O único susto daquela manhã ocorreu na Coalizão da Liberdade, um grande salão de reuniões construído por alguma associação há muito esquecida e convertido em um centro comunitário. Às onze horas, a fila para o almoço começava a ser formar no lado de fora. Como eu não estava ali para comer, simplesmente ignorei a fila e entrei direto. Alguns dos cavalheiros que esperavam o almoço pensaram que eu estava furando a fila e começaram a gritar palavrões. Eles estavam com fome e de repente ficaram zangados e o fato de eu ser branco não ajudava em nada. Como podiam me confundir com um sem-teto? A porta era guardada por um voluntário, que também pensou que eu era um cretino. Ele me empurrou agressivamente, outro ato de violência contra a minha pessoa.

– Não estou aqui para comer! – eu disse, furioso. – Sou advogado dos sem-teto!

Isso os acalmou e de repente eu era um irmão de olhos

azuis com permissão para entrar no prédio sem mais protestos. O diretor era o reverendo Kip, um homenzinho cheio de energia com uma boina vermelha e colarinho preto. Nós não nos entendemos. Quando ele compreendeu que (a) eu era advogado; (b) meus clientes eram os Burton; (c) eu estava trabalhando num processo judicial a favor deles e (d) podia haver indenização por danos, ele começou a pensar em dinheiro. Gastei trinta minutos com ele e saí prometendo a mim mesmo mandar Mordecai da próxima vez.

Telefonei para Megan desmarcando o almoço. Minha desculpa foi que eu estava no outro lado da cidade, com uma longa lista de pessoas ainda para visitar. A verdade era que eu não podia dizer se ela estava me seduzindo. Megan era bonita, inteligente e agradável e era a última coisa de que eu precisava. Há anos eu não namorava e não sabia as regras.

Mas Megan tinha boas notícias. Ruby não apenas sobreviveu à sessão matinal do AA/NA como prometeu ficar sem se drogar por vinte e quatro horas. Foi uma cena emocionante que Megan assistiu do fundo da sala.

– Ela precisa ficar fora das ruas esta noite – Megan disse. – Há onze anos não passa um dia sem se drogar.

Eu, é claro, não podia fazer muita coisa. Megan tinha várias idéias.

A tarde foi tão infrutífera quanto a manhã, mas serviu para aprender o caminho para todos os albergues da capital. E conheci pessoas, fiz contatos, troquei cartões com pessoas que provavelmente eu ia ver outra vez.

Kelvin Lam continuava a ser o único despejado que conseguimos encontrar. DeVon Hardy e Lontae Burton estavam mortos. Sobrava um total de quatorze pessoas que tinham desaparecido nos buracos das calçadas.

Os líderes dos sem-teto aparecem ocasionalmente nos albergues para uma refeição, ou um par de sapatos, um cobertor, mas não deixam nenhuma pista. Não querem ajuda. Não desejam contato humano. Era difícil acreditar que os quatorze da lista fossem líderes. Há um mês estavam morando debaixo de um teto e pagando aluguel.

Paciência, Mordecai não cansava de dizer. Advogados das ruas devem ter paciência.

Ruby me encontrou na porta do Naomi's com um sorriso brilhante e um abraço apertado. Tinha comparecido a duas reuniões. Megan já havia delineado o plano para as doze horas seguintes – Ruby não podia ficar nas ruas. Ruby concordou.

Ruby e eu saímos da cidade e fomos para o oeste, na Virgínia. Num shopping suburbano compramos uma escova de dentes, pasta, sabonete, xampu e balas suficientes para uma noite inteira do dia das bruxas. Seguimos, nos afastando mais da cidade e na cidadezinha de Gainesville encontrei um bonito motel com quartos de solteiro por quarenta e dois dólares por noite. Paguei com o cartão de crédito. Sem dúvida seria dedutível.

Eu a deixei no motel com instruções estritas para ficar no quarto com a porta trancada até eu voltar no domingo de manhã.

Vinte e oito

Noite de sábado, primeiro dia de março. Jovem, solteiro, certamente não tão rico quanto pouco tempo atrás, mas ainda não completamente quebrado. Um closet cheio de roupas boas, que não estavam sendo usadas. Uma cidade com um milhão de pessoas, centenas de jovens mulheres atraentes atraídas para o centro do poder político e sempre prontas, segundo diziam, para se divertir.

Comi uma pizza, tomei uma cerveja e assisti ao jogo de basquete da universidade, sozinho no meu sótão, e não me senti infeliz. Qualquer aparecimento em público naquela noite acabaria com a pergunta cruel, "Ei, você não é o cara que foi preso? Vi no jornal esta manhã".

Liguei para Ruby. Ela atendeu depois do oitavo toque e eu já estava para entrar em pânico. Ruby estava tendo um prazer imenso com tudo aquilo. Tomou um longo banho de chuveiro, comeu meio quilo de balas e assistiu à televisão durante horas. Não tinha saído do quarto.

Ruby estava a trinta quilômetros de distância, numa cidadezinha na zona rural de Virgínia onde nem ela e nem eu conhecíamos uma viva alma. De jeito nenhum podia encontrar drogas. Mais uma vez me congratulei.

No intervalo do jogo Duke-Carolina, o telefone celular na caixa de plástico ao lado da pizza tocou, sobressaltando-me. Uma voz feminina muito agradável disse:

– Alô, engaiolado.

Era Claire, sem as arestas.

– Alô – eu disse, tirando o som da televisão.

– Você está bem?

– Ótimo. E você?

– Bem. Vi seu rosto sorridente no jornal esta manhã e fiquei preocupada. – Claire só lia o jornal de domingo, portanto se viu a reportagem foi porque alguém mostrou. Provavelmente o mesmo garanhão que atendeu o telefone na última vez que telefonei. Ela estaria sozinha como eu naquela noite de sábado?

– Foi uma experiência – eu disse e contei toda a história, começando com Gasko e terminando com minha saída da cadeia. Ela queria conversar e à medida que a narrativa se desenrolava, fiquei convencido de que estava sozinha, provavelmente entediada, provavelmente solitária. E talvez houvesse uma chance de estar realmente preocupada comigo.

– Qual a gravidade das acusações? – ela perguntou.

– A pena para furto qualificado é de dez anos – eu disse, solenemente. Agradava-me a idéia de Claire ficar preocupada. – Mas não estou me preocupando com isso.

– É só uma pasta, não é?

– É e não foi furto. – É claro que foi, mas eu ainda não estava preparado para admitir.

– Você pode perder sua licença?

– Posso, se for condenado por furto qualificado é automático.

– Isso é horrível, Mike. O que você vai fazer então?

– Francamente, ainda não pensei nisso. Não vai acontecer. – Eu estava dizendo a verdade. Não tinha pensado ainda em perder minha licença. Talvez fosse sensato considerar a possibilidade, mas eu não havia encontrado tempo.

Educadamente perguntamos sobre nossas respectivas famílias e eu lembrei de perguntar do irmão James com a doença de Hodgkin. Ele estava em tratamento e a família estava otimista.

Eu agradeci a ela por telefonar e prometemos manter contato. Quando deixei o celular ao lado da pizza, olhei para o jogo mudo na televisão e com relutância admiti que sentia falta dela.

Ruby estava radiante, de banho tomado, com a roupa limpa dada por Megan na véspera. O quarto do motel ficava no térreo e dava para o estacionamento. Ela estava à minha espera. Saiu para o sol e me abraçou com força.

– Estou sóbria! – ela disse com um largo sorriso. – Há vinte e quatro horas eu estou sóbria! – Nos abraçamos outra vez.

Um casal idoso saiu do quarto ao lado e olhou espantado para nós. Só Deus sabe o que estavam pensando.

Voltamos para a cidade e fomos para o Naomi's onde Megan e sua equipe esperavam as novidades. Quando Ruby anunciou seu feito, houve uma pequena comemoração espontânea. Megan tinha dito na véspera que os maiores aplausos eram sempre para as primeiras vinte e quatro horas.

Era domingo e um pastor local chegou para o estudo da Bíblia. As mulheres se reuniram no salão para cantar hinos e rezar. Megan e eu tomamos café no jardim e planejamos as vinte e quatro horas seguintes. Além das preces e do serviço religioso, Ruby teria duas sessões de AA/NA. Mas nosso otimismo era cauteloso. Megan vivia no meio de viciados e estava convencida de que Ruby voltaria às drogas assim que voltasse às ruas. Ela via isso todos os dias.

Eu podia pagar o motel por alguns dias e estava disposto a fazê-lo. Mas ia sair para Chicago às quatro horas daquela tarde para começar a procura de Hector e não sabia quanto tempo ia ficar lá. Ruby gostou do motel, na verdade parece que gostou muito.

Decidimos resolver os problemas um dia de cada vez. Megan levaria Ruby a um motel de subúrbio que eu ia pagar e onde ela passaria a noite de domingo. Na segunda-feira de manhã a levaria de volta ao Naomi's e depois resolveríamos o resto.

Megan também ia começar a tarefa de convencer Ruby a deixar as ruas. Sua primeira parada seria um centro de desintoxicação, depois um albergue para ex-viciadas para seis meses de vida estruturada, treinamento profissional e reabilitação.

– Vinte e quatro horas é um grande passo – ela disse. – Mas ela ainda tem uma montanha para escalar.

Eu saí assim que foi possível. Ela me convidou para o almoço. Podíamos almoçar no escritório dela, só nós dois, e falar sobre assuntos importantes. Os olhos dela dançavam, desafiando-me a aceitar. Eu aceitei.

Os advogados da Drake & Sweeney sempre voavam de primeira-classe. Achavam que mereciam. Hospedavam-se em hotéis quatro estrelas, comiam nos melhores restaurantes, mas não gostavam das limusines, que achavam extravagantes. Por isso alugavam Lincolns. Todas as despesas de viagem eram pagas pelos clientes e uma vez que estes eram agraciados com os advogados mais talentosos do mundo, os clientes não deviam reclamar dos custos.

Eu viajei para Chicago na classe econômica e como a passagem foi comprada no último minuto, só consegui uma das temidas poltronas do meio. Ao lado da janela estava um cavalheiro pesado, com joelhos do tamanho de bolas de basquete, e no lado do corredor um garoto fedorento de dezoito anos mais ou menos com cabelo negro cortado no estilo Mohawk e totalmente vestido com roupas de couro preto adornadas de tachinhas. Eu me encolhi entre os dois, fechei os olhos por duas horas e tentei não pensar nos cretinos arrogantes sentados na primeira-classe onde eu costumava viajar antes.

A viagem foi uma violação direta da minha condicional – eu não devia deixar a capital sem permissão do juiz. Mas Mordecai e eu achamos que era uma pequena violação sem conseqüências, desde que eu voltasse para a cidade.

No Aeroporto O'Hare tomei um táxi para um hotel barato no centro da cidade.

Sofia não conseguira encontrar o endereço residencial de Hector Palma. Se eu não o encontrasse no escritório da Drake & Sweeney, estaríamos sem sorte.

A filial de Chicago da Drake & Sweeney tinha cento e seis advogados, a terceira maior depois das de Washington e Nova

York. A divisão de bens imóveis era proporcionalmente maior do que as outras, com dezoito advogados, mais do que no escritório de Washington. Imaginei que por isso mandaram Hector para Chicago – tinham lugar para ele. Muito trabalho a ser feito. Lembrei vagamente de uma história da Drake & Sweeney ter absorvido uma próspera firma imobiliária de Chicago, no começo da minha carreira.

Cheguei ao edifício Associated Life um pouco depois das sete horas da manhã de segunda-feira. O dia estava cinzento e triste, com um vento cortante que vinha do lago Michigan. Era a minha terceira visita a Chicago e nas outras duas vezes o vento estava igualmente frio. Comprei café para beber e um jornal para me esconder e encontrei uma mesa com uma boa visão do enorme saguão do andar térreo. As escadas rolantes levavam ao segundo e terceiro andares onde uma dúzia de elevadores esperavam.

Às sete e meia o térreo estava repleto de gente apressada. Às oito horas, depois de três xícaras de café, eu estava tenso, esperando o homem a qualquer momento. As escadas estavam lotadas com centenas de executivos, advogados, secretárias, todos com casacos pesados e parecendo estranhamente iguais.

Às oito e vinte, Hector Palma entrou no saguão vindo do lado sul do prédio, apressado, com uma porção de outras pessoas que moravam fora da cidade e trabalhavam. Passou os dedos no cabelo despenteado pelo vento e foi direto para a escada rolante. Caminhei o mais casualmente possível e tomei a outra escada rolante. Eu o vi rapidamente quando virou para a área dos elevadores.

Era sem dúvida alguma Hector Palma e resolvi não abusar da sorte. Minha suposição estava certa. Ele fora transferido de Washington no meio da noite e mandado para o escritório de Chicago, onde podia ser controlado, subornado com mais dinheiro e, se necessário, ameaçado.

Eu sabia onde ele estava e sabia que ia ficar ali nas próximas oito ou dez horas. No segundo andar do saguão, com uma magnífica vista do lago, telefonei para Megan. Ruby tinha resistido mais uma noite. Estávamos agora com quarenta e oito horas e contando as horas. Telefonei para Mordecai e disse o que tinha encontrado.

De acordo com o último anuário da Drake & Sweeney, havia três sócios na filial de Chicago. A relação dos andares no saguão do edifício indicava que os escritórios dos três ficavam no 51º andar. Escolhi um ao acaso, Dick Heile.

Subi com o movimento das nove horas para o 51 e saí do elevador num ambiente familiar – mármores, bronze, nogueira, luz indireta, tapetes finos.

Andando casualmente em direção à recepcionista olhei em volta à procura de um banheiro. Não vi nenhum.

Ela estava no telefone, com o pequeno fone de ouvido. Eu franzi a testa e tentei parecer o mais desesperado possível.

– Sim, senhor – ela disse com um sorriso brilhante entre um telefonema e outro.

Cerrei os dentes, respirei fundo e disse:

– Sim, eu tenho hora marcada às nove com Dick Heile, mas acho que vou vomitar. Deve ter sido alguma coisa que eu comi. Posso usar seu banheiro? – Segurei o estômago, dobrei os joelhos e ela deve ter se convencido de que eu ia vomitar na sua mesa.

O sorriso desapareceu e ela levantou de um salto e apontou.

– Ali, virando à direita.

Eu já estava a caminho, com o corpo inclinado para a frente prestes a explodir a qualquer segundo.

– Obrigado – mal consegui dizer.

– Posso lhe trazer alguma coisa?

Balancei a cabeça, enjoado demais para falar. Assim que virei no corredor, entrei rapidamente no banheiro, me tranquei num reservado e esperei.

Do jeito que o telefone tocava, ela estaria ocupada demais para se preocupar comigo. Eu estava vestido como um advogado de uma grande firma, por isso não parecia suspeito. Depois de dez minutos, saí do banheiro e segui pelo corredor na direção contrária à da recepcionista. Na primeira mesa vazia, apanhei alguns papéis grampeados e enquanto andava comecei a tomar notas, como se estivesse muito ocupado. Meus olhos giravam para todos os lados – nomes nas portas, nomes nas mesas, secretárias ocupadas demais para erguer os olhos, advogados grisalhos em mangas de camisa, jovens advogados no telefone, com as portas entreabertas, funcionárias digitando.

Tudo tão familiar!

Hector tinha um escritório particular, uma sala pequena sem nenhum nome à vista. Eu o vi através da porta entreaberta, entrei rapidamente e fechei a porta.

Ele saltou para trás na cadeira com as mãos levantadas, palmas para fora, como se estivesse na frente de uma arma.

– Que diabo! — ele disse.

– Alô, Hector.

Nada de arma, nada de assalto, apenas uma memória fraca. As palmas caíram sobre a mesa e ele sorriu.

– Que diabo? – repetiu.

– Então, que tal Chicago? – eu perguntei, encostando o traseiro na beirada da mesa.

– O que você está fazendo aqui? – ele perguntou, incrédulo.

– Eu podia perguntar a mesma coisa.

– Estou trabalhando – ele disse, coçando a cabeça. A cento e cinqüenta e dois metros do nível da rua, enfiado naquela salinha sem janelas, isolado por camadas de gente mais importante, Hector fora encontrado pela única pessoa de quem estava fugindo. – Como me encontrou? – ele perguntou.

– Foi muito fácil, Hector. Agora sou um advogado das ruas, sabido e esperto. Você foge outra vez e eu o encontro outra vez.

– Não estou mais fugindo – ele disse, desviando os olhos.

– Vamos dar entrada no processo amanhã – eu disse. – Os acusados serão RiverOaks, TAG e Drake & Sweeney. Você não tem como se esconder.

– Quem são os queixosos?

– Lontae Burton e família. Mais tarde, acrescentaremos os outros despejados, quando encontrarmos todos.

Ele fechou os olhos e apertou com dois dedos a parte superior do nariz.

– Você lembra de Lontae, não lembra, Hector? A jovem mãe que lutou com os policiais, quando vocês estavam expulsando todo mundo. Você viu tudo e sentiu-se culpado porque sabia a verdade, sabia que eles estavam pagando aluguel para Gantry. Você pôs tudo no seu memorando, aquele de 27 de janeiro, e certificou-se de que ele ficasse registrado na ata do dossiê. Você fez isso porque sabia que Braden Chance iria retirar o memorando em algum momento. E ele retirou. Por isso estou aqui, Hector. Quero a cópia do memorando. Eu tenho o resto do arquivo e vai ser apresentado como prova. Agora quero o memorando.

– Por que acha que eu tenho uma cópia?

– Porque você é esperto demais para não fazer isso. Você sabia que Chance ia retirar o original para proteger o próprio rabo. Mas agora ele está para ser denunciado. Não se afunde com ele.

– Então para onde eu vou?

– Lugar nenhum – eu disse. – Você não tem para onde ir.

Hector sabia disso. Uma vez que sabia a verdade sobre o despejo, em algum momento teria de testemunhar de um modo ou de outro. Seu depoimento ia afundar a Drake & Sweeney e ele seria despedido. Era o curso dos eventos que Mordecai e eu tínhamos comentado. Nós tínhamos algumas migalhas para oferecer.

– Se você entregar o memorando – eu disse – não direi de onde ele veio. E não intimo você para testemunhar, a não ser que seja obrigado.

Ele estava balançando a cabeça.

– Eu posso mentir, você sabe.

– Claro que pode. Mas não vai mentir porque será ferrado. É fácil provar que seu memorando foi anexado ao dossiê, depois retirado. Não pode negar que o escreveu. Além disso teremos o testemunho das pessoas que você expulsou. Grandes testemunhas perante um júri de negros na capital. E falamos com o segurança que estava com você no dia 27 de janeiro.

Cada golpe acertava direto o queixo e Hector estava nas cordas. Na verdade, não tínhamos encontrado o segurança, o dossiê não citava o nome dele.

– Esqueça a mentira – eu disse. – Só vai piorar as coisas.

Hector era honesto demais para mentir. Afinal foi ele quem me deu a lista dos despejados e as chaves para roubar a pasta. Tinha uma alma e uma consciência e não podia estar feliz escondido em Chicago, fugindo do passado.

– Chance contou a verdade para eles? – eu perguntei.

– Eu não sei. Mas duvido. Isso exige coragem e Chance é um covarde... Eles vão me despedir, você sabe disso.

– Talvez, mas você terá um belo processo judicial contra eles. Eu me encarrego disso para você. Nós os processaremos outra vez e não vou cobrar nem um centavo.

Bateram na porta e nos sobressaltamos. A conversa nos tinha levado para trás no tempo.

– Sim – ele disse e uma secretária entrou.

– O Sr. Peck está esperando – ela disse, me examinando da cabeça aos pés.

– Estarei lá num minuto – Hector disse e ela saiu devagar, deixando a porta aberta.

– Tenho de ir – ele disse.

– Eu não vou embora sem a cópia do memorando.

– Encontre-me ao meio-dia ao lado da fonte na frente do prédio.

– Estarei lá.

Pisquei para a recepcionista quando passei pelo saguão.

– Obrigado – eu disse. – Estou muito melhor.

– Não tem de quê – ela respondeu.

Da fonte seguimos na direção oeste, até uma delicatessen lotada. Enquanto esperávamos na fila para pedir um sanduíche, Hector me entregou um envelope.

– Eu tenho quatro filhos – ele disse. – Por favor, me proteja.

Apanhei o envelope e ia dizer alguma coisa quando ele recuou e desapareceu na multidão. Eu o vi saindo pela porta da frente da delicatessen, a gola do sobretudo levantada, cobrindo as orelhas, quase correndo para fugir de mim.

Eu esqueci o almoço. Andei quatro quadras até o hotel, paguei a conta e tomei um táxi. Afundado no banco, com as portas trancadas, o taxista quase dormindo, ninguém no mundo sabendo onde eu estava naquele momento, abri o envelope.

Era um memorando típico da Drake & Sweeney, feito no PC de Hector com o código do cliente, número de arquivo e data em letras e números pequenos no canto inferior esquerdo. A data era 27 de janeiro, o memorando era enviado para Braden Chance, por Hector Palma, o assunto despejo RiverOaks/-TAG, a propriedade, o armazém na rua Flórida. Naquele dia, Hector foi ao armazém com um segurança armado, Jeff Mackle, da empresa Rock Creek Security, chegando às 9:15 da manhã e partindo às 12:30. O armazém tinha três níveis, e depois de notar invasores no térreo, Hector foi para o segundo nível, onde não havia nenhum sinal de habitação. No terceiro nível, ele viu lixo, roupas velhas e os restos de uma fogueira feita há alguns meses.

No lado oeste do primeiro nível, encontrou onze apartamentos improvisados, todos construídos às pressas pela mesma pessoa, mais ou menos ao mesmo tempo, com algum esforço para a ordem. Cada apartamento tinha mais ou menos o mesmo tamanho, a julgar por fora. Hector não conseguiu entrar em nenhum deles. Todas as portas eram iguais, de um material leve e oco, provavelmente plástico, com maçaneta e um cadeado.

O banheiro era muito usado e sujo. Nenhuma melhoria recente fora feita.

Hector encontrou um homem que se identificou apenas como Herman e Herman não estava interessado em falar. Hector perguntou quanto eles estavam pagando de aluguel pelos apartamentos e Herman disse que não pagavam nada, que eram invasores. A presença de um segurança armado era como uma pedra de gelo na conversa.

No lado leste do prédio, dez unidades com o mesmo desenho e construção foram encontradas. O choro de uma criança fez Hector se aproximar de uma porta, pedindo ao segurança para manter-se afastado. Ele bateu na porta e uma jovem mãe atendeu com um bebê no colo, três outras crianças em volta das suas pernas. Hector a informou que trabalhava para uma firma de advocacia, que o prédio fora vendido e que ela seria intimada a sair dentro de poucos dias. A princípio ela disse que era invasora, depois passou rapidamente para o ataque. O apartamento era seu. Ela o alugara de um homem chamado Johnny, que aparecia no dia 15 de cada mês para receber cem dólares. Nada por escrito. Ela não tinha idéia de quem era o dono do prédio. Johnny era seu único contato. Ela estava ali há três meses, não podia sair porque não tinha para onde ir. Ela trabalhava vinte horas por semana numa mercearia.

Hector disse a ela para arrumar suas coisas e se aprontar para sair. O prédio ia ser demolido dentro de poucos dias. Ela ficou desesperada e furiosa. Hector tentou provocá-la mais ainda. Perguntou se tinha alguma prova de que pagava aluguel. Ela apanhou a bolsa debaixo da cama e deu a ele um pedaço de papel, a fita da registradora de uma mercearia. Atrás alguém tinha escrito: Recebi de Lontae Burton, 15 de jan., 100 dólares aluguel.

O memorando tinha duas páginas. Mas havia uma terceira, anexa, a cópia do recibo quase ilegível. Hector o tirara dela, fizera uma cópia, anexando-a ao memorando original. Fora escrito apressadamente, a cópia era pouco nítida, mas era espantoso. Devo ter feito algum ruído de satisfação porque o taxista levantou a cabeça e olhou para mim no retrovisor.

O memorando era uma descrição exata do que Hector viu, disse e ouviu. Nenhuma conclusão, nenhuma advertência para seus superiores. Dê a eles bastante corda, ele deve ter pensado, e veremos se eles se enforcam. Ele era apenas um paralegal, não estava em posição de dar conselhos, oferecer opiniões ou servir de obstáculo a uma negociação.

No aeroporto, enviei o memorando por fax para Mordecai. Se meu avião caísse, ou se eu fosse assaltado e alguém o roubasse, eu queria uma cópia bem escondida nos arquivos da Clínica de Advocacia da rua 14.

Vinte e nove

Uma vez que o pai de Lontae Burton era desconhecido para nós e provavelmente desconhecido para o mundo e uma vez que sua mãe e todos os irmãos estavam atrás das grades, tomamos a decisão tática de deixar a família de lado e usar um curador como cliente. Na segunda-feira, quando eu estava em Chicago, Mordecai se apresentou ao juiz na Vara de Família de Washington D. C. e pediu um curador temporário para servir de guardião dos bens de Lontae Burton e de cada um dos seus filhos. Era um procedimento de rotina, feito em particular. O juiz era conhecido de Mordecai. A petição foi aprovada em poucos minutos e tínhamos uma nova cliente. Seu nome era Wilma Phelan, assistente social conhecida de Mordecai. Seu papel no processo seria pequeno e ela teria direito a uma fração muito pequena da compensação que por acaso fosse conseguida com o processo.

O Cohen Trust podia ser mal administrado do ponto de vista financeiro, mas tinha regulamentos e estatutos que cobriam cada aspecto possível de uma clínica de advocacia sem fins lucrativos. Leonard Cohen era advogado, obviamente um advogado com grande apetite para detalhes. Embora fosse um procedimento desencorajado e até mesmo censurado, a clínica podia conduzir um processo por danos ou morte culposa com base nos honorários de contingência. Mas os honorários tinham o limite de vinte por cento da indenização, ao contrário da porcentagem padrão de um terço. Alguns advogados criminalistas geralmente ficavam com quarenta por cento.

Dos vinte por cento dos honorários de contingência, a clínica podia ficar com a metade, os outros dez por cento iriam para o truste. Em quatorze anos, Mordecai só havia conduzido dois casos nessa base de contingência. O primeiro ele perdeu com um júri hostil. O segundo tratava do caso de uma mulher sem-teto atropelada por um ônibus. Ele conseguiu um acordo de cem mil dólares, a clínica ficou com o total líquido de dez mil dólares, com os quais ele comprou telefones novos e processadores de textos.

O juiz relutantemente aprovou nosso contrato de vinte por cento. E estávamos prontos para acionar.

O jogo começava às sete e trinta e cinco – Georgetown *versus* Syracuse. Mordecai tinha conseguido duas entradas. Meu vôo chegou no Nacional em tempo, às seis e vinte, e trinta minutos depois me encontrei com Mordecai na entrada leste do U.S. Air Arena na rua Landover. O público era de quase vinte mil torcedores. Ele me deu a entrada, depois tirou do bolso da jaqueta um envelope grosso, não aberto, registrado, endereçado a mim, com o endereço da clínica. Era da ordem dos advogados de Washington.

– Chegou hoje – ele disse, sabendo exatamente do que se tratava. – Encontro você nas nossas cadeiras. – Ele desapareceu no meio de um grupo de estudantes.

Abri o envelope e procurei um local no lado de fora com luz suficiente. Meus amigos da Drake & Sweeney estavam descarregando tudo que tinham.

Era uma queixa formal junto ao Tribunal de apelação acusando-me de procedimento antiético. As alegações ocupavam três páginas, mas podiam ser resumidas num bom parágrafo. Eu tinha roubado um dossiê. Era uma violação de confiança. Eu era um menino mau que devia ser ou (1) expulso da ordem dos advogados em caráter permanente, ou (2) suspenso por vários anos, e/ou (3) publicamente repreendido. Uma vez que a pasta continuava desaparecida, o assunto era urgente e portanto a investigação e o processo de expulsão deviam ser imediatos.

Havia avisos, formulários, outros papéis que eu mal olhei. Foi um choque e encostei na parede para manter o equilíbrio e pensar no assunto. É claro que eu havia previsto uma investigação por parte da ordem dos advogados. Seria irreal pensar que a firma não ia fazer uso de todos os meios para recuperar a pasta. Mas eu pensei que a prisão os tivesse acalmado por algum tempo.

Evidentemente isso não aconteceu. Eles queriam sangue. Era o jogo duro típico de uma grande firma, a estratégia de não fazer prisioneiros, que eu entendia perfeitamente. O que eles não sabiam era que às nove horas da manhã seguinte, eu teria o prazer de entrar com um processo judicial contra eles no valor de dez milhões de dólares pelas mortes culposas dos Burton.

De acordo com meus cálculos, eles não podiam fazer mais nada contra mim. Mais nenhum mandado. Nada mais de cartas registradas. Todos os assuntos estavam na mesa, todas as linhas definidas. De certa forma, muito relativa, aqueles papéis eram um alívio.

E era também assustador. Desde que comecei a estudar direito, dez anos antes, nunca pensei seriamente em trabalhar em outra coisa. O que eu ia fazer sem licença para exercer a advocacia?

Mas afinal, Sofia não tinha licença e era minha igual.

Mordecai me encontrou na entrada da passagem que levava aos nossos lugares. Fiz um breve resumo da petição. Ele me deu os pêsames.

Embora o jogo prometesse ser tenso e excitante, o basquete não era a nossa primeira prioridade. Jeff Mackle trabalhava meio-expediente na Rock Creek Security e trabalhava também em eventos naquele estádio. Sofia o tinha localizado durante o dia. Imaginávamos que devia ser um dos cem guardas uniformizados que assistiam ao jogo de graça e apreciavam as estudantes.

Não sabíamos se ele era velho, jovem, branco, negro, gordo ou magro, mas os guardas de segurança tinham crachás com seus nomes no bolso esquerdo da camisa. Andamos pelas passagens e passamos pelas portas até quase o fim do primeiro tempo, quando Mordecai o encontrou, paquerando uma funcionária da bilheteria, muito bonitinha, no Portão D, um lugar que eu tinha examinado duas vezes.

Mackle era alto, branco, traços comuns, mais ou menos da minha idade. Seu pescoço e seus bíceps eram enormes, o peito, largo e musculoso. A equipe de advogados confabulou por um momento e resolveu que o melhor seria eu falar com ele.

Com um dos meus cartões na mão, eu me aproximei calmamente dele e me apresentei.

– Sr. Mackle, sou Michael Brock, advogado.

Ele olhou para mim com a cara que quase todo mundo faz com esse tipo de apresentação e pegou o cartão sem nenhum comentário. Eu havia interrompido sua paquera com a moça da bilheteria.

– Posso fazer algumas perguntas? – eu disse, na minha melhor imitação de detetive de homicídios.

– Pode perguntar. Eu talvez não responda. – Piscou para a moça da bilheteria.

– Alguma vez trabalhou como segurança para a Drake & Sweeney, uma grande firma de advocacia da capital?

– Talvez.

– Alguma vez os ajudou em despejos?

A seta acertou o alvo. O rosto dele ficou tenso e a conversa praticamente acabou.

– Acho que não – ele disse, olhando para longe.

– Tem certeza?

– Não. A resposta é não.

– Não ajudou a firma a despejar de um armazém um bando de invasores no dia 4 de fevereiro?

Ele balançou a cabeça, os músculos do rosto retesados, os olhos levemente fechados. Alguém da Drake & Sweeney já devia ter visitado o Sr. Mackle. Ou, o mais provável, a firma tinha ameaçado o dono da empresa de segurança, seu empregador.

Fosse o que fosse, o rosto de Mackle parecia de pedra. A moça da bilheteria examinava as unhas. Eu estava excluído.

– Mais cedo ou mais tarde vai ter de responder às minhas perguntas – eu disse.

Os músculos do rosto tremeram de leve, mas ele não disse nada. Eu não estava disposto a pressionar mais. O homem tinha pavio curto, o tipo que explode com uma chuva de murros e pode massacrar um humilde advogado das ruas. Eu já tinha me machucado demais nas duas últimas semanas.

Assisti a dez minutos do segundo tempo, depois fui embora com pontadas nas costas, os efeitos retardados do acidente de carro.

O motel era outro, na extremidade norte de Bethesda. Também quarenta dólares por noite e depois de três noites, eu não tinha mais condições de financiar a terapia de isolamento para Ruby. Megan achava que estava na hora de Ruby voltar para casa. Se ela ia ficar sóbria, o teste verdadeiro seria nas ruas.

Às sete e meia da manhã de terça-feira, bati na porta do número 220, segundo andar, segundo instruções de Megan. Ninguém respondeu. Bati outra e outra vez e tentei a maçaneta. A porta estava trancada. Desci para a recepção e pedi para ligar para o quarto. Nada. Ninguém tinha saído. Nada de incomum fora registrado.

Chamaram uma assistente do gerente e eu a convenci de que se tratava de uma emergência. Ela chamou um guarda de segurança e nós três fomos para o quarto. No caminho eu expliquei o que estávamos fazendo com Ruby e por que o quarto não estava no nome dela. A assistente não gostou da idéia de usar seu belo motel para desintoxicar viciados.

O quarto estava vazio. A cama meticulosamente arrumada, sem o menor sinal de uso. Não havia nada fora do lugar e nada do que era dela foi esquecido.

Eu agradeci e entrei no carro. O motel ficava no mínimo a 15 quilômetros do nosso escritório. Telefonei para Megan para avisá-la, e entrei no tráfego com milhões dos outros que estavam saindo da cidade ou indo para ela. Às oito e quinze, parado num engarrafamento, telefonei para o escritório e perguntei a Sofia se Ruby tinha aparecido. Não tinha.

O processo judicial era sucinto e direto. Wilma Phelan, curadora dos bens de Lontae Burton e seus filhos, estava processando a RiverOaks, a Drake & Sweeney e a TAG Inc. por conspiração para cometer um despejo ilegal. A lógica era simples, o nexo causal óbvio. Nossos clientes não estariam morando num carro se não tivessem sido expulsos do apartamento. E não teriam morrido se não estivessem morando no carro. Era uma encantadora teoria de responsabilidade, mais atraente por sua simplicidade. Qualquer júri no país podia acompanhar o raciocínio.

A negligência e/ou os atos intencionais dos acusados provocaram as mortes, que eram previsíveis. Coisas más aconteciam para os que viviam nas ruas. Especialmente mães solteiras com filhos pequenos. Quem os expulsa ilegalmente das suas casas paga o preço se alguma coisa acontece com eles.

Por um momento pensamos num processo separado pela morte de Senhor. Ele também fora despejado ilegalmente, mas sua morte não podia ser considerada previsível. Fazer reféns e levar um tiro fatal como conseqüência não constitui uma cadeia razoável de eventos que possa ser considerada como tratamento ilegal. Além disso, ele não ia contar com a simpatia do júri. Senhor foi posto em descanso para sempre.

A Drake & Sweeney ia imediatamente pedir ao juiz para me ordenar a devolução da pasta. O juiz podia muito bem me obrigar e isso seria admissão de culpa. Podia também custar minha licença para advogar. Além disso, qualquer evidência derivada de qualquer coisa na pasta roubada podia ser excluída.

Mordecai e eu fizemos a revisão da minuta final na terça-feira e mais uma vez ele me perguntou se eu queria mesmo continuar. Para me proteger, ele estava disposto a desistir completamente do processo judicial. Falamos sobre isso várias vezes. Pensamos até em uma estratégia diferente. Desistiríamos do processo Burton, negociávamos uma trégua com a Drake & Sweeney, para limpar meu nome, esperávamos a poeira baixar e passávamos a pasta para um amigo dele, no outro lado da cidade. Não era uma boa estratégia, e nós a descartamos quase imediatamente.

Ele assinou as alegações e saímos para o tribunal. Com Mordecai dirigindo, li outra vez o processo e as páginas ficavam cada vez mais pesadas.

A negociação era o segredo. A denúncia iria humilhar a Drake & Sweeney, uma firma com imenso orgulho próprio, que se apoiava na credibilidade, no serviço ao cliente, na confiança. Eu conhecia o modo de pensar, a personalidade, o culto aos grandes advogados que nunca erraram. Eu conhecia a paranóia de ser visto como uma pessoa má, sob qualquer aspecto. Havia o sentimento de culpa por ganhar tanto dinheiro e o desejo correspondente de parecer compassivo para com os menos afortunados.

A Drake & Sweeney estava errada, embora eu suspeitasse que a firma não tinha idéia do tamanho do seu erro. Imaginei Braden Chance tremendo de medo atrás da sua porta trancada, rezando com todo fervor para que tudo aquilo passasse rápido.

Mas eu também estava errado. Talvez pudéssemos nos encontrar em algum ponto no meio do caminho e chegar a um acordo. Caso contrário, Mordecai Green teria o prazer de apresentar o caso Burton a um júri amistoso muito em breve, aconselhando os jurados a pedir muita grana. E a firma teria o prazer de levar meu caso de furto qualificado ao limite máximo, a um ponto no qual eu não queria pensar.

O caso Burton jamais iria a julgamento. Eu ainda era capaz de pensar como um advogado da Drake & Sweeney. A idéia de enfrentar um júri de Washington D. C. certamente os apavorava. O embaraço inicial os faria correr à procura de meios para minimizar as suas perdas.

Tim Claussen, um ex-colega da universidade de Abraham, era repórter do *Post*. Ele estava esperando no lado de fora do escritório do tribunal e nós demos a ele uma cópia do processo. Ele leu enquanto Mordecai dava entrada no original, depois fez algumas perguntas que respondemos com imenso prazer, mas extra-oficialmente.

A tragédia dos Burton estava rapidamente se tornando uma batata quente política e social, na capital. A culpa estava sendo passada de mão em mão com uma velocidade espantosa.

Cada chefe de departamento da cidade culpava o outro. O conselho da cidade culpava o prefeito, que culpava o conselho e os dois culpavam o Congresso. Alguns políticos de direita na Câmara tinham estudado o caso o tempo suficiente para pôr a culpa no prefeito, no conselho e em toda a cidade.

A idéia de pôr a culpa da coisa toda num bando de ricos advogados brancos era uma história fantástica. Claussen – duro, cáustico, temperado por anos de jornalismo – mal podia conter o entusiasmo.

O fato de armar a cilada para a Drake & Sweeney por meio da imprensa não me abalou nem um pouco. A firma havia aberto o precedente na semana anterior com a reportagem sobre minha prisão. Eu podia ver Rafter e seu bando de litigantes todos felizes e concordando, em volta da mesa de conferências, que, sim! Era perfeitamente compreensível alertar a imprensa para a minha prisão e não só isso, mas dar à mídia uma bela foto do criminoso. Era embaraçoso para mim, humilhante, e ia me obrigar a entregar a pasta e fazer tudo que eles queriam.

Eu conhecia a mentalidade, sabia como o jogo era feito. Não tive nenhum problema para ajudar o repórter.

Trinta

Fui para a CCNV, sozinho, duas horas depois. Os clientes esperavam sentados no chão sujo do saguão, alguns cochilando, outros lendo jornais. Ernie, o homem das chaves, não gostou do meu atraso. Ele tinha um horário para cumprir. Abriu a porta da sala de consultas e me entregou a prancheta com treze nomes de possíveis clientes. Chamei o primeiro.

Era impressionante o quanto eu tinha conseguido em uma semana. Entrei no prédio nesse dia, sem nenhum medo de levar um tiro. Esperei por Ernie no saguão, sem pensar que sou branco. Ouvi meus clientes com paciência e eficiência, porque sabia o que tinha de fazer. Eu até parecia o que era agora, com barba de uma semana, o cabelo cobrindo um pouco as orelhas e com os primeiros sinais de descuido, a calça cáqui amarrotada, o blazer azul-marinho também amassado, o nó da gravata afrouxado. Só os tênis Nike conservavam o estilo, mas estavam bem velhos. Só faltava o par de óculos com aros de tartaruga para ser o perfeito advogado voltado para o interesse público.

Não que os clientes se importassem. Eles queriam alguém para ouvir suas histórias e esse era meu trabalho. A lista aumentou para dezessete e passei quatro horas aconselhando. Esqueci da batalha iminente com a Drake & Sweeney. Esqueci de Claire, o que, pensei com tristeza, estava ficando cada vez mais fácil. Cheguei até a esquecer de Hector Palma e minha viagem a Chicago.

Mas eu não conseguiria esquecer de Ruby Simon. De certo modo, eu encontrava semelhanças entre ela e quase todos os meus clientes. Não me preocupava sua segurança. Ruby tinha sobrevivido nas ruas mais tempo do que eu jamais conseguiria sobreviver. Mas por que tinha deixado um quarto limpo de motel com televisão e chuveiro, e saído pela cidade para encontrar seu carro abandonado?

Ruby era uma viciada e esta era a resposta simples e inevitável. O crack era um ímã que a atraía de volta às ruas.

Se eu não podia mantê-la fechada em motéis de subúrbio por três noites, como ia ajudá-la a largar as drogas?

Não cabia a mim tomar essa decisão.

A rotina do fim da tarde foi quebrada por um telefonema do meu irmão mais velho, Warner. Ele estava na cidade, numa viagem inesperada de negócios e teria telefonado antes, mas não conseguiu encontrar meu novo telefone, e onde podíamos nos encontrar para jantar? Ele estava pagando, Warner disse, antes que eu pudesse responder, e tinha ouvido falar de um lugar ótimo chamado Danny O's, onde um amigo tinha jantado na semana anterior – comida fantástica! Há muito tempo eu nem pensava numa refeição cara.

O Danny O's estava ótimo para mim. Restaurante da moda, barulhento, absurdamente caro, tristemente típico.

Fiquei olhando para o telefone por um longo tempo depois que desligamos. Eu não queria ver Warner porque eu não queria ouvir Warner. Ele não estava na cidade a negócios, embora isso acontecesse uma vez por ano. Eu tinha certeza de que meus pais o tinham mandado. Eles estavam sofrendo em Memphis, seus corações partidos por outro divórcio, tristes por causa da minha inesperada descida na escada do sucesso. Alguém precisava ver o que estava acontecendo. Era sempre Warner.

Nós nos encontramos no bar lotado do Danny O's. Antes do aperto de mãos e do abraço, ele deu um passo para trás para examinar minha nova imagem. Barba, cabelo, calça cáqui, tudo.

– Um verdadeiro radical – ele disse, com um misto de humor e sarcasmo.

– É bom ver você – eu disse, tentando ignorar a tentativa de ironia.

– Você está magro – ele disse.

– Você não está.

Ele bateu na barriga, como se aqueles quilos a mais tivessem subido a bordo furtivamente durante o dia.

– Eu perco logo.

Warner tinha trinta e oito anos, era bonito e ainda vaidoso da aparência. O simples fato de eu comentar o peso extra o faria lutar para perder tudo em menos de um mês.

Warner estava solteiro há três anos. As mulheres eram importantes para ele. Houve alegações de adultério no seu divórcio, mas dos dois lados.

– Você está ótimo – eu disse. E era verdade. Terno e camisa feitos sob medida. Gravata cara. Eu tinha um closet cheio de coisas iguais.

– Você também. É assim que se veste para trabalhar, agora?

– Quase sempre. Às vezes não uso gravata.

Pedimos duas Heineken e as tomamos no meio da multidão.

– Como vai Claire? – ele perguntou. As preliminares tinham terminado.

– Acho que está bem. Nós pedimos o divórcio, amigável. Eu saí de casa.

– Ela está feliz?

– Acho que está aliviada por se ver livre de mim. Eu diria que Claire está mais feliz hoje do que estava há um mês.

– Ela já encontrou alguém?

– Acho que não – eu disse. Precisava ter cuidado porque a maior parte da nossa conversa, se não toda ela, seria repetida para meus pais, especialmente qualquer motivo escandaloso para o divórcio. Eles gostariam de culpar Claire e se acreditassem que ela tinha me enganado, então o divórcio seria lógico.

– E você? – ele perguntou.

– Não. Estou me comportando.

– Então, por que o divórcio?

– Uma porção de coisas. Prefiro não falar nisso.

Não era o que ele queria. O divórcio dele fora desagradável, com uma disputa pela custódia dos filhos. Warner tinha me contado os detalhes, muitas vezes a ponto de me entediar. Agora ele queria o mesmo em troca.

– Vocês acordaram um dia e resolveram se divorciar?

– Você já passou por isso, Warner. Não é tão simples assim.

O maître nos conduziu para o interior do restaurante. Passamos por uma mesa onde Wayne Umstead jantava com dois homens que não reconheci. Umstead fora um dos reféns, o que Senhor mandou até a porta para apanhar a comida, o homem que por pouco não foi atingido pela bala do atirador. Ele não me viu.

Arthur Jacobs, presidente do conselho executivo, tinha recebido uma cópia do processo às 11 horas daquela manhã, quando eu estava na CCNV. Umstead não era sócio, por isso fiquei imaginando se ele sabia do processo.

É claro que sabia. Em reuniões extraordinárias durante toda a tarde, a notícia tinha caído como uma bomba. As defesas foram preparadas, foram dadas as ordens de comando, as carroças foram dispostas em círculo. Nenhuma palavra para pessoas de fora da firma. Na superfície, o processo seria ignorado.

Felizmente, nossa mesa não podia ser vista por Umstead. Olhei em volta para me certificar de que nenhum outro dos homens maus estava no restaurante. Warner pediu martíni para nós dois, mas eu recusei. Para mim, só água.

Com Warner tudo era feito intensamente. Trabalho, diversão, comida, bebida, mulheres, até livros e filmes antigos. Ele quase morrera congelado numa tempestade de neve nos Andes e certa vez foi picado por uma cobra d'água venenosa quando mergulhava na Austrália. Sua adaptação depois do divórcio foi extremamente fácil, especialmente porque Warner adorava viajar e voar de planador e escalar montanhas e lutar com tubarões e paquerar mulheres em escala global.

Como sócio de uma grande firma, ele ganhava muito dinheiro. E gastava muito também. O jantar era sobre dinheiro.

– Água — ele disse com desprezo. – Ora, deixe disso. Tome um drinque.

– Não – eu protestei. Warner ia passar do martíni para o vinho. Íamos sair tarde do restaurante e às quatro horas ele estaria de pé, trabalhando no seu laptop, ignorando a leve ressaca como se fosse qualquer outra hora do dia.

– Molóide – ele resmungou. Eu examinava o menu. Ele examinava cada saia que passava.

O martíni chegou e pedimos o jantar.

– Fale do seu trabalho – ele disse, tentando desesperadamente parecer interessado.

– Por quê?

– Porque deve ser fascinante.

– Por que diz isso?

– Você largou uma fortuna. Deve haver uma razão muito boa.

– Há razões e são bastante boas para mim.

Warner tinha planejado o encontro. Havia um propósito, um objetivo, um destino e um esquema do que ele devia dizer para atingir seu fim. Eu não sabia ao certo aonde ele pretendia chegar.

– Fui preso na semana passada – eu disse, desviando-o do caminho traçado. O choque foi suficiente para realizar esse objetivo.

– O quê?

Contei a história, alongando com os menores detalhes porque a conversa estava sob meu controle. Ele censurou o roubo, mas eu não tentei me defender. A pasta propriamente dita era outro assunto complicado, que nenhum de nós queria explorar.

– Então a ponte para a Drake & Sweeney foi queimada? – ele perguntou, enquanto comíamos.

– Em caráter permanente.

– Por quanto tempo você pretende ser advogado do interesse público?

– Eu apenas comecei. Na verdade não pensei ainda no fim. Por quê?

– Por quanto tempo pode trabalhar de graça?

– Enquanto puder sobreviver.

– Então o padrão é a sobrevivência?

– Por enquanto. Qual é o seu padrão? – Era uma pergunta ridícula.

– Dinheiro. Quanto eu ganho, quanto gasto, quanto posso guardar em algum lugar e ver crescer, para que um dia eu tenha um monte dele e não precise me preocupar com mais nada.

Eu já tinha ouvido isso antes. A ambição desregrada devia ser admirada. Era uma versão levemente mais primitiva do que tinham nos ensinado quando éramos pequenos. Trabalhar arduamente e ganhar bastante, e de algum modo a sociedade se beneficiará com isso.

Ele estava me desafiando a contestar e era uma luta que eu não queria. Uma luta sem ganhadores, apenas uma briga feia.

– Quanto dinheiro você tem? – perguntei.

Como um ganancioso filho da mãe, Warner se orgulhava da sua riqueza.

– Quando fizer quarenta anos terei um milhão em fundos mútuos. Com quarenta e cinco terei três milhões. Aos cinqüenta, serão dez. É nessa hora que eu saio.

Nós sabíamos aqueles números de cor. As grandes firmas de advocacia eram iguais em toda a parte.

– E você? – ele perguntou, desossando a galinha.

– Bem, vejamos. Estou com trinta e dois anos, tenho cinco mil dólares líquidos, mais ou menos. Quando estiver com trinta e cinco, se trabalhar bastante e economizar, deve chegar aos dez mil. Quando eu tiver cinqüenta, terei cerca de vinte mil em fundos mútuos.

– Já é uma esperança para o futuro. Dezoito anos de vida na pobreza.

– Você não sabe nada de pobreza.

– Talvez eu saiba. Para gente como nós, pobreza é um apartamento barato, um carro usado, amassado e sempre enguiçando, roupa barata, nenhum dinheiro para viajar e se divertir e conhecer o mundo, nenhum dinheiro para guardar ou investir, sem aposentadoria, sem nenhuma rede de segurança, sem nada.

– Perfeito. Você acaba de provar o que eu disse. Você não entende nada de pobreza. Quanto você vai ganhar este ano?

– Novecentos mil.

– Eu vou ganhar trinta. O que você faria se alguém o obrigasse a trabalhar por trinta mil dólares?

– Eu me matava.

– Eu acredito. Acredito mesmo que você preferiria dar um tiro nos miolos a trabalhar por trinta mil por ano.

– Está errado. Eu tomaria comprimidos para dormir.

– Covarde.

– De jeito nenhum eu trabalharia por essa ninharia.

– Ah, trabalharia sim. O que você não faria era viver com tão pouco.

– É a mesma coisa.

– Aí é que nós dois somos diferentes – eu disse.

– Pode estar certo que somos diferentes. Mas como foi que ficamos diferentes, Michael? Há um mês você era como eu. Agora, olhe para você – essa barba idiota e roupas desbotadas, toda essa besteira sobre servir o povo e salvar a humanidade. Onde foi que você saiu do caminho certo?

Respirei fundo, saboreando o humor da pergunta. Ele relaxou também. Éramos civilizados demais para brigar em público.

– Você é um cretino idiota, sabia? – ele disse, inclinando-se sobre a mesa. – Você estava na reta final para a sociedade na firma. Você é brilhante e talentoso, solteiro, sem filhos. Ia ganhar um milhão por ano aos trinta e cinco anos. Pode fazer as contas.

– Eu já fiz, Warner. Perdi o amor pelo dinheiro. É a praga do diabo.

– Quanta originalidade. Deixe-me fazer uma pergunta. O que vai fazer se acordar um dia com, digamos, sessenta anos. Você está cansado de salvar o mundo porque o mundo não pode ser salvo. Você não tem um penico para mijar, nenhum centavo, nenhuma firma, nenhum sócio, nem uma mulher ganhando rios de dinheiro como neurocirurgiã, ninguém para segurar você quando cair. O que vai fazer?

– Bem, eu pensei nisso e acho que vou ter um irmão mais velho podre de rico. Então eu telefono para você.

– E se eu estiver morto?

– Ponha meu nome no seu testamento. O irmão pródigo.

Voltamos nossa atenção para a comida e a conversa acabou. Warner era bastante arrogante para acreditar que uma discussão decisiva seria suficiente para me fazer ver a coisa certa. Algumas observações profundas da parte dele sobre as conseqüências do meu passo em falso e eu jogaria fora essa mania de pobreza e ia arranjar um emprego de verdade. "Eu falo com ele", eu podia ouvi-lo dizer para meus pais.

Warner tinha alguns golpes preparados. Perguntou qual era o plano de benefícios da Clínica de Advocacia da rua 14. Bem modesto, eu disse. E o plano de aposentadoria? Nenhum, que eu saiba. A opinião dele era de que eu devia passar uns dois anos salvando almas e depois voltar ao mundo real. Eu agradeci. E ele ofereceu o conselho esplêndido de que talvez fosse bom eu procurar uma mulher que pensasse como eu, mas com bastante dinheiro, e casar com ela.

Nós nos despedimos na calçada na frente do restaurante. Eu garanti que sabia o que estava fazendo, que ia ficar bem e que seu relatório para nossos pais devia ser otimista.

– Não deixe que eles fiquem preocupados, Warner. Diga que tudo está às mil maravilhas por aqui.

– Telefone se tiver fome – ele disse, tentando fazer humor.

Dei adeus com um aceno e fui embora.

O Pyllon Grill era um café que ficava aberto a noite toda na Foggy Bottom, perto da George Washington University. Era conhecido como um ponto para insones e viciados em drogas. A primeira edição do *Post* chegava todas as noites um pouco antes da meia-noite, e a essa hora o lugar era movimentado como uma boa delicatessen na hora do almoço. Comprei o jornal, sentei no bar e notei com estranheza que todo mundo estava lendo atentamente o jornal. O silêncio também me intrigou. O *Post* acabava de chegar minutos antes de mim e trinta pessoas estavam lendo como se os Estados Unidos tivessem acabado de declarar guerra.

A reportagem era típica do *Post.* Começava na primeira página, sob uma manchete enorme, e continuava na página dez onde estavam as fotos — uma foto de Lontae tirada dos cartazes usados na passeata, uma de Mordecai, dez anos mais jovem, e uma série de três, que sem dúvida humilharia os figurões da Drake & Sweeney. Arthur Jacobs estava no meio, à esquerda uma foto da polícia de Tillman Gantry e à direita outra de DeVon Hardy, este último ilustrando a matéria só porque morreu de um modo que era notícia.

Arthur Jacobs e dois fora-da-lei, dois criminosos afro-americanos com pequenos números no peito, alinhados como iguais na página dez do *Post.*

Eu podia vê-los amontoados nos escritórios e nas salas de conferências, portas trancadas, telefones desligados, reuniões canceladas. Eles manejariam suas respostas, criariam uma centena de estratégias diferentes, chamariam a equipe de relações públicas. Seria sua hora mais tenebrosa.

As guerras por fax iam começar cedo. Cópias do trio seriam enviadas para escritórios de advocacia de costa a costa e todas as grandes firmas do mundo de advocacia iam se divertir a valer.

Gantry parecia extremamente ameaçador e me dava medo só pensar que tínhamos começado uma briga com ele.

E então lá estava a minha foto, a mesma que tinha saído no jornal de sábado anunciando minha prisão. Eu era apresentado como o elo entre a firma e Lontae Burton, embora o repórter não soubesse que eu a tinha conhecido pessoalmente.

A reportagem era longa e completa. Começava com o despejo, e todos os participantes dele, incluindo Hardy, que apareceu sete dias depois nos escritórios da Drake & Sweeney, onde fez reféns, um dos quais era eu. Então, passava para Mordecai, depois para as mortes dos Burton. Mencionava minha prisão, embora eu tivesse tido o cuidado de falar muito pouco ao repórter sobre a pasta, motivo da disputa.

Ele cumpriu a promessa – nem uma vez nossos nomes apareceram, apenas como fontes. Eu não teria escrito melhor.

Nenhuma palavra dos acusados. Era como se o repórter não tivesse feito grande esforço, ou talvez nenhum, para entrar em contato com eles.

Trinta e um

Warner me telefonou às cinco da manhã.

– Você está acordado? – ele perguntou.

Ele estava na suíte do hotel, supernervoso, as perguntas e centenas de comentários sobre o processo ricocheteando nas paredes. Warner tinha lido o jornal.

Tentando me manter aquecido no meu saco de dormir, ouvi Warner me dizer exatamente como eu devia proceder no caso. Warner era um advogado litigante, um litigante dos bons e ele não podia resistir às características fascinantes do caso Burton. Não estávamos pedindo o suficiente em indenização por danos – dez milhões não eram suficientes. O júri certo e o céu era o limite. Ah, como ele adoraria defender o caso no tribunal. E Mordecai? Ele tinha experiência em tribunais?

E os honorários? Certamente eu tinha um contrato de quarenta por cento. Afinal de contas, ainda havia esperança para mim.

– Dez por cento – eu disse, ainda no escuro.

– O quê? Dez por cento! Você está louco?

– Somos uma firma sem fins lucrativos – tentei explicar, mas ele não estava ouvindo e me amaldiçoou por não ser mais ganancioso.

O dossiê era um grande problema, ele disse, como se nós não tivéssemos pensado nisso.

– Podem provar as acusações sem o dossiê?

– Podemos.

Warner deu uma gargalhada, olhando para o velho Jacobs

no jornal entre dois criminosos condenados. Seu vôo para Atlanta saía dentro de duas horas. Ele estaria no escritório às nove. Mal podia esperar para mostrar as fotos para todo mundo. Ia começar a passar por fax para a Costa Oeste imediatamente.

Warner desligou no meio de uma frase.

Eu tinha dormido três horas. Virei algumas vezes, mas não consegui dormir de novo. Tinha havido mudanças demais na minha vida para poder descansar confortavelmente.

Tomei um banho de chuveiro e saí, tomei café com os paquistaneses até o sol nascer, depois comprei biscoitos para Ruby.

Havia dois carros estranhos estacionados na esquina da 14 com a Q, perto do nosso escritório. Passei de carro vagarosamente às sete e meia e meu instinto me disse para seguir em frente. Ruby não estava sentada nos degraus.

Se Tillman Gantry achasse que a violência podia de algum modo ajudar a sua defesa no processo, ele não hesitaria em fazer uso dela. Mordecai tinha me avisado, embora nem fosse preciso. Telefonei para a casa dele e contei o que tinha visto. Ele devia chegar às oito e meia e combinamos de nos encontrar a essa hora. Mordecai ia avisar Sofia. Abraham estava fora da cidade.

Por duas semanas, meu principal interesse tinha sido o processo judicial. Houve outras distrações importantes – Claire, sair de casa, aprender uma nova carreira – mas o processo contra a RiverOaks e minha ex-firma jamais saiu da minha mente. Em qualquer processo de vulto há sempre um nervosismo frenético antes de dar entrada na justiça, depois respira-se profundamente e vem a calma agradável, quando a bomba atinge o alvo e a poeira assenta.

Gantry não nos matou no dia seguinte em que nós o processamos com os outros dois acusados. O escritório estava normal. Os telefones não funcionaram mais do que nos outros dias. O movimento de clientes foi igual. Com o processo temporariamente de lado, era mais fácil me concentrar nos outros casos.

Eu podia imaginar o pânico nos corredores de mármore da Drake & Sweeney. Não devia haver mais sorrisos, nem fofocas na hora do café, nem piadas ou conversa sobre esportes nos corredores. Uma funerária seria mais animada.

Na seção de antitruste, os que me conheciam melhor estariam especialmente sombrios. Polly seria estóica, distanciada e sempre eficiente. Rudolph não sairia do escritório a não ser para confabular com os chefões.

O único aspecto triste de difamar quatrocentos advogados era a inegável realidade de que a maioria deles era não só inocente do ato criminoso como também ignorava completamente os fatos. Ninguém se importava com o que acontecia na seção de bens imóveis. Poucas pessoas conheciam Braden Chance. Eu estava na firma há sete anos quando conheci o homem e assim mesmo só porque fui procurá-lo. Tive pena dos inocentes – dos funcionários antigos que tinham criado uma grande firma e nos treinado tão bem, dos colegas de profissão que continuariam com a tradição de excelência, dos novatos que despertavam para a revelação de que seu respeitado empregador era de certa forma responsável por mais de uma morte.

Mas eu não sentia simpatia por Braden Chance, por Arthur Jacobs e Donald Rafter. Foram eles que resolveram cortar meu pescoço. Deixe que eles sofram.

Megan tirou alguns momentos de folga da tarefa de manter a ordem numa casa que abrigava oitenta mulheres sem-teto e saímos para um curto passeio de carro para noroeste. Ela não tinha idéia de onde Ruby morava, e na verdade não esperávamos encontrá-la. Mas era um bom motivo para passar alguns minutos juntos.

– Isto não é incomum – ela disse, tentando me tranqüilizar. – Via de regra, os sem-teto são imprevisíveis, especialmente os viciados.

– Já viu isso antes?

– Eu já vi de tudo. A gente aprende a ficar calma. Quando uma cliente deixa o vício, arranja emprego, aluga um apartamento, fazemos uma breve prece de agradecimento. Mas não ficamos entusiasmados, porque outra Ruby vai aparecer e partir nosso coração. Há mais vales do que montanhas.

– O que a gente faz para evitar a depressão?

– Os clientes nos dão força. São pessoas notáveis. A maior parte nasceu sem a menor chance na vida, mas sobrevive. Elas tropeçam e caem, mas se erguem e continuam tentando.

A três quadras da clínica passamos por uma garagem com uma porção de carros acidentados na parte dos fundos. Um cachorro enorme, cheio de dentes e com uma corrente no pescoço guardava a frente. Eu não tinha planejado uma busca em carros enferrujados e o cachorro facilitou minha decisão de seguir em frente. Calculamos que ela devia morar numa área entre a clínica, na rua 14, e o Naomi's, na rua 10 perto da L, mais ou menos entre Logan Circle e a praça Mount Vernon.

– Mas nunca se sabe – Megan disse. – Sempre me surpreendo com a mobilidade dessa gente. Eles têm tempo de sobra e alguns andam quilômetros.

Observamos as pessoas na rua, examinando cada mendigo à medida que passávamos de carro, deixando cair moedas nas suas tigelas, esperando ver algum conhecido. Nada.

Deixei Megan no Naomi's e prometi telefonar mais tarde. Ruby era uma maravilhosa desculpa para nos mantermos em contato.

O congressista era de Indiana, há cinco anos no Congresso, um republicano chamado Burkholder, que tinha um apartamento na Virgínia, mas gostava de correr no começo da noite em volta do Capitólio. Sua equipe informou à mídia que ele tomava banho de chuveiro e se vestia numa das salas de ginástica do Congresso, raramente usada, no porão do prédio de gabinetes da Câmara.

Como membro do Congresso, Burkholder era um dos

435 senadores, desse modo praticamente desconhecido, embora estivesse em Washington há dez anos. Era um homem discretamente ambicioso, imaculadamente limpo, rico, quarenta e um anos. Trabalhara no Departamento de Agricultura e era presidente de um comitê de verbas orçamentárias.

Burkholder levou um tiro no começo da noite de quarta-feira, perto da Union Station, quando corria sozinho. Estava com roupa de ginástica – sem carteira, sem dinheiro, sem bolsos onde pudesse guardar qualquer coisa de valor. Aparentemente não havia motivo. Ele encontrou alguém da rua, talvez um esbarrão, um encontrão ou uma palavra ofensiva dada ou recebida e levou dois tiros. Um não acertou, o outro o atingiu na parte superior do braço esquerdo, subiu para o ombro e parou muito perto do pescoço.

O assalto ocorreu logo depois do anoitecer, numa calçada perto de uma rua cheia de pessoas que trabalhavam na cidade e moravam nos subúrbios. Foi testemunhado por quatro pessoas e todas descreveram o assaltante como homem, negro, do tipo que vive nas ruas, uma descrição quase genérica. O homem desapareceu na noite e quando o primeiro carro parou e o motorista desceu e correu para ajudar Burkholder, o homem com a arma já estava longe.

O congressista foi levado às pressas para o hospital na George Washington, onde a bala foi removida depois de duas horas de cirurgia e o estado dele era estável.

Fazia muitos anos que um membro do Congresso levara um tiro em Washington. Vários tinham sido assaltados, mas sem nenhum dano permanente. Os assaltos geralmente forneciam às vítimas um ótimo púlpito para discursar contra o crime e a decadência dos valores e o declínio generalizado de tudo, a culpa, é claro, sempre depositada aos pés do partido adversário.

Burkholder não estava em condição de discursar contra o crime quando ouvi a notícia às onze horas. Eu estava cochilando na minha cadeira, lendo e assistindo ao boxe. Era um dia de poucas notícias na capital, até Burkholder levar o tiro. O apresentador do noticiário, ofegante, anunciou o ocorrido, descrevendo os principais fatos com uma bela foto do congressista ao fundo, depois passou para a transmissão ao vivo do hospital, onde uma repórter tremia de frio na entrada de emergência, a porta pela qual Burkholder havia passado quatro horas antes. Mas havia uma ambulância ao fundo e luzes fortes, e uma vez que ela não podia mostrar sangue ou um cadáver, tinha de fazer a coisa parecer o mais sensacionalista possível.

A cirurgia correu bem, ela informou. O estado de Burkholder era estável e ele estava descansando. Os médicos divulgaram um boletim que basicamente não informava nada. Antes, vários dos colegas do congressista tinham corrido para o hospital e ela conseguiu convencê-los a aparecer na frente das câmaras. Três deles ficaram muito juntos, todos suficientemente solenes e sombrios, embora a vida de Burkholder nem por um momento tivesse estado em perigo. Eles entrecerravam os olhos para as luzes e tentavam dar a impressão de que aquilo era uma grande invasão na sua privacidade.

Eu nunca tinha ouvido nenhum deles antes. Falaram da sua preocupação com o companheiro, fazendo a condição dele parecer muito pior do que dava a entender o boletim médico. Sem que ninguém perguntasse, eles fizeram suas observações sobre o declínio geral de Washington.

Apareceu então outra transmissão ao vivo da cena do crime. Outra repórter bobalhona de pé no Local Exato! em que ele caiu e agora realmente havia alguma coisa para ser vista. Uma mancha de sangue vermelho, que ela apontou dramaticamente, bem ali. Ela se agachou e quase tocou a calçada. Um policial apareceu na tela e ofereceu seu vago resumo do que tinha acontecido.

A reportagem era ao vivo, mas ao fundo piscavam as luzes vermelhas e azuis dos carros da polícia. Eu notei isso, a repórter não notou.

Uma operação de varredura estava em processo. A polícia da capital, em massa, estava limpando as ruas, jogando os desabrigados nos carros e nos furgões e levando-os embora. Durante toda a noite, eles varreram a área circunvizinha do Capitólio, prendendo todos os que dormiam nos bancos, que estavam sentados nos parques, que pediam esmola nas calçadas, qualquer pessoa que obviamente parecia não ter onde morar. Eles os acusavam de vadiagem, de sujar as ruas, de embriaguez em público, de mendigar.

Nem todos foram presos e levados para a cadeia. Dois furgões cheios de prisioneiros foram levados pela Rhode Island, na direção nordeste, e jogados no estacionamento ao lado de um centro comunitário com um dispensário que funcionava a noite toda. Outro furgão com onze pessoas parou na Missão do Calvário, na rua T, a cinco quadras do nosso escritório. Os homens puderam escolher entre ir para a cadeia ou para as ruas. O furgão ficou vazio.

Trinta e dois

Prometi a mim mesmo comprar uma cama. Eu estava perdendo muito sono dormindo no chão, tentando provar algo para ninguém. No escuro, muito antes do nascer do dia, sentei no meu saco de dormir e prometi procurar alguma coisa mais macia. Também me perguntei, pela milésima vez, como as pessoas sobreviviam dormindo nas calçadas.

O Pylon Grill estava quente e abafado, com uma camada de fumaça de cigarro bem acima das mesas, o aroma dos grãos de café do mundo inteiro esperando no lado de dentro da porta. Como sempre, estava cheio de viciados às 4:30 da manhã.

Burkholder era o homem do momento. Seu rosto estava na primeira página do *Post* e havia várias reportagens sobre o homem, os tiros, a investigação policial. Nada sobre a varredura nas ruas. Mordecai me daria os detalhes mais tarde.

Uma surpresa agradável me esperava na seção policial. Tim Claussen era evidentemente um homem com uma missão. Nosso processo o inspirou.

Num longo artigo, ele examinava cada um dos três acusados, começando com a RiverOaks. Era uma empresa privada, com vinte anos de existência, pertencente a um grupo de investidores, um dos quais era Clayton Bender, um corretor de imóveis da Costa Leste que, segundo diziam, valia duzentos milhões de dólares. A foto de Bender aparecia no artigo, ao lado da foto da sede da empresa em Hagerstown, Maryland. A RiverOaks havia construído onze prédios de escritórios na área de Washington D. C. em vinte anos, além de numerosos shoppings nos subúrbios de Baltimore e Washington. O valor dos títulos da empresa era estimado em trezentos e cinqüenta milhões. Tinham também uma grande dívida bancária que não podia ser estimada.

A história da projetada agência dos correios era relatada nos mínimos detalhes. Em seguida, passava para a Drake & Sweeney.

Como era de se esperar, não havia nenhuma fonte de informação de dentro da firma. Telefonemas não foram respondidos. Claussen apresentava os principais fatos – tamanho, histórico, alguns ex-universitários famosos. Havia dois gráficos, ambos tirados da revista *U. S. Law,* um relacionando as maiores dez firmas do país, em tamanho, e o outro classificando as firmas pelo lucro médio dos seus sócios no último ano. Com oitocentos advogados, a Drake & Sweeney era a quinta em tamanho, e com 910.500 dólares, os sócios estavam em terceiro lugar.

Seria realmente possível que eu tivesse dado as costas a tanto dinheiro?

O último membro do trio, completamente diferente dos outros dois, era Tillman Gantry e sua vida cheia de lances interessantes era fácil de ser investigada pela mídia. Os policiais falaram sobre ele. Um ex-companheiro de cela teceu elogios a ele. Um reverendo de alguma seita obscura contou que Gantry havia construído campos de basquete para as crianças. Uma ex-prostituta lembrou as surras que levou dele. Gantry operava atrás da fachada de duas empresas – TAG e Grupo Gantry – e através delas era proprietário de três estacionamentos, dois pequenos shoppings, um prédio de apartamentos onde duas pessoas tinham sido mortas a tiros, seis dúplex alugados, um bar onde uma mulher fora violentada, uma locadora de vídeo e numerosos terrenos desocupados, comprados da prefeitura por uma ninharia.

Dos três acusados, Gantry era o único disposto a falar. Admitiu ter pagado onze mil dólares pelo armazém na avenida Flórida em julho do ano anterior e vendido por duzentos mil para a RiverOaks em 31 de janeiro. Foi sorte, ele disse. O armazém não servia para nada, mas o terreno valia muito mais do que onze mil. Por isso ele o comprou.

O armazém sempre atraiu os desabrigados, ele disse. Na verdade, ele foi obrigado a expulsá-los. Nunca cobrou aluguel e não tinha idéia de quem podia ter inventado isso. Gantry tinha muitos advogados e ia montar uma defesa vigorosa.

O artigo não mencionava meu nome. Nenhum comentário sobre DeVon Hardy e o drama dos reféns. Muito pouco sobre Lontae Burton e sobre as alegações do processo judicial.

Pelo segundo dia seguido, a venerável e velha firma Drake & Sweeney era acusada de conspirar com um ex-cafetão. Na verdade o artigo descrevia os advogados como criminosos piores do que Tillman Gantry.

Para o dia seguinte ele prometia outro episódio da história – a triste vida de Lontae Burton.

Por quanto tempo Arthur Jacobs permitiria que sua adorada firma fosse arrastada na lama? Era um alvo muito fácil. O *Post* era capaz de ser obstinado. Evidentemente o repórter estava trabalhando vinte e quatro horas por dia. Uma reportagem levava a outra.

Eram nove e vinte quando cheguei com meu advogado no edifício Carl Moultrie, na esquina da Sexta com Indiana, no centro da cidade. Mordecai sabia onde estávamos indo. Eu nunca havia estado nem perto do Moultrie, o centro dos processos civis e criminais da capital. A fila na frente do prédio era longa e lenta e advogados, litigantes e criminosos eram revistados e passavam pelo detector de metais. Lá dentro era um zoológico – um saguão cheio de gente ansiosa e quatro níveis de corredores para os quais se abriam as salas dos tribunais.

O meritíssimo Norman Kisner tinha seu tribunal no primeiro andar, sala 114. A agenda do dia, ao lado da porta, tinha meu nome sob o título Primeiras Apresentações. Onze outros criminosos compartilhavam o espaço comigo. A sala estava cheia de advogados e a cadeira do juiz, vazia. Mordecai desapareceu por uma porta nos fundos e eu me sentei na segunda fila. Li uma revista, procurando parecer extremamente entediado com a cena.

– Bom dia, Michael – alguém disse da passagem entre as cadeiras. Era Donald Rafter, segurando a pasta de couro com as duas mãos. Atrás dele estava um homem que eu reconheci da seção de litígios, mas não consegui lembrar o nome.

Inclinei a cabeça num cumprimento e consegui dizer, "Olá".

Eles se afastaram e sentaram no outro lado da sala. Eles representavam as vítimas e como tais tinham direito a estar presentes a cada estágio do meu processo.

Era apenas meu primeiro comparecimento em juízo! Eu ia ficar na frente do juiz enquanto ele lia as acusações. Faria a declaração de inocente, seria liberado de acordo com minha fiança e iria embora. Por que Rafter estava ali?

A resposta veio lentamente. Olhei para a revista, esforçando-me para ficar calmo e finalmente compreendi que a presença dele era apenas uma lembrança. Eles consideravam o roubo um assunto sério e iriam me vigiar a cada passo do caminho. Rafter era o mais inteligente e mais cruel dos litigantes. A presença dele no tribunal devia me fazer tremer de medo.

Às nove e meia Mordecai apareceu na porta atrás da cadeira do juiz e me fez um sinal. O juiz esperava na sua sala. Mordecai me apresentou e nós três nos sentamos informalmente em volta de uma mesinha.

O juiz Kisner devia ter no mínimo setenta anos, com fartos cabelos grisalhos e uma barba também grisalha, olhos castanhos que pareciam queimar o interlocutor. Ele e meu advogado se conheciam há muitos anos.

– Eu estava dizendo para Mordecai – ele disse, abanando a mão na direção do meu advogado – que este é um caso muito fora do comum.

Eu concordei. Sem dúvida parecia incomum para mim.

– Eu conheço Arthur Jacobs há trinta anos. Na verdade, conheço muitos dos advogados da firma. São bons advogados.

Certamente que eram. A firma contratava os melhores e

os treinava bem. Não era agradável para mim o fato de o juiz do meu caso admirar tanto as vítimas.

– Pode ser difícil de avaliar, em termos de dinheiro, um dossiê ativo roubado do escritório de um advogado. São só papéis, sem valor real a não ser para o advogado. Não ia valer nada se você o tentasse vender nas ruas. Não o estou acusando de roubar a pasta, compreenda isso.

– Sim, eu compreendo. – Eu não tinha certeza se compreendia ou não, mas queria que ele continuasse.

– Vamos supor que a pasta esteja com você e vamos supor que você a tirou da firma. Se a devolver agora, sob minha supervisão, estou disposto a atribuir a ela um valor inferior a cem dólares. Isso, é claro, seria uma contravenção que podemos varrer para debaixo do tapete com um pouco de burocracia. É claro que você teria de concordar em esquecer a informação contida na pasta.

– E se eu não devolver? Continuando com a suposição, é claro.

– Então, ela se torna muito mais valiosa. A acusação de furto qualificado permanece e vamos a julgamento com essa acusação. Se o promotor provar seu argumento e o júri o declarar culpado, vai depender de mim determinar a sentença.

As rugas na testa, a severidade do olhar e o tom da sua voz não deixavam dúvida de que a sentença seria algo que eu ia preferir evitar.

– Além disso, se o júri o declarar culpado de furto qualificado, você perde sua licença de advogado.

– Sim, senhor – eu disse, sentindo a advertência.

Mordecai ouvia calado, absorvendo cada palavra.

– Ao contrário de minhas outras causas pendentes, o tempo é crucial aqui – Kisner continuou. – A ação civil pode revelar o conteúdo da pasta. O julgamento da admissão da evidência será feito por outro juiz, em outro tribunal. Eu gostaria de ver resolvida a ação penal antes de a ação civil estar muito adiantada.

– Até quando? – Mordecai perguntou.

– Acho que duas semanas são suficientes para sua decisão.

Concordamos que duas semanas era um prazo razoável. Mordecai e eu voltamos para o tribunal onde esperamos mais uma hora em que nada aconteceu.

Tim Claussen do *Post* chegou ao mesmo tempo que um grupo de advogados. Ele nos viu mas não se aproximou. Mordecai se levantou e depois de algum tempo sentou ao lado de Claussen. Explicou que havia dois advogados da Drake & Sweeney na sala, Donald Rafter e outro, e talvez eles quisessem dizer alguma coisa para o jornal.

Claussen foi direto para eles. Ouvimos vozes de um banco nos fundos, onde Rafter estava matando o tempo. Eles saíram da sala e continuaram a discussão no corredor.

Meu comparecimento perante Kisner foi tão breve quanto eu esperava. Eu me declarei inocente, assinei alguns papéis e saí apressadamente. Rafter tinha desaparecido.

– Sobre o que você e Kisner conversaram antes de ele me chamar? – eu perguntei quando entramos no carro.

– A mesma coisa que ele disse para você.

– Ele é durão.

– Ele é um juiz, mas foi advogado por muitos anos. Criminalista, e um dos melhores. Não tem simpatia por um advogado que rouba documentos de outro.

– De quanto será minha sentença se eu for condenado?

– Ele não disse. Mas vai ficar em cana algum tempo.

Estávamos parados no sinal vermelho. Felizmente eu estava dirigindo.

– Tudo bem, conselheiro – eu disse. – O que fazemos então?

– Temos duas semanas. Vamos estudar o assunto com calma. Este não é o momento para tomar decisões.

Trinta e três

O *Post* da manhã seguinte trazia duas reportagens, ambas com grandes manchetes e fotos.

A primeira era a prometida na edição da véspera – uma longa história da vida trágica de Lontae Burton. A avó era a fonte principal, mas o repórter tinha entrevistado também duas tias, uma assistente social, uma ex-professora e a mãe e os dois irmãos na prisão. Com a agressividade típica e o orçamento ilimitado, o jornal estava fazendo um esplêndido trabalho de coleta dos fatos de que precisávamos para o nosso caso.

Quando Lontae nasceu, sua mãe tinha dezesseis anos, a segunda de três filhos, todos ilegítimos, cada um de um homem diferente, e a mãe sempre se recusou a falar sobre o pai dela. Lontae cresceu nos piores bairros da região nordeste, mudando de um lugar para o outro com a mãe cheia de problemas, morando periodicamente com a avó ou com as tias. A mãe estava sempre entrando e saindo da cadeia, e Lontae abandonou a escola depois da sexta série. A partir daí sua vida se tornou previsivelmente sombria. Drogas, homens, gangues, pequenos delitos, a vida perigosa das ruas. Ela trabalhou em vários lugares com salário mínimo e provou que era completamente irresponsável.

Os registros da polícia contavam grande parte da sua história: uma detenção aos quatorze anos por furto em loja, caso resolvido pelo juizado de menores. Três meses depois, acusada de embriaguez em público, juizado de menores. Porte de maconha, aos quinze anos, juizado de menores. A mesma acusação sete meses depois. Detida por prostituição aos dezesseis anos e julgada como adulta, condenada, mas não à prisão. Detida por furto qualificado, pelo furto de um CD de uma loja de penhores, condenada, mas não à prisão. Nascimento de Ontario quando Lontae tinha dezoito anos, no hospital geral da capital, sem registro do nome do pai. Detida por prostituição quando Ontario tinha dois meses, condenada, mas não à prisão. Nascimento dos gêmeos, Alonzo e Dante, quando Lontae tinha vinte anos, também no hospital geral da capital, sem registro do nome do pai. E depois Temeko, o bebê com a fralda molhada, nascida quando Lontae tinha vinte e um anos.

No meio desse triste obituário, surgia uma centelha de esperança. Depois do nascimento de Temeko, Lontae por acaso encontrou a Casa de Maria, um centro diurno para mulheres, semelhante ao Naomi's, onde conheceu uma assistente social chamada Nell Cather. A Sra. Cather era amplamente citada na história.

Segundo a sua versão, nos últimos meses de vida, Lontae estava resolvida a sair das ruas e acertar sua vida. Começou a tomar pílulas anticoncepcionais fornecidas pela Casa de Maria. Lontae queria desesperadamente largar as drogas. Comparecia às reuniões dos AA/NA do centro e lutou corajosamente contra a droga, embora tivesse dificuldade para se manter sóbria. Aperfeiçoou rapidamente sua capacidade de ler e escrever e sonhava em conseguir um emprego fixo remunerado para sustentar a pequena família.

A Sra. Cather finalmente conseguiu um emprego para ela como empacotadora em uma grande mercearia. Vinte horas por semana a 4,75 a hora. Lontae nunca faltou ao trabalho.

Certo dia, no último outono, ela disse para Nell Cather que tinha encontrado um lugar para morar, mas que era segredo. Como era parte do seu trabalho, Nell quis visitar o local, mas Lontae recusou. Não era legal, explicou. Era um pequeno apartamento de dois cômodos para desabrigados, com um teto, uma porta trancada e banheiro perto e ela pagava cem dólares por mês, em dinheiro.

Anotei o nome de Nell Cather, da Casa de Maria, e sorri

imaginando-a no banco das testemunhas, contando a história dos Burton para o júri.

Lontae tinha muito medo de perder os filhos porque isso acontecia sempre nas ruas. A maior parte das mulheres na Casa de Maria tinha perdido os seus e quanto mais Lontae ouvia as histórias horríveis que lhe contavam, mais decidida ficava de manter sua família unida. Ela estudou com afinco, chegou a aprender os princípios básicos do uso do computador e certa vez passou quatro dias sem se drogar.

Até o dia em que foi despejada, o pouco que tinha jogado na rua junto com seus filhos. A Sra. Cather a viu no dia seguinte e ela estava péssima. As crianças estavam com fome e sujas e Lontae dopada. A Casa de Maria proibia a entrada de pessoas visivelmente bêbadas ou drogadas. A diretora foi obrigada a pedir para Lontae ir embora. A Sra. Cather nunca mais a viu, nem teve notícias até ler a reportagem sobre as mortes no jornal.

Lendo a história pensei em Braden Chance, esperando que ele estivesse lendo também, no calor do começo da manhã, na sua bela casa no subúrbio de Virgínia. Eu tinha certeza de que ele já estava acordado àquela hora. Como uma pessoa sob tamanha pressão podia dormir?

Eu queria que ele sofresse, que compreendesse que sua cruel indiferença para com os direitos e a dignidade dos outros tinha provocado tanta miséria. Você estava sentado no seu escritório, Braden, trabalhando arduamente por suas horas que valiam ouro, examinando documentos para seus ricos clientes, lendo memorandos dos paralegais que você mandava fazer o trabalho sujo e fria e calculadamente tomou a decisão de executar um despejo que devia ter anulado. Eles eram apenas invasores, não eram, Braden? Gente negra, ralé das ruas vivendo como animais. Não havia nada escrito, nenhum contrato, nenhum papel, portanto nenhum direito. Jogue todos na rua. Qualquer demora em lidar com eles pode prejudicar o projeto.

Minha vontade era telefonar para a casa dele, interromper seu café da manhã e dizer, "Como se sente agora, Braden?"

A segunda história foi uma surpresa agradável, pelo menos do ponto de vista jurídico. Também significava encrenca.

Tinham encontrado um antigo namorado, um chefe de gangue das ruas de dezenove anos chamado Kito Spires. A foto dele assustava qualquer cidadão cumpridor da lei. Kito tinha muito para contar. Afirmou ser o pai dos três últimos filhos de Lontae – os gêmeos e a menininha. Tinha vivido com ela esporadicamente, mais separados do que juntos nos últimos três anos.

Kito era o produto típico dos grandes centros urbanos, desempregado, abandonou os estudos no primeiro grau, tinha ficha criminal. Sua credibilidade sempre seria questionada.

Kito tinha morado no armazém com Lontae e os filhos. Ele a ajudava a pagar o aluguel sempre que podia. Depois do Natal, eles brigaram e ele foi embora. Atualmente vivia com uma mulher cujo marido estava preso.

Kito não sabia nada sobre o despejo, mas achava que era errado. Quando perguntaram sobre as condições no armazém, Kito deu detalhes suficientes para me convencer de que realmente tinha estado lá. Sua descrição era semelhante à do memorando de Hector.

Ele não sabia que o armazém era de Tillman Gantry. Um cara chamado Johnny recebia os aluguéis no dia 15 de cada mês. Cem dólares.

Mordecai e eu logo o encontraríamos. Nossa lista de testemunhas estava crescendo e o Sr. Spires podia muito bem ser o nosso astro principal.

Kito ficou profundamente abalado com a morte das crianças e da mãe. Eu tinha observado atentamente as pessoas no enterro e Kito certamente não estava lá.

Nosso processo estava recebendo mais atenção da imprensa do que podíamos ter imaginado. Nós queríamos só dez milhões de dólares, uma bela quantia redonda que estava aparecendo nos jornais e sendo discutida diariamente nas ruas. Lontae tinha feito sexo com milhares de homens. Kito era o primeiro pai possível. Com tanto dinheiro em jogo, outros pais iriam aparecer e jurar seu amor pelos filhos perdidos. As ruas estavam cheias de pais em potencial.

Essa era a parte problemática da história de Kito.

Jamais teríamos a chance de falar com ele.

Telefonei para a Drake & Sweeney e pedi para falar com Braden Chance. Uma secretária atendeu e repeti meu pedido.

– E quem está falando, por favor? – ela perguntou.

Dei um nome falso e disse que era um possível cliente e que a firma me fora recomendada por Clayton Bender, da RiverOaks.

– O Sr. Chance não pode atender agora – ela disse.

– Então diga-me quando posso falar com ele – eu disse, agressivamente.

– Ele está de férias.

– Ótimo, quando vai voltar?

– Não tenho certeza – ela disse e desligou.

As férias seriam de um mês, depois uma licença-prêmio, depois uma licença temporária e, em determinado momento, admitiriam finalmente que Chance fora despedido.

Eu suspeitei que ele tinha saído da firma. O telefonema confirmou minha suspeita.

Como a firma fora a minha vida nos últimos sete anos, não era difícil prever suas ações. Havia orgulho e arrogância demais para suportar as indignidades que estavam sendo impostas a todos eles.

Certamente, assim que o processo judicial deu entrada na justiça, Braden Chance disse a verdade. Se foi por iniciativa própria ou forçada pelos sócios, era irrelevante. Chance tinha mentido para eles desde o começo e agora a firma inteira estava sendo processada. Talvez ele tivesse mostrado a eles o memorando original de Hector, com o recibo do aluguel de Lontae. Porém, era mais provável que ele tivesse destruído ambos e foi forçado a descrever o que continham. A firma – Arthur Jacobs e o comitê executivo – finalmente sabia a verdade. O despejo não devia ter ocorrido. O contrato verbal de aluguel devia ter sido rescindido por escrito, com Chance representando a RiverOaks e com trinta dias de aviso prévio aos inquilinos.

Um atraso de trinta dias teria prejudicado a construção da agência de correios, pelo menos para a RiverOaks.

E uma demora de trinta dias teria permitido a Lontae e aos outros o tempo para sobreviver à pior parte do inverno.

Chance fora obrigado a sair da firma, sem dúvida com uma generosa indenização referente à sua parte na sociedade. Hector provavelmente fora chamado a Washington para apresentar seu relatório. Com Chance fora da firma, Hector podia contar a verdade e sobreviver, porém não diria nada do seu contato comigo.

Atrás das portas trancadas, o comitê executivo enfrentara a realidade. A firma estava extremamente exposta. Um plano de defesa foi elaborado por Rafter e sua equipe de litígio. Defenderiam vigorosamente a tese de que o caso Burton baseava-se em material roubado de um arquivo da Drake & Sweeney. E como material roubado não podia ser usado no tribunal, o processo devia ser anulado. Fazia sentido do ponto de vista legal.

Entretanto, antes de terem tempo de organizar sua defesa, o jornal entrou no jogo. Testemunhas estavam sendo localizadas que podiam atestar a veracidade do material protegido na pasta. Podíamos provar nosso caso independente do que Chance tinha escondido.

A Drake & Sweeney devia estar um caos. Com quatrocentos advogados agressivos querendo externar sua opinião, a firma estava à beira de uma revolta. Se eu ainda estivesse lá e tivesse de enfrentar um escândalo como aquele em outra seção da firma, eu estaria fazendo um barulho dos diabos, exigindo que o assunto fosse resolvido e desaparecesse dos jornais. A opção de brandir os machados e dominar a tempestade não existia. A denúncia da firma feita pelo *Post* era só uma amostra do que seria um julgamento completo. E faltava um ano para o julgamento.

Havia calor de outra fonte. O dossiê não indicava a extensão do conhecimento que a RiverOaks tinha sobre os invasores. Na verdade, havia pouca correspondência entre Chance e seus clientes. A impressão era de que ele havia recebido instruções para fechar o negócio o mais depressa possível. A RiverOaks fez pressão, Chance seguiu em frente.

Supondo que a RiverOaks não soubesse que o despejo era ilegal, então a empresa tinha motivo legítimo para processar a Drake & Sweeney por imperícia profissional. A RiverOaks contratou a firma para fazer um trabalho, o trabalho foi mal feito e o erro foi em detrimento do cliente. Com trezentos milhões em ações, a RiverOaks tinha peso suficiente para pressionar a firma exigindo a correção do seu erro.

Outros clientes importantes também dariam sua opinião. "O que está acontecendo por lá" era uma pergunta que todos os sócios iam ouvir daqueles que pagavam as contas. No mundo agressivamente competitivo do direito corporativo, abutres de outras firmas começavam a voar em círculo.

A Drake & Sweeney vendia sua imagem, sua aparência pública. Todas as grandes firmas o faziam. E nenhuma podia suportar os golpes que estavam sendo infligidos à minha alma mater.

O congressista Burkholder se refez maravilhosamente bem. No dia seguinte à cirurgia, ele falou à imprensa numa exibição cuidadosamente encenada. Eles o levaram na cadeira de rodas para um pódio no saguão do hospital. Ele ficou de pé, com ajuda da bela esposa, e deu alguns passos à frente para dar seu depoimento. Por coincidência ele vestia uma camisa de malha Hoosier vermelho vivo. Tinha ataduras no pescoço e o braço esquerdo estava na tipóia.

Ele se declarou vivo e bem e pronto para dali a alguns dias voltar aos seus deveres no Senado. Alô para a família em Indiana.

No seu mais brilhante momento, ele falou sobre o crime nas ruas e a deterioração das nossas cidades. (Sua cidade natal tinha oito mil habitantes.) Era uma vergonha a capital da nação estar naquele triste estado e por ter estado tão perto da morte, desse dia em diante devotaria suas energias à tarefa de trazer a segurança de volta às nossas ruas. Tinha encontrado um novo objetivo.

Falou sobre controle de armas e mais prisões.

O assalto a Burkholder teve como resultado uma grande pressão, embora temporária, sobre a polícia da capital para limpar as ruas. Senadores e deputados passaram o dia discursando sobre os perigos do centro da cidade de Washington. Como resultado as varreduras recomeçaram quando a noite chegou. Cada bêbado, desocupado, pedinte e sem-teto perto do Capitólio foi levado dali. Alguns foram presos. Outros simplesmente amontoados nos furgões e transportados como gado para os bairros mais distantes.

Às 11:40 da noite a polícia foi mandada para uma loja de bebidas na rua 4, perto da Rhode Island, a nordeste. O dono da loja tinha ouvido tiros e um dos sem-teto do bairro disse que havia um homem caído.

Num terreno baldio perto da loja, atrás de uma pilha de escombros e tijolos partidos, a polícia encontrou o corpo de um jovem negro. O sangue recente vinha de dois orifícios de bala na cabeça.

Mais tarde ele foi identificado como Kito Spires.

Trinta e quatro

Ruby apareceu na segunda-feira de manhã com um apetite voraz por biscoitos e notícias. Estava esperando na frente da porta com um sorriso e um caloroso alô quando cheguei às oito, um pouco mais tarde que de hábito. Com Gantry solto nas ruas, eu queria chegar ao escritório em plena luz do sol e com o movimento.

Ela parecia a mesma de sempre. Pensei que talvez pudesse examinar o rosto dela e ver os sinais de uma orgia de crack, mas não vi nada diferente. O olhar era duro e triste mas ela estava de ótimo humor. Entramos juntos no escritório e arrumamos nosso espaço na mesa de Ruby. Era confortador ter alguém comigo no prédio.

– Como tem passado? – eu perguntei.

– Muito bem. – Ela estendeu a mão para um dos sacos de papel para apanhar um biscoito. Eram três sacos, todos comprados na semana anterior, só para ela, mas Mordecai tinha deixado um rastro de migalhas.

– Onde você está?

– No meu carro. – Onde mais podia estar? – Ainda bem que o inverno está indo embora.

– Eu também acho bom. Você esteve no Naomi's?

– Não. Mas hoje eu vou. Não tenho me sentido muito bem.

– Eu levo você.

– Obrigada.

A conversa estava um pouco forçada. Ela esperava que eu

perguntasse sobre sua última visita ao motel. Eu bem que queria perguntar, mas achei melhor não dizer nada.

Quando o café ficou pronto, servi duas xícaras e levei para a mesa. Ela estava no terceiro biscoito, mordiscando sem parar, em volta, como um rato.

Como eu podia ficar zangado com alguém em situação tão lastimável? Vamos para as notícias.

– Que tal o jornal? – perguntei.

– Seria ótimo.

Na primeira página estava uma foto do prefeito e como Ruby gostava de notícias sobre a política da cidade, e uma vez que o prefeito era sempre um tema interessante, comecei por ali. Era uma entrevista dada no sábado na qual o prefeito e o conselho, agindo juntos, numa aliança temporária, pediam uma investigação pelo Departamento de Justiça sobre a morte de Lontae Burton e sua família. Queriam saber se houve violação dos direitos civis. O prefeito claramente dava a perceber que ele achava que tinha havido, mas vamos trazer a Justiça!

Desde que o nosso processo tinha tomado o centro do palco, um novo grupo estava sendo acusado como responsável pela tragédia. Já não apontavam tanto para a prefeitura. Insultos ao Congresso e do Congresso haviam cessado. Aqueles que sentiram o calor das primeiras acusações estavam vigorosa e alegremente passando a culpa para a grande firma de advocacia e seus ricos clientes.

A história dos Burton a fascinava. Fiz um rápido sumário do processo judicial e do que tinha aparecido na imprensa desde então.

A Drake & Sweeney mais uma vez era massacrada pelo jornal. Os seus advogados deviam estar perguntando, "Quando vai acabar?"

Não por algum tempo.

No canto inferior da primeira página estava uma breve reportagem sobre a decisão do Serviço Postal de desistir do projeto de construção da agência na área nordeste de Washington. A controvérsia sobre a compra do terreno, do armazém, o litígio envolvendo a RiverOaks e Gantry – todos foram fatores de decisão.

A RiverOaks perdeu seu projeto de vinte milhões. A RiverOaks ia reagir como qualquer outra firma imobiliária agressiva que tivesse desembolsado quase um milhão de dólares em dinheiro na compra de uma propriedade que não podia ser usada. A RiverOaks ia atacar seus advogados.

A pressão aumentou outra vez.

Examinamos os eventos mundiais. Um terremoto no Peru chamou a atenção de Ruby e lemos a descrição. Passamos para a seção policial e meu coração parou quando li as primeiras palavras. Sob a mesma foto de Kito Spires, a mesma só que duas vezes maior e mais ameaçadora, estava a manchete: KITO SPIRES ENCONTRADO MORTO A TIROS. A reportagem repetia a apresentação do Sr. Spires no jornal da sexta-feira como um dos personagens do drama Burton, depois dava escassos detalhes sobre sua morte. Nenhuma testemunha, nenhuma pista, nada. Apenas outro marginal morto a tiros na capital.

– Você está bem? – Ruby perguntou, tirando-me do transe.

– Ah, claro – eu disse, tentando respirar outra vez.

– Por que não está lendo?

Porque eu estava abalado demais para ler alto. Eu tinha de ler cada palavra rapidamente para ver se o nome de Tillman Gantry era mencionado. Não encontrei.

E por que não? Para mim era evidente o que tinha acontecido. O garoto teve seu momento sob as luzes da imprensa, falou demais, tornou-se valioso demais para os queixosos (*nós!*) e era um alvo muito fácil.

Li a reportagem para ela, devagar, ouvindo cada som à nossa volta, vigiando a porta da frente, querendo que Mordecai chegasse logo.

Gantry falou. Outras testemunhas da rua calariam a boca ou desapareceriam depois que nós as encontrássemos. Matar testemunhas já era péssimo. O que eu ia fazer se Gantry viesse atrás dos advogados?

Então, no meio do meu terror, de repente compreendi que aquilo era bom para o nosso lado. Perdemos uma testemunha potencialmente crucial, mas a credibilidade de Kito poderia nos ter criado problemas. A Drake & Sweeney era mencionada outra vez na terceira reportagem daquela manhã em conexão com o assassinato de um criminoso de dezenove anos. A firma fora derrubada das alturas e estava agora na sarjeta, seu nome orgulhoso mencionado no mesmo parágrafo com o de um chefe de gangue da rua assassinado.

Eu voltei para um mês antes, antes de Senhor e de tudo que veio depois, e me imaginei lendo o mesmo jornal sentado à minha mesa antes do nascer do sol. E imaginei que tinha lido as outras reportagens e artigos e sabia que as mais sérias alegações no processo judicial eram verdadeiras. O que eu teria feito?

Não havia dúvida. Eu estaria reclamando em alto e bom som com meu sócio supervisor, Rudolph Mayes, que, por sua vez, estaria reclamando aos berros com o comitê executivo e eu me reuniria com meus pares, os mais antigos contratados da firma. Exigiríamos que o assunto fosse resolvido e encerrado antes que maior dano fosse infligido à firma. Insistiríamos para que o julgamento fosse evitado a qualquer custo.

Faríamos todo o tipo de exigências.

E eu suspeitava que a maior parte dos contratados antigos e todos os sócios estavam fazendo exatamente isso. Com tanto barulho nos corredores, pouco trabalho podia ser feito. Poucas horas estavam sendo faturadas. A firma se transformara num caos.

– Continue – Ruby disse, me despertando outra vez.

Passamos rapidamente por toda a seção policial, em parte porque eu queria ver se havia uma quarta reportagem. Seria sorte demais. Porém, encontrei uma reportagem sobre as varreduras das ruas conduzidas pela polícia em resposta ao assalto a Burkholder. Um defensor dos sem-teto criticava duramente a operação, ameaçando processar. Ruby adorou a história. Achava maravilhoso que estivessem escrevendo tanta coisa sobre os sem-teto.

Eu a levei ao Naomi's, onde ela foi recebida como uma velha amiga. As mulheres a abraçavam, passando-a de uma para a outra, fazendo perguntas e até chorando. Passei alguns minutos me insinuando para Megan na cozinha, mas minha cabeça não estava para namoros.

Sofia tinha uma sala cheia quando voltei para o escritório. O movimento era intenso. Às nove horas cinco clientes estavam sentados nas cadeiras encostadas na parede. Ela estava no telefone, aterrorizando alguém em espanhol. Entrei no escritório de Mordecai para ter certeza de que ele tinha lido o jornal. Mordecai estava lendo com um sorriso. Combinamos nos encontrar uma hora depois para falar sobre o processo.

Fechei a porta do meu escritório silenciosamente e comecei a examinar as pastas. Em duas semanas eu havia aberto noventa e uma delas e fechado trinta e oito. Estava me atrasando e precisava de uma manhã de trabalho árduo ignorando o telefone, para me pôr em dia. Não ia acontecer.

Sofia bateu e, como a fechadura não fechava, empurrou a porta ao mesmo tempo. Não disse oi nem com licença.

– Onde está aquela lista das pessoas despejadas do armazém? – ela perguntou. Tinha um lápis atrás da orelha e óculos de leitura na ponta do nariz. A mulher tinha muito que fazer.

A lista estava sempre à mão. Dei para ela e Sofia leu rapidamente.

– Bingo – ela disse.

– O que foi? – perguntei, levantando da cadeira.

– O número oito, Marquis Deese – Sofia disse. – Bem que achei que o nome me parecia familiar.

– Familiar?

– Sim, ele está sentado à minha mesa. Apanhado ontem à noite no parque Lafayette, na frente da Casa Branca, e jogado no Logan Circle. Foi pego pela varredura. É o seu dia de sorte.

Saí com ela para a sala da frente, onde, bem no centro, o Sr. Deese estava sentado à mesa dela. Parecia muito com DeVon Hardy – quarenta e poucos anos, cabelo e barba grisalhos, óculos escuros, vestido com camadas de roupa como a maioria dos desabrigados no começo de março. Eu o examinei de longe, enquanto seguia para o escritório de Mordecai para dar a notícia.

Nós nos aproximamos cautelosamente, com Mordecai encarregado do interrogatório.

– Com licença – ele disse delicadamente. – Eu sou Mordecai Green, um dos advogados daqui. Posso fazer algumas perguntas?

Nós dois estávamos de pé, olhando para o Sr. Deese. Ele levantou a cabeça e disse:

– Acho que sim.

– Estamos trabalhando num caso relacionado com algumas pessoas que moravam num velho armazém na esquina da Flórida com a Nova York – Mordecai explicou, falando devagar.

– Eu morei lá – ele disse.

Eu respirei profunda e longamente.

– Morou?

– Isso mesmo. Fui chutado para fora.

– Sim, bem, por isso estamos trabalhando nesse caso. Representamos algumas das outras pessoas que foram chutadas para fora. Achamos que o despejo foi ilegal.

– Pois estão certos.

– Por quanto tempo morou lá?

– Uns três meses.

– Pagava aluguel?

– Claro que pagava.

– Para quem?

– Um cara chamado Johnny.

– Quanto?

– Cem paus por mês, só em dinheiro.

– Por que só em dinheiro?

– Ele não queria nada por escrito.

– Sabe quem era o proprietário do armazém?

– Negativo. – As respostas vinham sem hesitação e eu mal podia disfarçar minha satisfação. Se Deese não sabia que Gantry era dono do prédio, como podia ter medo dele?

Mordecai puxou uma cadeira e olhou muito sério para o Sr. Deese.

– Gostaríamos que o senhor fosse nosso cliente – ele disse.

– O quê?

– Estamos processando algumas pessoas por causa do despejo. Nossa posição é de que vocês foram expulsos ilegalmente. Gostaríamos de representá-lo e processar essas pessoas em seu nome.

– Mas o apartamento era ilegal. Por isso eu pagava em dinheiro.

– Não importa. Podemos conseguir algum dinheiro para o senhor.

– Quanto?

– Ainda não sei. O que tem a perder?

– Nada, eu acho.

Bati no ombro de Mordecai. Pedimos licença e fomos para o escritório dele.

– O que foi? – ele perguntou.

– Em vista do que aconteceu com Kito Spires, acho que devemos gravar o depoimento dele. Agora.

Mordecai passou a mão na barba.

– Não é má idéia. Vamos fazer um depoimento por escrito. Ele pode assinar, Sofia faz a autenticação, então, se acontecer alguma coisa a ele, podemos batalhar para que seja admitido como prova.

– Temos um gravador? – perguntei.

Mordecai olhou para todos os lados.

– Temos, em algum lugar por aí.

Como ele não sabia onde estava, levaríamos um mês para encontrar.

– Que tal uma câmara de vídeo? – perguntei.

– Por aqui não tem.

Pensei por um segundo, depois disse:

– Vou buscar a minha. Você e Sofia tratem de mantê-lo ocupado.

– Ele não vai a parte alguma.

– Ótimo. Dê-me cinco minutos.

Saí correndo do escritório e voei na direção de Georgetown. O terceiro número que tentei no meu celular encontrou Claire num intervalo das aulas.

– O que aconteceu? – ela perguntou.

– Preciso que me empreste a câmara de vídeo. Depressa!

– Está no mesmo lugar – ela disse, falando devagar, tentando analisar as coisas. – Por quê?

– Um depoimento. Se importa se eu a usar?

– Acho que não.

– Ainda está na sala de estar?

– Está.

– Você mudou as fechaduras? – perguntei.

– Não.

Não sei por que isso me fez sentir melhor. Eu ainda tinha a chave. Podia entrar e sair quando quisesse.

– E o código de alarme?

– Não. É o mesmo.

– Obrigado. Telefono mais tarde.

Instalamos Marquis Deese num escritório sem móveis mas cheio de arquivos. Ele sentou numa cadeira, com a parede branca atrás. Eu era o videógrafo, Sofia, o notário, Mordecai, o interrogador. As respostas tinham de ser mais do que perfeitas.

Terminamos em trinta minutos, todas as perguntas possíveis feitas e respondidas. Deese achava que sabia onde estavam dois outros expulsos do armazém e prometeu encontrá-los.

Nosso plano era dar entrada num processo judicial em separado para cada sem-teto expulso, com muitas informações para nosso amigo do *Post.* Sabíamos que Kelvin Lam estava na CCNV, mas ele e Deese eram os únicos que havíamos localizado até então. Os casos deles não valiam muito dinheiro – nos limitaríamos a determinar vinte e cinco mil para cada um – mas o fato de dar entrada no processo aumentava a carga de embaraço sobre os acusados.

Eu quase desejei que a polícia fizesse outra varredura nas ruas.

Quando Deese estava saindo, Mordecai o avisou para não falar sobre o processo. Sentei a uma mesa ao lado de Sofia e digitei no computador uma petição de três páginas a favor do nosso cliente, Marquis Deese, contra os mesmos acusados, alegando despejo ilegal. Depois uma para Kelvin Lam. Guardei as duas na memória do computador. Simplesmente mudaríamos o nomes dos queixosos à medida que os encontrássemos.

O telefone tocou um pouco antes do meio-dia. Sofia estava na outra linha e eu atendi.

– Clínica de Advocacia – eu disse, como de hábito.

Uma voz solene do outro lado disse:

– Aqui fala Arthur Jacobs, advogado da firma Drake & Sweeney. Eu gostaria de falar com o Sr. Mordecai Green.

Só consegui dizer "Claro" antes de apertar o botão de espera. Olhei para o telefone, depois me levantei devagar da cadeira e fui até a porta de Mordecai.

– O que foi? – ele perguntou. Estava com o nariz enfiado no Código dos Estados Unidos.

– Arthur Jacobs no telefone.

– Quem é ele?

– A Drake & Sweeney.

Olhamos um para o outro por alguns segundos, então ele sorriu.

– Este pode ser o telefonema – ele disse.

Eu só balancei a cabeça, concordando.

Mordecai pegou o telefone e eu me sentei.

Foi uma conversa breve, com Arthur se encarregando da maior parte. Deduzi que ele queria marcar um encontro para falar sobre o processo e quanto antes melhor.

Quando terminou, Mordecai repetiu a conversa para mim.

– Eles querem uma reunião amanhã para uma conversa sobre um acordo.

– Onde?

– Na firma. Dez da manhã, sem a sua presença.

Eu não esperava ser convidado.

– Eles estão preocupados? – perguntei.

– É claro que estão preocupados. Eles têm vinte dias para responder, mas já estão falando em acordo. Eles estão muito preocupados.

Trinta e cinco

Passei a manhã seguinte na Missão Redentor, aconselhando clientes com toda a desenvoltura de quem passou anos tratando de problemas legais dos sem-teto. A tentação me venceu e às onze e quinze telefonei para Sofia para ver se tinha notícias de Mordecai. Não tinha. Esperávamos que a reunião na Drake & Sweeney fosse longa. Mas ele podia ter telefonado para dizer que tudo estava indo bem. Não telefonou.

Para variar, eu tinha dormido pouco, mas a falta de sono não tinha nada a ver com mal-estar físico ou desconforto. Minha ansiedade com a reunião para acordo resistiu a um banho quente e uma garrafa de vinho. Meus nervos estavam à flor da pele.

Enquanto falava com meus clientes, tinha dificuldade para me concentrar nos vales-refeição, subsídios para moradia e pais delinqüentes quando minha vida pendia na balança em outra frente de batalha. Saí quando chamaram para o almoço. Minha presença era muito menos importante do que o pão nosso de cada dia. Comprei dois bagels simples e uma garrafa d'água e rodei de carro pelas ruas por uma hora.

Quando voltei para a clínica, o carro de Mordecai estava parado na frente do prédio. Ele estava no escritório esperando por mim. Fechei a porta.

A reunião foi na sala de conferências particular de Arthur Jacobs, no oitavo andar, num canto sagrado do prédio do qual eu nunca sequer cheguei perto. Mordecai foi tratado como um dignitário visitante pela recepcionista e pelo resto do pessoal – seu sobretudo foi rapidamente tirado, seu café misturado na medida exata, pãezinhos doces frescos à sua disposição.

Ele se sentou a um dos lados da mesa, de frente para Arthur, Donald Rafter, um advogado encarregado do seguro da firma contra imperícia profissional e um advogado da RiverOaks. Tillman Gantry tinha representação legal, mas não foi convidado. Se chegassem a um acordo, ninguém esperava que Gantry contribuísse com um centavo.

O único que destoava no grupo era o advogado da RiverOaks, mas era compreensível. Os interesses da empresa estavam em conflito com os da firma. Mordecai disse que o antagonismo era óbvio.

Arthur foi o porta-voz do seu lado da mesa durante quase todo o tempo e Mordecai não podia acreditar que o homem tivesse oitenta anos. Os fatos não eram memorizados, mas lembrados instantaneamente. Os assuntos eram analisados por uma mente extremamente alerta que trabalhava o tempo todo.

Para começar, concordaram que tudo que fosse dito e visto na reunião permaneceria estritamente confidencial. Nenhuma admissão de responsabilidade seria válida, nenhuma oferta de acordo seria legalmente obrigatória antes de serem assinados os documentos.

Arthur começou dizendo que os acusados, especialmente a Drake & Sweeney e a RiverOaks, tinham sido muito prejudicados pela ação judicial. Ficaram abalados e confusos. Não estavam acostumados à humilhação e aos ataques da imprensa. Ele falou francamente sobre a consternação na sua amada firma. Mordecai apenas ouviu, como fez durante grande parte da reunião.

Arthur chamou a atenção para o fato de haver vários assuntos envolvidos. Começou com Braden Chance e revelou que ele fora expulso da firma. Ele não se retirou, foi chutado para fora. Arthur falou também abertamente sobre a má conduta de Chance. Ele era o único encarregado da negociação com a RiverOaks. Ele conhecia cada aspecto do negócio com a

TAG e acompanhou cada detalhe. Provavelmente cometeu imperícia profissional quando permitiu o despejo.

– Provavelmente? – Mordecai perguntou.

Muito bem então, está além da probabilidade. Chance não agiu com o nível necessário de responsabilidade profissional quando ordenou o despejo. E ele alterou o arquivo. E tentou encobrir suas ações. Chance mentiu para eles, pura e simplesmente, Arthur admitiu com bastante constrangimento. Se Chance tivesse dito a verdade depois da crise de Senhor, a firma teria evitado a ação judicial e o ataque da imprensa. Chance os embaraçara profundamente e ele já era parte do passado.

– Como ele alterou o arquivo? – Mordecai perguntou.

O outro lado quis saber se Mordecai tinha visto a pasta. Onde exatamente estava a maldita coisa? Mordecai não respondeu.

Arthur explicou que alguns papéis tinham sido removidos.

– Os senhores viram o memorando de Hector Palma de 27 de janeiro? – Mordecai perguntou e eles ficaram rígidos.

– Não – Arthur respondeu.

Então Chance tinha de fato retirado o memorando, com o recibo de Lontae, e destruído. Com grande cerimônia e saboreando cada segundo, Mordecai tirou da sua pasta várias cópias do memorando e do recibo. Com um gesto largo empurrou os papéis sobre a mesa. Foram imediatamente agarrados pelos advogados experientes, apavorados demais para respirar.

Fez-se um longo silêncio enquanto o memorando era lido, depois examinado, depois lido mais uma vez, finalmente analisado desesperadamente à procura de brechas e de palavras que pudessem ser retiradas do contexto e desviadas de sentido para favorecer o seu lado da mesa. Não encontraram nada. As palavras de Hector eram muito claras, sua narrativa muito descritiva.

– Posso perguntar onde conseguiu isto? – Arthur perguntou delicadamente.

– Isso não é importante, pelo menos por enquanto.

Era evidente que eles haviam se preocupado com o

memorando. Chance descrevera o conteúdo já a caminho da rua, e o original fora destruído. Mas e se houvesse cópias?

Eles estavam com as cópias nas mãos. Sem poder acreditar.

Porém, como eram litigantes experientes, reagiram com perfeição, deixando o memorando de lado como se fosse uma coisa simples para ser resolvida mais tarde.

– Suponho que isso nos leva ao dossiê desaparecido – Arthur disse, ansioso para pisar em terreno mais firme. Eles tinham uma testemunha ocular que me viu perto do escritório de Chance naquela noite. Eles tinham as impressões digitais. Eles tinham a pasta misteriosa na minha mesa, a pasta onde tinham estado as chaves. Eu procurara Chance exigindo o arquivo da RiverOaks/TAG. Eles tinham o motivo.

– Mas não há nenhuma testemunha ocular – Mordecai disse. – Tudo é circunstancial.

– O senhor sabe onde está a pasta? – Arthur perguntou.

– Não.

– Não estamos interessados em ver Michael Brock na prisão.

– Então por que o estão acusando na justiça?

– Tudo está em jogo, Sr. Green. Se pudermos resolver a ação judicial, podemos também descartar o processo contra ele.

– Uma ótima notícia. Como os senhores pretendem resolver a ação judicial?

Rafter estendeu para ele um sumário de dez páginas, cheio de gráficos e colunas de cores variadas, tudo para explicar o argumento de que crianças e mães jovens e sem instrução não têm muito valor num processo de indenização por morte provocada por um ato ilícito.

Com a minúcia cuidadosa, típica de uma grande firma, os vassalos da Drake & Sweeney tinham passado horas sem fim pesquisando documentos legais de todo o país, à procura das últimas tendências em casos de indenização por danos. Uma tendência de um ano. Uma tendência de cinco anos. De dez anos. Região por região. Estado por estado. Cidade por cidade. Quanto os júris estavam concedendo pela morte de crianças menores de seis anos? Não muito. A média nacional era de quarenta e cinco mil dólares, porém, muito mais baixa no sul e no centro-oeste e um pouco mais alta na Califórnia e nas cidades maiores.

Crianças dessa idade não trabalham, não ganham dinheiro, e os tribunais geralmente não admitem previsões sobre sua futura capacidade de ganhar dinheiro.

A estimativa das perdas sofridas por Lontae era bastante liberal. Dado o seu histórico de empregos esporádicos, algumas suposições foram feitas. Lontae estava com vinte e dois anos e muito em breve ia conseguir um emprego fixo de salário mínimo. Era uma suposição generosa, mas que Rafter estava disposto a aceitar. Ela permaneceria sóbria, livre do perigo de engravidar pelo resto da sua vida. Outra teoria caridosa. Ela poderia aprender alguma profissão com o tempo e conseguir um emprego ganhando duas vezes o salário mínimo e trabalhar até os sessenta e cinco anos. Calculando sua renda futura, com base na inflação e passando para o valor atual do dólar, Rafter chegou ao total de 570 mil dólares para compensar as perdas de Lontae.

Não houve ferimentos, queimaduras, nem dor ou sofrimento. Eles morreram dormindo.

Para chegar a um acordo e sem admitir nenhum ato ilícito, a firma oferecia generosamente 50 mil dólares por filho, mais o total do que Lontae poderia ter ganho, ou seja, 770 mil dólares.

– Isso nem chega perto – Mordecai disse. – Posso conseguir isso de um júri por uma única criança morta.

Eles afundaram nas cadeiras.

Mordecai passou então a desacreditar quase tudo no belo relatório de Rafter. Ele não se importava com o que os júris estavam fazendo em Dallas ou em Seattle, e não via nenhuma relevância para o caso. Não tinha interesse nos procedimentos judiciários de Omaha. Ele sabia o que podia fazer com um júri da capital, e era isso que importava. Se eles pensavam que podiam comprar um acordo por uma ninharia, então estava na hora de ele ir embora.

Arthur assumiu o controle outra vez, enquanto Rafter procurava uma brecha.

– É negociável – ele disse. – É negociável.

A pesquisa não se referia à indenização punitiva por danos e Mordecai chamou a atenção deles para esse fato.

– Vocês têm um advogado rico, de uma firma rica que permite um despejo ilícito e como resultado direto desse ato meus clientes foram jogados na rua onde morreram tentando se aquecer. Francamente, senhores, é um belo caso de indenização punitiva por danos, especialmente aqui na capital.

"Aqui na capital" significava apenas uma coisa: um júri negro.

– Podemos negociar – Arthur disse outra vez. – Qual a quantia que o senhor tem em mente?

Tínhamos estudado qual a primeira quantia que devíamos pôr na mesa. O processo judicial era de dez milhões de dólares, mas era uma quantia tirada do ar. Podia ter sido quarenta, cinqüenta ou cem.

– Um milhão para cada um deles – Mordecai disse.

As palavras caíram pesadamente na mesa de mogno. Os que estavam no outro lado ouviram claramente, mas levaram alguns segundos para registrar.

– Cinco milhões? – Rafter perguntou, com voz apenas audível.

– Cinco milhões – Mordecai disse com seu vozeirão. – Um milhão para cada vítima.

De repente, toda a atenção se voltou para os blocos de anotações e os quatro escreveram algumas frases.

Depois de um tempo, Arthur entrou outra vez na luta explicando que a nossa teoria de responsabilidade não era absoluta. A intervenção de um ato da natureza – a tempestade de neve – fora em parte responsável pelas mortes. Seguiu-se uma longa discussão sobre o tempo. Mordecai resolveu o caso dizendo:

– Os jurados com certeza devem saber que cai neve em fevereiro, que faz frio em fevereiro, que temos tempestades de neve em fevereiro.

Durante toda a reunião, qualquer referência feita por ele a júri e jurados era sempre seguida por alguns segundos de silêncio no outro lado.

– Eles estão morrendo de medo de um julgamento – ele me disse.

Nossa teoria era bastante forte para suportar os ataques deles, Mordecai explicou então. Fosse por atos intencionais ou negligência crassa, o despejo foi feito. Qualquer pessoa podia prever que nossos clientes seriam jogados na rua, sem ter onde morar, em fevereiro. Ele podia transmitir essa idéia simples a qualquer júri do país, mas teria um impacto especial nos bons cidadãos da capital.

Cansado de discutir sobre responsabilidade, Arthur passou para seu ponto mais forte – eu. Especificamente, o fato de tirar a pasta do escritório de Chance e de ter feito isso depois de ser avisado que não podia ver os documentos. A posição deles não era negociável. Estavam dispostos a desistir das acusações de furto se chegássemos a um acordo no processo civil, mas eu teria de enfrentar a ação disciplinar da acusação de falta de ética.

– O que eles querem? – perguntei.

– Uma suspensão de dois anos – Mordecai disse, solenemente.

Eu não podia responder. Dois anos, não era negociável.

– Eu disse que eles estão loucos – Mordecai observou, mas não com a ênfase que eu gostaria de ouvir. – Nada feito.

Era mais fácil ficar calado. Eu repetia mentalmente as palavras, *Dois anos. Dois anos.*

Eles tentaram outra vez algum acordo a respeito da quantia, mas sem chegar a solução nenhuma. Na verdade, não concordaram com coisa alguma, a não ser com outra reunião o mais cedo possível.

A última coisa que Mordecai fez foi dar a eles uma cópia do processo judicial de Marquis Deese que ainda não dera entrada na justiça. Citava os mesmos três acusados e exigia a módica quantia de cinqüenta mil dólares de indenização pelo despejo ilícito. Outros viriam, Mordecai prometeu. Na verdade, nosso plano era dar entrada em dois por semana até que todos os despejados figurassem separadamente como queixosos.

– Vocês pretendem dar uma cópia disto aos jornais? – Rafter perguntou.

– Por que não? – Mordecai disse. – Uma vez dada a entrada na justiça, é de domínio público.

– É só que, bem, já tivemos atenção demais da imprensa.

– Vocês é que começaram com o processo de difamação.

– O quê?

– Informaram a imprensa da prisão de Michael.

– Não fizemos isso.

– Então, como o *Post* conseguiu a foto dele?

Arthur e Rafter calaram a boca.

Sozinho no meu escritório, com a porta fechada, olhei para as paredes durante uma hora antes do acordo começar a fazer sentido. A firma estava disposta a pagar uma enorme quantia para evitar duas coisas, maior humilhação e o espetáculo de um julgamento que podia ter como resultado um grande prejuízo financeiro. Se eu entregasse a pasta, eles retirariam as acusações criminais. Tudo voltaria ao lugar, exceto que a firma queria ter alguma satisfação.

Eu não era só um traidor, mas, aos seus olhos, era responsável por toda aquela encrenca. Eu era o elo entre seus segredos sujos, bem escondidos no alto da torre, e a exposição da sujeira provocada pelo processo judicial. A desgraça pública era motivo suficiente para me odiar, a perspectiva de abrir mão do seu amado dinheiro alimentava a sede de vingança.

E eu tinha feito tudo com informação confidencial, pelo menos na opinião coletiva da firma. Aparentemente eles não sabiam do envolvimento de Hector. Eu roubei a pasta, encontrei tudo de que precisava e com essa informação elaborei o processo judicial.

Eu era o Judas. Infelizmente, eu os compreendia.

Trinta e seis

Muito depois de Abraham e Sofia terem saído, eu estava sentado no escritório quase escuro quando Mordecai entrou e sentou numa das duas resistentes cadeiras dobráveis que eu havia comprado de segunda mão por seis dólares. Duas cadeiras iguais, pintadas de grená pelo último dono. Eram muito feias, mas pelo menos eu não precisava mais me preocupar com a possibilidade de um cliente ou um visitante ir parar no chão no meio da conversa.

Eu sabia que Mordecai passara a tarde toda no telefone, mas não fui nem uma vez ao seu escritório.

– Recebi uma porção de telefonemas – ele disse. – As coisas estão se movendo mais depressa do que pensávamos.

Eu ouvia. Não tinha nada a dizer.

– Falei algumas vezes com Arthur, com o juiz DeOrio. Você conhece DeOrio?

– Não.

– É um cara durão, mas é bom, justo, moderadamente liberal, começou com uma grande firma há muitos anos e por algum motivo resolveu ser juiz. Desistiu da grana graúda. Ele julga mais casos do que qualquer outro juiz da cidade porque mantém os advogados sob controle, com mão muito pesada. Quer tudo resolvido com acordo e se um caso não pode ter um acordo, ele quer um julgamento o mais depressa possível. É obcecado por uma agenda limpa.

– Acho que já ouvi o nome.

– Espero que sim. Você advogou nesta cidade durante sete anos.

– Especialista em legislação antitruste. Numa firma grande. Lá em cima.

– Seja como for, o caso é este. Combinamos um encontro amanhã à uma hora na sala de DeOrio. Todo mundo vai estar lá – os três acusados, com os advogados, eu, você, nossa curadora, todo mundo com algum interesse no processo.

– Eu?

– Isso mesmo. O juiz quer você lá. Ele disse que você pode sentar no banco dos jurados e assistir, mas quer sua presença. E quer a pasta desaparecida.

– Com prazer.

– Ele é famoso em alguns círculos, eu acho, por odiar a imprensa. Está sempre expulsando repórteres do seu tribunal, proíbe câmaras de TV a menos de 90 metros da sua porta. Ele já está irritado com a notoriedade gerada por este caso. Está resolvido a parar com os vazamentos para a imprensa.

– O processo judicial é de domínio público.

– Sim, mas ele pode cancelar o processo, se quiser. Não acredito que faça isso, mas ele gosta de assustar.

– Então ele quer um acordo?

– É claro que quer. Ele é juiz, não é? Todo juiz quer um acordo. Mais tempo para o golfe.

– O que ele acha do nosso caso?

– Ele não mostra muito seu jogo, mas foi decisivo quando exigiu a presença dos três acusados e não é blefe. Veremos as pessoas que podem tomar uma decisão na hora.

– Gantry?

– Gantry vai estar lá. Falei com o advogado dele.

– Ele sabe que tem um detector de metais na porta da frente?

– Provavelmente. Já esteve no tribunal antes. Arthur e eu contamos ao juiz a oferta dele. O juiz não disse nada, mas acho que não ficou impressionado. Ele já viu uma porção de grandes veredictos. Ele conhece os jurados.

– E o que ele pensa de mim?

Uma longa pausa enquanto meu amigo procurava palavras que fossem ao mesmo tempo verdadeiras e pouco contundentes.

– Ele vai optar pela linha dura.

Bastante contundente.

– O que é justo, Mordecai? É o meu pescoço no laço. Eu perdi toda a perspectiva.

– Não se trata de justiça. Você tirou a pasta para corrigir um erro, não pretendia roubá-la, apenas pegar emprestada por uma hora mais ou menos. Foi um ato honroso, mas ainda assim um roubo.

– DeOrio se referiu a ele como roubo?

– Sim. Uma vez.

Então o juiz achava que eu era um ladrão. Estava se tornando unânime. Não tive coragem de perguntar a Mordecai o que ele achava. Ele podia me dizer a verdade e eu não queria ouvir.

Ele mudou de posição com dificuldade. Minha cadeira estalou, mas não cedeu nem um milímetro. Fiquei orgulhoso dela.

– Quero que você saiba de uma coisa – ele disse, sério. – Uma palavra sua e largamos o caso num piscar de olhos. Não precisamos do acordo, na verdade, ninguém precisa. Um bom acordo não vai afetar em nada a minha vida. O caso é seu. Você dá as ordens.

– Não é tão simples, Mordecai.

– O que não é simples?

– Estou com medo do processo por furto.

– Deve estar. Mas eles esquecerão as acusações. Eles esquecerão a petição à Ordem dos Advogados. Posso telefonar agora para Arthur e dizer que desistiremos de tudo se eles desistirem de tudo. Os dois lados vão embora e esquecem. Ele vai aceitar na hora. É tudo que querem.

– A imprensa vai nos comer vivos.

– E daí? Estamos imunes. Você pensa que nossos clientes se preocupam com o que o *Post* diz a nosso respeito?

Mordecai estava bancando o advogado do diabo – usando

como argumento coisas nas quais não acreditava. Mordecai queria me proteger, mas queria também encostar a Drake & Sweeney na parede.

Algumas pessoas não podem ser protegidas de si mesmas.

– Tudo bem, nós desistimos – eu disse. – E o que teremos conseguido? Eles saem impunes de um crime. Eles jogaram aquelas pessoas na rua. São os únicos responsáveis pelo despejo ilícito, e depois responsáveis pela morte dos nossos clientes, mas, mesmo assim, nós os tiramos do anzol? É disso que estamos falando?

– É o único modo de proteger a sua licença para o exercício da advocacia.

– Nada como um pouco de pressão, Mordecai – eu disse, um pouco agressivo demais.

Mas ele estava certo. A encrenca era minha e era justo que eu tomasse as decisões cruciais. Eu tirei a pasta, um ato idiota, legal e eticamente errado.

Mordecai Green ficaria arrasado se eu de repente perdesse a coragem. Seu mundo consistia em ajudar os pobres a melhorar de vida. Sua gente era os sem esperança e os sem abrigo, os que receberam pouco e tudo que querem são as necessidades básicas da vida – a próxima refeição, uma cama seca, um trabalho com um ordenado digno, um pequeno apartamento com aluguel que possam pagar. Raramente a causa dos problemas dos seus clientes podia ser diretamente atribuída a empresas grandes e privadas.

Uma vez que o dinheiro não significava nada para ele, e uma vez que uma grande compensação teria pouco impacto na sua vida, e uma vez que seus clientes, como ele disse, estavam mortos, eram desconhecidos ou estavam na prisão, ele jamais consideraria um acordo pré-julgamento, se não fosse o fato do meu envolvimento. Mordecai queria um julgamento, uma produção monstro com luzes e câmaras e palavras impressas focalizadas não nele, mas no problema do declínio da sua gente. Julgamentos nem sempre são sobre atos ilícitos de indivíduos, às vezes são usados como púlpitos.

Minha presença complicava as coisas. Meu rosto macio e branco podia estar atrás das grades. Minha licença para o exercício da advocacia, portanto meu meio de vida, estava em perigo.

– Não vou abandonar o navio, Mordecai – eu disse.

– Eu não esperava que abandonasse.

– Deixe-me descrever um roteiro. E se os convencermos a pagar uma quantia razoável, as acusações criminais são retiradas e só ficam na mesa eu e minha licença? E se eu concordar com uma suspensão temporária? O que acontece comigo?

– Primeiro, sofre a indignidade de uma suspensão temporária.

– O que, por mais desagradável que pareça, não é o fim do mundo – eu disse, tentando ser forte. Na verdade, estava apavorado com o constrangimento, Warner, meus pais, meus amigos, meus colegas da universidade, Claire, toda aquela boa gente da Drake & Sweeney. Eu os via corar quando soubessem.

– Segundo, você simplesmente não pode advogar durante a suspensão.

– Vou perder meu emprego?

– É claro que não.

– Então, o que eu vou fazer?

– Bem, permanece com este escritório. Continua na CCNV, na Casa Samaritana, na Missão Redentor e nos outros lugares em que já esteve. Continua como sócio da clínica. Nós o apresentaremos como assistente social, não como advogado.

– Então, não muda nada?

– Não muito. Veja Sofia. Ela atende mais clientes do que o resto de nós juntos e metade da cidade pensa que ela é advogada. Quando é necessário o comparecimento no tribunal, eu me encarrego. Com você será o mesmo.

As regras que governam as ruas são escritas pelos que as praticam.

– E se eu for apanhado?

– Ninguém se importa. A linha entre assistência social e direito social nem sempre é muito clara.

– Dois anos é muito tempo.

– É e não é. Não temos de concordar com uma suspensão de dois anos.

– Pensei que não fosse negociável.

– Amanhã, tudo será negociável. Mas você precisa fazer um pouco de pesquisa. Encontre casos semelhantes, se é que existem. Veja o que outras jurisdições fizeram com queixas semelhantes.

– Você acha que já aconteceu antes?

– Talvez. Há um milhão de nós agora. Os advogados sempre tiveram grande habilidade para arranjar encrencas.

Ele estava atrasado para uma reunião. Agradeci e fechamos nossos escritórios.

Fui para a escola de direito de Georgetown, perto do Capitólio. A biblioteca ficava aberta até a meia-noite. Era o lugar perfeito para me esconder e pensar na vida de um advogado obstinado.

Trinta e sete

A sala de tribunal de DeOrio ficava no segundo andar do edifício Carl Moultrie, e perto do juiz Kisner, onde meu caso de furto qualificado esperava o próximo passo de um lento processo. Os corredores estavam movimentados, cheios de advogados criminalistas e a ralé da profissão, aqueles que anunciavam na TV a cabo e nos bancos das paradas de ônibus. Eles confabulavam com os clientes, que pareciam, quase todos, culpados de alguma coisa e eu me recusava a acreditar que o meu nome estivesse na mesma agenda que os daqueles malfeitores.

O momento da nossa entrada era importante para mim – bobagem para Mordecai. Não queríamos nem pensar em atraso. DeOrio era fanático por pontualidade. Mas eu não podia suportar a idéia de chegar dez minutos antes da hora e me sujeitar aos olhares e murmúrios e talvez até à conversa banal de antes do jogo de Donald Rafter e Arthur e só o inferno sabia o que mais eles podiam ter preparado. Eu não queria estar na sala com Tillman Gantry, a não ser que o meritíssimo estivesse presente.

Eu queria sentar no banco do júri, ouvir tudo e não ser incomodado por ninguém. Entramos quando faltavam dois minutos para uma hora.

A assistente de DeOrio estava passando cópias da agenda. Ela nos levou aos nossos lugares – eu ao banco do júri, onde sentei, sozinho e satisfeito, e Mordecai à mesa do queixoso ao lado do júri. Wilma Phelan, a curadora, já estava sentada e entediada porque não tinha nenhuma informação sobre o que ia ser discutido.

A mesa da defesa era um estudo de posicionamento estratégico. A Drake & Sweeney numa ponta, Tillman e seus dois advogados na outra. No centro, e atuando como moderadores, estavam dois homens da RiverOaks e três advogados. A agenda relacionava também os nomes de todos os presentes. Eu contei treze para a defesa.

Eu esperava que Gantry, um ex-cafetão, usasse anéis, argolas nas orelhas e roupas vistosas de cores vivas. Nada disso. Vestia um belo terno azul-marinho, mais elegante do que os de seus advogados. Estava lendo documentos e ignorando todo mundo.

Vi Arthur e Rafter e Nathan Malamud. E Barry Nuzzo. Eu tinha resolvido não me surpreender com coisa alguma, mas não esperava ver Barry. Enviando três dos meus companheiros no episódio de Senhor, a firma mandava um recado sutil – todos os outros advogados reféns de Senhor tinham sobrevivido sem nenhum colapso nervoso – o que acontecera comigo? Por que eu era a irmã mais fraca?

A quinta pessoa na quadrilha era identificada como L. James Suber, advogado de uma empresa de seguros. A Drake e Sweeney tinha um grande seguro contra imperícia profissional, mas eu duvidava que a cobertura do seguro se aplicaria ao nosso caso. A apólice excluía atos deliberados, como roubo de um contratado ou sócio ou violação deliberada de uma norma de conduta. A negligência de um advogado da firma era coberta pelo seguro. Um ato ilícito deliberado não era. Braden Chance não havia simplesmente ignorado um estatuto ou um artigo do código ou um método de prática estabelecido. Ele tinha tomado a decisão consciente de executar o despejo, a despeito de estar informado de que os invasores eram, na realidade, inquilinos.

Ia haver uma briga feia nos bastidores, fora da nossa vista, entre a Drake & Sweeney e a seguradora. Deixe que briguem.

Exatamente à uma hora, o juiz DeOrio apareceu na porta atrás da sua cadeira.

– Boa tarde – ele disse carrancudo, sentando-se.

Estranhei o fato de ele estar usando a toga. Não era uma sessão formal de tribunal, mas uma conferência não-oficial sobre um acordo.

Ele ajeitou o microfone e disse:

– Sr. Burdick, por favor, mantenha a porta trancada.

O Sr. Burdick era um policial uniformizado do tribunal que guardava a porta da frente do lado de dentro. As cadeiras estavam vazias. Era uma conferência particular.

Uma estenógrafa começou a registrar cada palavra.

– Fui informado por minha assistente que todas as partes e advogados estão agora presentes – ele disse, olhando para mim, como se eu fosse um estuprador qualquer. – O objetivo desta reunião é tentar resolver este caso. Depois de várias conversas ontem com os principais advogados, ficou evidente para mim que uma conferência como esta, neste momento, seria benéfica. Nunca convoquei uma conferência com tão pouco tempo de entrada de um processo, mas como todas as partes concordaram, teremos empregado bem nosso tempo. O primeiro ponto é a natureza confidencial desta reunião. Nada do que for dito hoje pode ser repetido a nenhum membro da imprensa, em nenhuma circunstância. Entendido? – Olhou para Mordecai e depois para mim. Todos os pescoços da mesa da defesa viraram para o mesmo lado. Tive vontade de ficar de pé e lembrar que eles tinham iniciado a prática de vazamento para a mídia. Certamente, nós desferimos os golpes mais fortes, mas eles desfecharam o primeiro soco.

A assistente do juiz nos deu então uma folha com dois parágrafos, onde concordávamos em manter sigilo, com nossos nomes gravados. Assinei e devolvi a ela.

Um advogado sob pressão não pode ler dois parágrafos e tomar uma decisão rápida.

– Algum problema? – DeOrio perguntou ao grupo da Drake & Sweeney. Eles estavam procurando algum meio de evasão da lei nas palavras do documento. Foram treinados para isso.

Eles assinaram e a assistente recolheu os papéis.

– Vamos seguir a agenda – disse o juiz. – O primeiro item é uma apresentação dos fatos e teorias de responsabilidade. Sr. Green, o senhor deu entrada no processo, pode começar. Tem cinco minutos.

Mordecai levantou-se, as mãos nos bolsos, completamente à vontade. Em dois minutos ele expôs nosso caso claramente e se sentou. DeOrio apreciava a brevidade.

Arthur falou pelos acusados. Reconheceu a base factual para o processo, mas questionou a suposição de responsabilidade. Atribuiu grande parte da culpa à tempestade de neve "estranha" que assolou a cidade dificultando a vida de todos.

Ele questionou também os atos de Lontae Burton.

– Ela tinha outros lugares para ir – Arthur disse. – Havia abrigos de emergência abertos. A noite anterior ela havia passado no porão de uma igreja, com várias outras pessoas. Por que ela saiu? Eu não sei, mas ninguém a obrigou, pelo menos ninguém que tenhamos encontrado até agora. A avó dela tem um apartamento na zona nordeste. Não devíamos atribuir alguma responsabilidade à mãe? Ela não devia ter feito mais para proteger sua pequena família?

Seria a última oportunidade de Arthur atribuir a culpa à mãe morta. Um ano depois meu banco do júri estaria ocupado por pessoas diferentes de mim, e nem Arthur nem qualquer outro advogado sensato ousaria insinuar que Lontae Burton era sequer parcialmente culpada pela morte dos filhos.

– Para começar, por que ela estava na rua? – DeOrio perguntou asperamente e eu quase sorri.

Arthur não se abalou.

– Para os fins desta reunião, meritíssimo, estamos dispostos a admitir que o despejo foi ilegal.

– Obrigado.

– Não tem de quê. O que queremos acentuar é que parte da responsabilidade cabe à mãe.

– Quanto?

– Pelo menos cinqüenta por cento.

– Isso é demais.

– Nós não achamos, meritíssimo. Nós a pusemos na rua, mas ela ficou na rua por mais de uma semana antes da tragédia.

– Sr. Green?

Mordecai ficou de pé, balançando a cabeça como se Arthur fosse um estudante do primeiro ano de direito atrapalhado com teorias elementares.

– Essas pessoas não têm acesso imediato à moradia, Sr. Jacobs. Por isso são chamadas de sem-teto. O senhor admite que os pôs na rua e foi na rua que eles morreram. Eu gostaria de discutir isso com um júri.

Arthur curvou os ombros para a frente. Rafter, Malamud e Barry ouviam cada palavra, apavorados com a idéia de Mordecai solto num tribunal com um júri de seus pares.

– A responsabilidade é clara, Sr. Jacobs – DeOrio disse. – Pode apresentar ao júri a tese da negligência da mãe, se quiser, mas eu não aconselho.

Mordecai e Arthur se sentaram outra vez.

Num julgamento, quando fica provada a responsabilidade do acusado, o júri passa a considerar a questão dos danos. Era o item seguinte da agenda. Rafter se encarregou de apresentar o mesmo relatório sobre tendências atuais dos júris na concessão de indenizações. Disse quanto valiam em dinheiro as crianças mortas, sob nosso sistema de delito civil. Mas seu discurso ficou tedioso quando começou a falar sobre a história de emprego de Lontae e a perda estimada da sua futura renda. Chegou à mesma quantia, 770 mil dólares, que tinham citado na véspera e apresentou-a para os autos.

– Essa não é sua oferta final, é, Sr. Rafter? – DeOrio perguntou. Seu tom era de desafio. Ele certamente não esperava que fosse a oferta final.

– Não, senhor – Rafter disse.

– Sr. Green.

Mordecai levantou-se outra vez.

– Nós rejeitamos a oferta, meritíssimo. As tendências não significam coisa alguma para mim. A única tendência que me interessa é quanto posso convencer o júri a conceder e, com o devido respeito ao Sr. Rafter, vai ser um bocado mais do que eles estão oferecendo.

Ninguém na sala duvidou.

Ele questionou a opinião de que uma criança morta valia apenas cinqüenta mil dólares. Acentuou que uma estimativa tão baixa era resultado do preconceito contra as crianças da rua, sem teto e que por acaso eram negras. Gantry foi o único que não se mexeu na mesa da defesa.

– O senhor tem um filho em St. Alban's, Sr. Rafter. Aceitaria cinqüenta mil dólares por ele?

O nariz de Rafter estava a dois centímetros do bloco de anotações.

– Eu posso convencer um júri neste tribunal de que aquelas crianças valiam pelo menos um milhão de dólares cada uma, o mesmo que qualquer criança da mesma idade, de Virgínia ou Maryland.

Foi um golpe cheio de malícia que os atingiu abaixo da linha da cintura. Não havia dúvida sobre a escola que seus filhos freqüentavam.

O relato de Rafter não levava em conta a dor e o sofrimento das vítimas. O raciocínio era tácito, mas assim mesmo óbvio. Eles morreram calmamente, respirando um gás inodoro, até flutuaram para longe daqui. Não houve queimaduras, fraturas, sangue.

Rafter pagou caro por essa omissão. Mordecai fez uma descrição detalhada das últimas horas de Lontae e seus filhos, à procura de comida e calor, a neve e o frio cortante, o medo de morrer congelada, os esforços desesperados para ficar juntos, o horror de ser apanhado pela tempestade de neve, num carro que era uma ratoeira, o motor ligado, controlando o marcador de gasolina.

Foi uma performance eletrizante, feita de improviso com a arte de um talentoso contador de histórias. Como o único jurado, eu teria dado a ele um cheque em branco.

– Não me falem de dor e sofrimento – ele rosnou para a Drake & Sweeney. – Vocês não sabem o que isso quer dizer.

Ele falou de Lontae como se a tivesse conhecido há anos.

Uma criança que nasceu sem nenhuma chance, que cometeu todos os erros previsíveis. Porém, o mais importante, a mãe que amava os filhos e tentava desesperadamente sair da pobreza. Ela enfrentou o próprio passado e o próprio vício e estava lutando para se manter sóbria quando os acusados a chutaram de volta para as ruas.

Sua voz crescia e diminuía, erguendo-se indignada, caindo com vergonha e culpa. Nem uma sílaba perdida, nenhuma palavra ignorada. Mordecai estava dando a eles uma dose extraordinária do que o júri ia ouvir.

Arthur tinha o controle do talão de cheques que devia estar queimando e abrindo um buraco no seu bolso.

Mordecai deixou o melhor para o fim. Deu uma aula sobre o objetivo da indenização punitiva – para punir os que agem mal, para fazer deles um exemplo, para que não voltem a pecar. Ele martelou na descrição dos males cometidos pelos acusados, pessoas ricas que não se importam com os menos afortunados. "São só um bando de invasores", trovejou sua voz. "Vamos atirá-los na rua!"

A cobiça os tinha levado a ignorar a lei. Um despejo dentro da lei teria demorado mais trinta dias, no mínimo. Teria anulado a negociação com o Serviço Postal. Trinta dias e a neve mais pesada teria passado, as ruas estariam um pouco mais seguras.

Era um caso perfeito para a aplicação de indenização punitiva, e ele não tinha a menor dúvida de que o júri ia concordar com ele. Eu concordava e naquele momento, nem Arthur, nem Rafter ou qualquer outro advogado presente queria enfrentar Mordecai Green.

– Faremos um acordo por cinco milhões – ele disse, quando chegou ao fim. – Nem um centavo a menos.

Houve uma pausa quando ele terminou. DeOrio tomou algumas notas, depois voltou à agenda. O assunto seguinte era a pasta roubada.

– Está com o senhor? – ele me perguntou.

– Sim, senhor.

– Está disposto a entregá-la?

– Estou.

Mordecai abriu sua pasta surrada e tirou o dossiê. Entregou para a assistente que a passou para o meritíssimo. Nós observamos durante dez longos minutos enquanto DeOrio examinava cada página.

Senti os olhares de Rafter, mas quem se importava? Ele e o resto estavam ansiosos para pôr as mãos naqueles papéis.

Quando o juiz terminou, disse:

– Sr. Jacobs, a pasta foi devolvida. Há um processo por furto pendente em outro tribunal, neste mesmo corredor. Falei a respeito com o juiz Kisner. O que o senhor quer fazer?

– Meritíssimo, se pudermos resolver os outros assuntos, não insistiremos num indiciamento.

– Suponho que isso seja do seu agrado, Sr. Brock? – DeOrio perguntou.

Uma ova que era do meu agrado.

– Sim, senhor.

– Prosseguindo. O item seguinte é sobre a queixa de violação da ética apresentada por Drake & Sweeney contra Michael Brock. Sr. Jacobs, quer falar sobre isso?

– Certamente, meritíssimo. – Arthur levantou-se rapidamente e fez a condenação da minha falta de ética. Não foi excessivamente severo, nem falou demais. Parecia não ter prazer no que estava fazendo. Arthur era um advogado, um veterano que pregava a ética e sem dúvida a praticava. Ele e a firma jamais perdoariam o que eu fiz, mas, afinal, eu fora um deles. Assim como os atos de Braden Chance, minha quebra dos padrões se refletia na firma inteira.

Ele terminou garantindo que eu não devia escapar ao castigo por tirar a pasta. Era uma falta flagrante no nosso dever para com o cliente, a RiverOaks. Eu não era um criminoso, e eles não teriam dificuldade para esquecer a acusação de furto qualificado. Mas eu era advogado, e um advogado muito bom, ele admitiu, e como tal devia ser considerado responsável.

Sob nenhuma circunstância eles retirariam a queixa de quebra da ética.

Seu raciocínio era impecável, bem apresentado e ele me

convenceu. O pessoal da RiverOaks parecia prático e determinado.

– Sr. Brock – DeOrio disse. – O senhor tem alguma resposta?

Eu não tinha preparado nada, mas não tinha medo de me levantar e dizer o que sentia. Olhei nos olhos de Arthur e disse:

– Sr. Jacobs, eu sempre tive um grande respeito pelo senhor e ainda tenho. Não tenho nada a dizer em minha defesa. Errei quando tirei a pasta e desejei mil vezes não ter feito isso. Eu estava procurando informação que, eu sabia, estava sendo ocultada, mas isso não é desculpa. Peço desculpas ao senhor, ao resto da firma e à sua cliente, a RiverOaks.

Sentei, incapaz de olhar para eles. Mordecai me disse mais tarde que minha humildade derreteu o gelo da sala e aumentou a temperatura em dez graus.

DeOrio fez então uma coisa muito sensata. Passou para o item seguinte, que dizia respeito ao processo ainda não iniciado. Nós planejávamos entrar com um processo em nome de Marquis Deese e outro de Kelvin Lam e em nome de qualquer outro sem-teto vítima do despejo que pudéssemos encontrar. DeVon Hardy e Lontae Burton tinham partido, portanto havia ainda quinze queixosos em potencial lá fora. Mordecai havia informado o juiz dessa sua promessa.

– Se estão admitindo a responsabilidade, Sr. Jacobs – disse o meritíssimo –, então devem falar sobre os danos. Quanto oferecem para um acordo nesses outros quinze casos?

Arthur confabulou em voz baixa com Rafter e Malamud e disse.

– Bem, meritíssimo, imaginamos que essas pessoas estejam sem moradia há um mês. Se dermos cinco mil para cada um, podem encontrar outro lugar para morar, provavelmente muito melhor.

– Muito pouco – DeOrio disse. – Sr. Green.

– Muito pouco – Mordecai concordou. – Mais uma vez, avalio os casos com base no que os júris podem fazer. Mesmos acusados, mesma conduta ilícita, mesma votação do júri. Posso conseguir cinqüenta mil para cada caso facilmente.

– Quanto aceitaria? – perguntou o juiz.

– Vinte e cinco mil.

– Eu acho que devem pagar – DeOrio disse para Arthur. – É razoável.

– Vinte e cinco mil para cada um dos quinze? – Arthur perguntou, sua pose inabalável estremecendo sob o assalto de dois lados da sala.

– Exatamente.

Seguiu-se uma discussão feroz, na qual cada um dos quatro advogados da Drake & Sweeney deu sua opinião. Foi bastante revelador o fato de não terem consultado os advogados dos outros dois acusados. Era evidente que a firma ia se encarregar de pagar o que ficasse determinado. A indiferença de Gantry era completa. Seu dinheiro não estava em jogo. A RiverOaks provavelmente estava ameaçando processar a firma se não chegassem a um acordo.

– Pagaremos vinte e cinco – Arthur anunciou em voz baixa e 375 mil dólares deixaram os cofres da Drake & Sweeney.

A sabedoria consistiu em quebrar o gelo. DeOrio sabia que podia obrigá-los a concordar com os processos menores. Uma vez que o dinheiro começasse a sair, só ia parar quando tivéssemos terminado.

No ano anterior, depois de pagar meus salários e benefícios e reservar um terço do meu faturamento para os custos administrativos da firma, aproximadamente quatrocentos mil dólares foram para o pote de ouro que era dividido entre os sócios. E eu era apenas um dos oitocentos.

– Senhores, só nos faltam dois assuntos. O primeiro é dinheiro – quanto vai custar o acordo deste processo? O segundo é a questão dos problemas disciplinares que devem ser aplicados ao Sr. Brock. Ao que parece, uma coisa está ligada à outra. É nesse momento, em reuniões como esta, que eu gosto de falar em particular com cada lado. Começarei com o queixoso. Sr. Green e Sr. Brock, querem por favor ir até meu gabinete?

A assistente nos conduziu pelo corredor atrás da cadeira do juiz, até um esplêndido escritório com painéis de carvalho onde o meritíssimo estava tirando a toga e pedindo chá a uma secretária. Ele nos ofereceu chá, mas declinamos. A assistente fechou a porta, deixando-nos a sós com DeOrio.

– Estamos fazendo progresso – ele disse. – Tenho de dizer, Sr. Brock, que o caso da ética é um problema. O senhor compreende a gravidade dessa acusação?

– Acho que sim.

Ele estalou as juntas dos dedos e começou a andar pela sala.

– Tivemos um advogado aqui na capital, há uns sete ou oito anos, que executou a mesma proeza. Saiu da firma com uma porção de material sigiloso que misteriosamente acabou em outra firma, que por acaso ofereceu um belo emprego para ele. Não me lembro do nome.

– Makovek. Brad Makovek – eu disse.

– Certo. O que aconteceu com ele?

– Foi suspenso por dois anos.

– Exatamente o que eles querem para você.

– De jeito nenhum, juiz – Mordecai disse. – Nem por todo o fogo do inferno vamos concordar com dois anos de suspensão.

– Com quanto tempo concordariam?

– Seis meses no máximo. E não é negociável. Veja, juiz, esses homens estão morrendo de medo, sabe disso. Estão apavorados e nós não estamos. Por que vamos concordar com qualquer coisa? Eu prefiro ter um júri.

– Não vai haver nenhum júri. – O juiz chegou perto de mim e olhou nos meus olhos. – Você concorda com seis meses de suspensão? – ele perguntou.

– Sim – eu disse. – Mas eles têm de entrar com o dinheiro.

– Quanto? – ele perguntou para Mordecai.

– Cinco milhões. Eu podia conseguir mais de um júri.

DeOrio foi até a janela, pensando profundamente, coçando o queixo.

– Eu posso ver cinco milhões de um júri – ele disse, de costas para nós.

– Eu posso ver vinte – Mordecai disse.

– Quem vai ficar com o dinheiro? – perguntou o juiz.

– Vai ser um pesadelo – Mordecai admitiu.

– Quanto em honorários dos advogados?

– Vinte por cento. Dos quais a metade vai para um truste em Nova York.

O juiz virou rapidamente para nós e começou a andar outra vez, com as mãos cruzadas na nuca.

– Seis meses é uma pena leve – ele disse.

– É tudo que daremos – Mordecai disse.

– Tudo bem. Deixem-me falar com o outro lado.

Nossa conferência particular com DeOrio durou menos de quinze minutos. A dos bandidos durou uma hora. É claro que eles eram os que estavam lutando pelo dinheiro.

Tomamos refrigerantes num banco no saguão movimentado do prédio, calados, observando um milhão de advogados correndo atrás de clientes e de justiça.

Andamos pelos corredores, olhando para os olhos assustados das pessoas que iam ser levadas perante o juiz por vários tipos de ofensas. Mordecai cumprimentou uns dois advogados que ele conhecia. Eu não vi nenhum conhecido. Advogados de grandes firmas não passam tempo na Corte Suprema.

A assistente nos encontrou e nos levou de volta ao tribunal, onde todos os protagonistas estavam nos seus lugares. A tensão era grande. DeOrio estava agitado. Arthur e companhia pareciam exaustos. Tomamos nossos lugares e esperamos pelo juiz.

– Sr. Green – ele começou. – Eu falei com os advogados dos acusados. Aqui está sua melhor oferta: três milhões de dólares e um ano de suspensão para o Sr. Brock.

Mordecai mal chegou a sentar e se levantou de um salto.

– Então estamos perdendo tempo – ele disse e pegou sua pasta. Eu levantei também para ir atrás dele.

– Por favor, nós pedimos licença, meritíssimo – ele disse. – Mas temos coisas melhores para fazer. – Andamos juntos pela passagem entre as cadeiras.

– Licença concedida – o juiz disse, muito frustrado.

Saímos rapidamente do tribunal.

Trinta e oito

Eu estava abrindo a porta do carro quando o celular tocou no meu bolso. Era o juiz DeOrio. Mordecai riu quando eu disse, "Sim, juiz, estaremos aí em cinco minutos". Levamos dez minutos, parando no banheiro no andar térreo, andando devagar, subindo pela escada e não pelo elevador, dando a DeOrio o maior tempo possível para massacrar mais um pouco os acusados.

A primeira coisa que notei quando entramos foi que Jack Bolling, um dos três advogados da RiverOaks, tinha tirado o paletó, arregaçado as mangas da camisa e estava se afastando dos advogados da Drake & Sweeney. Duvidei que tivesse chegado às vias de fato, mas ele parecia disposto a isso e muito capaz.

O enorme veredicto sonhado por Mordecai seria aplicado contra os três acusados. Evidentemente a conferência para acordo havia assustado suficientemente o pessoal da RiverOaks. Ameaças foram feitas e talvez a empresa tivesse resolvido entrar com algum dinheiro. Jamais saberíamos.

Evitei o banco do júri e sentei ao lado de Mordecai. Wilma Phelan tinha ido embora.

– Estamos chegando perto – o juiz disse.

– E estamos pensando em retirar nossa oferta – Mordecai anunciou com um dos seus mais violentos trovões. Não tínhamos falado em retirar a oferta, nem os outros advogados e nem o juiz haviam considerado a possibilidade. As cabeças giraram quase espasmodicamente, um olhando para o outro.

– Acalmem-se – DeOrio disse.

– Estou falando muito sério, juiz. Quanto mais fico sentado neste tribunal, mais me convenço de que essa farsa precisa ser revelada a um júri. Quanto ao Sr. Brock, sua ex-firma pode forçar todas as acusações que quiser, que não vão valer nada. Eles já têm a pasta de volta. Ele não tem ficha na polícia. Deus sabe que o nosso sistema está sobrecarregado com traficantes e assassinos. Processar o Sr. Brock vai ser uma piada. Ele não vai para a prisão. E a queixa à Ordem dos Advogados – deixemos que siga seu curso. Eu entro com uma queixa contra Braden Chance e talvez contra alguns dos outros advogados envolvidos nesta bagunça e teremos uma competição de cuspe à moda antiga. – Apontou para Arthur e disse: – O senhor vai para os jornais, nós vamos para os jornais.

A Clínica de Advocacia da rua 14 não dava a mínima para o que os jornais diziam dela. Se Gantry se importava, ele não estava demonstrando. A RiverOaks podia continuar a lucrar a despeito da má repercussão. Mas a Drake & Sweeney tinha só sua reputação para vender.

A explosão de Mordecai veio do nada e todos ficaram completamente atônitos.

– Já terminou? – DeOrio perguntou.

– Acho que sim.

– Ótimo. A oferta subiu para quatro milhões.

– Se eles podem pagar quatro milhões, então certamente podem pagar cinco. – Mordecai apontou outra vez para a Drake & Sweeney. – Esta acusada teve no ano passado um faturamento bruto de quase setecentos milhões de dólares. – Fez uma pausa e os números ecoaram na sala. – Setecentos milhões de dólares só no ano passado. – Então apontou para a RiverOaks. – E esta acusada é proprietária de bens imóveis no valor de trezentos e cinqüenta milhões de dólares. Dê-me um júri.

Quando pareceu que ele ia ficar calado, DeOrio perguntou outra vez.

– Já terminou?

– Não, senhor – ele disse e num instante ficou completamente calmo. – Aceitaremos dois milhões de entrada, um milhão por nossos honorários, um milhão para os herdeiros. Os três milhões restantes podem ser pagos nos próximos dez anos – trezentos mil por ano, mais uma taxa de juros razoável. Certamente as acusadas podem pagar trezentos mil dólares por ano. Podem ser obrigadas a aumentar aluguéis e faturamento das horas de trabalho, mas certamente sabem como fazer isso.

Um pagamento a prazo estruturado com bastante flexibilidade fazia sentido. Devido à instabilidade dos herdeiros, e ao fato de que a maioria deles era ainda desconhecida, o dinheiro seria cuidadosamente guardado em juízo.

A última investida de Mordecai foi simplesmente brilhante. A tensão diminuiu sensivelmente no grupo da Drake & Sweeney. Mordecai deu a eles uma saída.

Jack Bolling confabulou com eles. Os advogados de Gantry observavam e ouviam, mas estavam quase tão entediados quanto seu cliente.

– Podemos fazer isso – Arthur anunciou. – Mas mantemos nossa posição a respeito do Sr. Brock. Um ano de suspensão ou não há acordo.

De repente eu odiei Arthur outra vez. Eu era seu último peão no jogo e para salvar o pouco de dignidade que lhes restava, eles queriam todo o sangue que pudessem tirar.

Mas o pobre Arthur não estava negociando de uma posição vantajosa. Estava visivelmente desesperado.

– Que diferença faz? – Mordecai gritou para ele. – O Sr. Brock concordou em sofrer a indignidade de desistir da sua licença. O que mais seis meses significam para vocês? Isso é absurdo!

Para os dois jovens da RiverOaks foi demais. Além do medo natural de tribunais, o deles tinha atingido novas alturas depois de passar três horas com Mordecai. Por nada no mundo eles iam suportar três semanas de um julgamento. Balançaram as cabeças, frustrados confabulando intensamente em voz baixa.

Até Tillman Gantry estava cansado da insistência teimosa de Arthur. Com o acordo tão perto, acabem logo com essa maldita coisa!

Alguns segundos antes, Mordecai tinha gritado, "Que diferença isso faz?" E ele estava certo. Realmente não fazia diferença, especialmente para um advogado das ruas como eu, cujo emprego, bem como o salário e o status maravilhosamente não seriam afetados por uma suspensão temporária.

Eu me levantei e disse cortesmente:

– Meritíssimo, vamos dividir a diferença. Nós oferecemos seis meses, eles querem doze. Concordo com nove. – Olhei para Barry Nuzzo quando disse isso e ele sorriu para mim.

Se Arthur tivesse aberto a boca naquele momento, teria sido linchado. Todo mundo relaxou, incluindo DeOrio.

– Então temos um acordo – ele disse, sem esperar confirmação dos acusados.

Sua assistente, uma maravilha de eficiência, digitava num processador de textos na frente da mesa do juiz e alguns minutos depois apresentou um Memorando de Acordo de uma página. Assinamos rapidamente e fomos embora.

Não havia champanhe no escritório. Sofia estava fazendo o que sempre fazia. Abraham estava numa conferência de semteto em Nova York.

Se algum escritório de advocacia na América podia absorver quinhentos mil dólares em honorários sem demonstrar, era a Clínica de Advocacia da rua 14. Mordecai queria novos computadores e telefones e provavelmente um novo sistema de aquecimento. O grosso do dinheiro iria para o banco, acumulando juros e esperando pelos tempos difíceis. Era um bom travesseiro que garantiria nossos salários por alguns anos.

Se ele estava frustrado com o fato de ter de mandar os outros quinhentos mil para o Cohen Trust, disfarçou muito bem. Mordecai não era homem de se preocupar com coisas que não podiam ser mudadas. Sua mesa estava coberta de batalhas que ele podia vencer.

Seriam precisos pelo menos nove meses de trabalho árduo para resolver a distribuição do dinheiro do caso Burton e era nisso que eu ia passar grande parte do meu tempo. Herdeiros deviam ser determinados, depois encontrados, depois orientados quando soubessem que tinham dinheiro para receber. Ia ser complicado. Por exemplo, os corpos de Kito Spires e os de Temeko, Alonzo e Dante talvez fossem exumados para testes de DNA, para estabelecer a paternidade. Se ele era de fato o pai, então herdaria dos filhos, que morreram antes. Uma vez que ele estava morto, sua herança seria aberta e seus herdeiros localizados.

A mãe e os irmãos de Lontae representavam um problema assustador. Eles tinham ainda contatos nas ruas. Sairiam da prisão em condicional dentro de alguns anos e viriam atrás da sua parte do dinheiro como desesperados.

Havia outros dois projetos de especial interesse para Mordecai. O primeiro era um programa *pro bono* que a clínica havia organizado certa vez, depois teve de deixar quando a ajuda federal desapareceu. No auge, o programa tinha cem advogados que trabalhavam como voluntários algumas horas por semana para ajudar os sem-teto. Ele me pediu para considerar a possibilidade de reativar o programa. Eu gostei da idéia. Poderíamos alcançar maior número de pessoas, fazer mais contatos com outros advogados. E ampliar nossa base para levantamento de fundos.

Esse era o segundo projeto. Sofia e Abraham eram incapazes de pedir dinheiro. Mordecai podia convencer uma pessoa a dar até a camisa, mas detestava pedir. Eu era o jovem e brilhante advogado branco que podia circular entre todos os profissionais e convencê-los a contribuir anualmente.

– Com um bom plano, você pode levantar centenas de milhares de dólares num ano – ele disse.

– E o que vamos fazer com tanto dinheiro?

– Contratar umas duas secretárias, uns dois paralegais, talvez outro advogado.

Sentamos na sala da frente, depois que Sofia saiu, vendo a noite chegar lá fora. Mordecai começou a sonhar. Ele tinha saudade dos dias em que tinha sete advogados se atropelando no pequeno espaço da clínica. Todo dia era um caos, mas a pequena firma das ruas era uma força. Ajudava milhares de sem-teto. Políticos e burocratas ouviam o que a clínica dizia.

– Estamos em declínio há cinco anos – ele disse. – E nossa gente está sofrendo. Esta é a nossa chance de ouro de dar a virada.

E o desafio me pertencia. Eu era o sangue novo, o novo talento que ia revigorar a clínica e levá-la ao próximo nível. Eu ia trazer para a clínica o brilho de dezenas de novos voluntários. Eu ia construir uma máquina de angariar fundos para que pudéssemos advogar no mesmo campo de qualquer outro. Nós íamos nos expandir, até tirar as tábuas das janelas no segundo andar e encher as salas com advogados talentosos.

Os direitos dos sem-teto seriam protegidos, desde que eles pudessem nos encontrar. E suas vozes seriam ouvidas através das nossas.

Trinta e nove

Na sexta-feira bem cedo eu estava sentado à minha mesa, fazendo alegremente meu trabalho de advogado/assistente social, quando a Drake & Sweeney, na pessoa de Arthur Jacobs, de repente apareceu na minha porta. Eu o cumprimentei amável e cautelosamente e ele sentou numa das minhas cadeiras grená. Não quis café. Só queria conversar.

Arthur estava perturbado. Mesmerizado eu ouvi o velho homem.

As últimas semanas tinham sido as mais difíceis da sua carreira profissional – cinqüenta e seis anos. O acordo não foi grande conforto para ele. A firma estava de volta à estrada, depois do pequeno solavanco, mas Arthur estava com dificuldade para dormir. Um dos sócios tinha cometido um erro terrível e o resultado foi a morte de pessoas inocentes. A Drake & Sweeney seria para sempre culpada das mortes de Lontae e seus quatro filhos, independente do quanto a firma estivesse pagando. E Arthur duvidava que pudesse algum dia superar isso.

Eu estava surpreso demais para falar muito, por isso apenas ouvi. Eu gostaria que Mordecai pudesse ouvir também.

Arthur estava sofrendo e depois de um tempo fiquei com pena dele. O homem tinha oitenta anos, há uns dois anos pensava em se aposentar, mas agora não sabia o que fazer. Estava cansado de correr atrás do dinheiro.

– Eu não tenho muitos anos pela frente – ele admitiu.

Eu desconfiava que Arthur iria ao meu enterro.

Ele ficou fascinado com a nossa Clínica de Advocacia e eu contei a história de como fui parar lá. Há quanto tempo a clínica existia?, ele quis saber. Quantas pessoas trabalhavam nela? Qual era a fonte do dinheiro? Como nós a administrávamos?

Ele abriu a porta e eu entrei. Porque eu não podia advogar nos próximos nove meses, a clínica resolveu que eu devia organizar um novo programa de voluntários *pro bono,* usando advogados das grandes firmas da cidade. Uma vez que a firma dele parecia ser a maior, eu estava pensando em começar por ela. Os voluntários trabalhariam apenas algumas horas por semana, sob a minha supervisão, e podíamos ter acesso a milhares de pessoas sem moradia.

Arthur conhecia vagamente esse tipo de programa. Há vinte anos ele não trabalhava de graça, admitiu tristemente. Normalmente isso era deixado para os jovens contratados. Eu lembrava disso muito bem.

Mas ele gostou da idéia. De fato, quanto mais conversávamos, maior ficava o programa. Depois de alguns minutos, ele estava falando abertamente em obrigar seus quatrocentos advogados da capital a passar algumas horas por semana ajudando os pobres. Era perfeitamente adequado.

– Você pode controlar quatrocentos advogados? – ele perguntou.

– É claro – eu disse, sem a menor idéia de como ia começar a fazer isso. Mas minha cabeça estava a mil. – Mas vou precisar de ajuda.

– Que tipo de ajuda?

– O que acha de um coordenador *pro bono* em tempo integral dentro da Drake & Sweeney? Trabalharia comigo em todos os aspectos do direito dos sem-teto. Francamente, com quatrocentos voluntários, vamos precisar de alguém na firma.

Ele pensou por um momento. Tudo era novo e tudo parecia bom. Eu continuei:

– Conheço a pessoa certa – eu disse. – Não precisa ser advogado. Um bom paralegal pode fazer isso.

– Quem? – ele perguntou.

– O nome Hector Palma diz alguma coisa para você?

– Vagamente.

– Ele está no escritório de Chicago, mas é da capital. Trabalhou com Braden Chance e foi exilado para Chicago.

Arthur entrecerrou os olhos, tentando lembrar. Eu não tinha certeza do quanto ele sabia, mas duvidava que ele fosse agir desonestamente. Arthur parecia estar sentindo um verdadeiro prazer naquela purificação da própria alma.

– Exilado?

– Sim, exilado. Ele morava em Bethesda até três semanas atrás quando foi removido no meio da noite, sem mais nem menos. Uma rápida transferência para Chicago. Ele sabia tudo sobre o despejo e acho que Chance quis escondê-lo. – Procurei ser cuidadoso. Não ia quebrar meu acordo de sigilo com Hector.

Não foi preciso. Arthur, como sempre, estava lendo nas entrelinhas.

– Ele é da capital.

– Sim, e a mulher dele também. Eles têm quatro filhos. Tenho certeza de que ficarão felizes por voltar.

– Ele tem interesse em ajudar os pobres? – ele perguntou.

– Por que não pergunta para ele?

– Vou fazer isso. É uma idéia excelente.

Se Arthur quisesse realmente que Hector Palma se encarregasse de organizar a nova paixão da firma pelo direito dos sem-teto, a coisa seria feita em uma semana.

O programa tomava forma na frente dos nossos olhos. Cada advogado da Drake & Sweeney seria obrigado a tratar de um caso por semana. Os contratados mais jovens se encarregariam do histórico, sob minha supervisão, e quando os casos chegassem à firma seriam distribuídos por Hector para os outros advogados. Alguns casos levariam quinze minutos para serem resolvidos, expliquei para Arthur, outros, várias horas por mês. Sem problema, ele disse.

Eu quase fiquei com pena dos políticos e funcionários e empregados de escritório, com quatrocentos advogados da Drake & Sweeney de repente possuídos pelo fervor de proteger os direitos dos sem-teto.

Arthur ficou no meu escritório quase duas horas e pediu desculpas quando percebeu que tinha tomado tanto do meu tempo. Mas quando saiu estava muito mais feliz. Ia direto para o escritório com um novo objetivo, um homem com uma missão. Eu o acompanhei até o carro, depois corri para contar para Mordecai.

O tio de Megan tinha uma casa na praia de Delaware, perto da Ilha Fenwick, na direção de Maryland. Ela a descreveu como uma casa bonitinha, dois andares com uma grande varanda que quase tocava o mar, três quartos, um local perfeito para uma fugida de fim de semana. Estávamos no meio de março, ainda fazia frio e podíamos sentar na frente da lareira lendo livros.

Ela enfatizou levemente a parte sobre os três quartos, dando a entender que havia espaço suficiente para privacidade, sem que as coisas ficassem complicadas. Ela sabia que eu estava saindo do meu primeiro casamento e depois de duas semanas de namoro cauteloso, nós dois sabíamos que as coisas iam prosseguir em ritmo lento. Mas havia outra razão para mencionar os três quartos.

Saímos de Washington na tarde de sexta-feira, eu dirigindo, Megan como navegadora e Ruby mordiscando biscoitos de aveia, no banco de trás, encantada com a idéia de passar alguns dias fora da cidade, fora das ruas, na praia, limpa e sóbria.

Ruby estava sem se drogar desde a noite de quinta-feira. Três noites conosco em Delaware fariam quatro. Na segunda-feira à tarde nós a levaríamos para Easterwood, um pequeno centro de desintoxicação para mulheres, ao lado do Capitólio. Mordecai usou sua influência e Ruby teria um quarto pequeno com uma cama quente pelo menos por noventa dias.

Antes de sairmos da cidade, ela tomou um banho no Naomi's e vestiu roupa limpa. Megan revistou cada milímetro da roupa dela para verificar se Ruby estava levando alguma droga. Não encontrou nada. Era uma invasão de privacidade, mas com viciados as regras são outras.

Encontramos a casa ao cair da noite. Megan a usava uma

ou duas vezes por ano. A chave estava debaixo do tapete no lado de fora da porta.

Eu fiquei com o quarto no térreo, o que Ruby achou estranho. Os outros dois quartos eram no segundo andar e Megan queria ficar perto de Ruby durante a noite.

No sábado começou a cair uma chuva fina com vento frio que vinha do mar. Eu estava sozinho na varanda da frente, sentado no sofá de balanço, protegido por um cobertor grosso, perdido num mundo de sonhos, ouvindo as ondas lá embaixo. A porta fechou, depois a porta de tela bateu e Megan saiu para a varanda. Chegou perto de mim, levantou o cobertor e se aconchegou ao meu lado. Eu a abracei com força, para ela não cair.

Era fácil abraçar Megan.

– Onde está a nossa cliente? – perguntei.

– Assistindo à televisão.

Uma rajada forte de vento borrifou água em nós e nos abraçamos com mais força. As correntes que prendiam o balanço rangeram, depois silenciaram quando ficamos quase imóveis. Olhamos as nuvens dançando acima da água. O tempo não era importante.

– No que você está pensando? – ela perguntou suavemente.

Em tudo e em nada. Fora da cidade, eu podia olhar para trás pela primeira vez e tentar compreender tudo. Trinta e dois dias antes eu estava casado com outra pessoa, morando em outro apartamento, trabalhando em outra firma, um completo estranho para a mulher que abraçava naquele momento. Como a vida podia mudar tão drasticamente em um mês?

Eu não ousava pensar no futuro, o passado ainda estava acontecendo.

Nota do autor

Antes de escrever este livro, nunca me preocupei muito com os sem-teto. E certamente não conhecia ninguém que trabalhasse com eles.

Na capital, descobri a Clínica de Advocacia Washington para os Sem-teto, onde conheci Patricia Fugere, a diretora. Ela e seus colegas de trabalho – Mary Ann Luby, Scott McNeilly e Melody Webb O'Sullivan – me apresentaram ao mundo dos sem-teto. Meu muito obrigado a eles por seu tempo e assistência.

Agradeço também a Maria Foscarinis do National Law Center of Homelessness and Poverty, a Willa Day Morris, do Centro Rachael para Mulheres, a Mary Popit, do New Endeavors by Women e a Bruce Casino e Bruce Sanford do Baker & Hostetler.

Will Denton mais uma vez leu o manuscrito e sugeriu alterações para mantê-lo dentro das normas do direito. Jefferson Arrington me mostrou a cidade. Jonathan Hamilton fez a pesquisa. Obrigado.

E aos verdadeiros Mordecai Greens, um tributo silencioso por seu trabalho nas trincheiras.

Este livro foi impresso na Editora JPA Ltda.,
Av. Brasil, 10.600 – Rio de Janeiro – RJ,
para a Editora Rocco Ltda.